Attention au parquet !

Will Wiles

Attention au parquet !

*Traduit de l'anglais
par Françoise Pertat*

LIANA LEVI *piccolo*

Titre original : *Care of Wooden Floors*

© 2012 by Will Wiles

© 2014, Éditions Liana Levi, pour la traduction française.

ISBN : 978-2-86746-745-7

www.lianalevi.fr

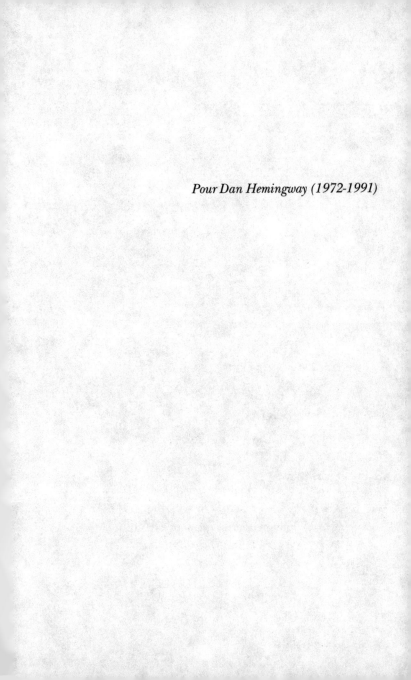

Pour Dan Hemingway (1972-1991)

PREMIER JOUR

Les gens ont peur de prendre l'avion. Je n'ai jamais compris pourquoi. C'est pourtant une expérience remarquable. Oui, même à l'étroit sur votre siège dans une cabine bruyante, et sur un vol économique de trois heures sans repas. Vous êtes quand même dans l'air. Vous êtes Au-Dessus. C'est extraordinaire, littéralement. Vous avez franchi les frontières de l'ordinaire. Vous les avez renversées. En une vingtaine de minutes, l'ordinaire se transforme en une mosaïque de vert, de marron et de vif-argent, et vous voilà dans les nuages.

Nous vivons une époque formidable, et pas seulement grâce à la pénicilline, aux toilettes à chasse d'eau et au chauffage central : nous pouvons dorénavant survoler les nuages. Et ceux-ci tiennent leurs promesses de beauté sublime. Dans ma petite enfance, je les imaginais chauds et doux au toucher, parce que je savais qu'ils étaient faits d'eau, et donc de vapeur, et comme la vapeur était chaude… Logique parfaite. Bien sûr, ils ne sont pas chauds, mais dans le cylindre climatisé de votre vol de milieu de semaine, ils exaucent leur vieille promesse, car ils sont inondés de lumière – peu importe la météo en dessous, leur sommet est forcément exposé au soleil, là réside leur garantie, là se situe leur petit miracle.

Les artistes de la Renaissance ont dû éprouver cet amour des nuages, apprécier leur splendeur naturelle, et, n'ayant jamais pu toucher du doigt leur vraie grandeur, ils les ont peuplés de *putti* et de séraphins. Leur intuition de la magie qu'il y a à les survoler était si juste que lorsque vous vous y trouvez à présent, vous vous attendez à rencontrer ces êtres célestes. Mais il n'y a personne. Vous êtes seul au-dessus d'un paysage toujours changeant, toujours unique, toujours spécial, avec ces prairies vallonnées de cirrus et ces cimes bouillonnantes à perte de vue. Vous êtes un explorateur et vous venez d'atteindre votre *terra incognita*.

Mais malgré toute cette beauté et cet isolement, il existe, hélas, une obligation : il vous faut redescendre et retrouver l'imperfection.

Dans mon esprit, l'atterrissage, l'aéroport, le contrôle des passeports, la récupération des bagages et le taxi se fondent en un mélange de néon fluo, de transpiration et de stress. C'est l'un de ces moments épouvantables où ce que vous êtes, qui vous êtes, d'où vous venez et où vous allez se résume à un petit livret pourpre relié (« Le ministre de Sa Très Gracieuse Majesté exige… ») et à une adresse gribouillée sur un bout de papier arraché d'un carnet à spirale. Ce dernier a élu domicile dans un sac fourre-tout qui peut encore, s'il plaît à Dieu, apparaître entier sur le tapis roulant. Il contient les dernières preuves de Qui Vous Êtes. Qui je suis. L'adresse, à moins de l'avoir mal transcrite – était-ce deux ou douze ? –, correspond à un immeuble résidentiel, dans une ville étrangère pas du tout familière, à trente kilomètres environ de cet aéroport. La station de taxis est ce qui me raccorde à ce refuge – promesse de nourriture et de confort –, à moins que je ne sois victime d'escroquerie, de vol, de meurtre, ou de quelque combinaison baroque des trois. Ces choses arrivent à l'étranger, m'avait-on rapporté dans la chaleur d'un dîner, et tandis que la conversation égrenait ces vérités terribles, j'avais tenté d'afficher le sourire du voyageur chevronné. Or je n'en étais pas un.

Pourtant tout se passa sans anicroches et aucune de ces hypothèses ne survint. La clé tourna parfaitement dans la serrure et je me retrouvai debout sur le seuil de l'appartement d'Oskar pour la première fois de ma vie.

Merci pour tout; tu es vraiment un ami de m'aider ainsi. Je ne me sens pas à l'aise d'abandonner mon logement pendant si longtemps, surtout avec les chats… Tu vas l'aimer, c'est un appartement agréable…

L'appartement numéro douze était situé près du centre-ville, au deuxième étage d'un immeuble en comportant six, partie intégrante d'un ensemble vaguement moderne de l'entre-deux-guerres – sur sa carte mentale, le chauffeur de taxi avait clairement identifié la rue bordée d'édifices rivalisant de laideur. Et c'était *vraiment* un appartement agréable.

À l'université, je m'en souvenais, Oskar semblait se déplacer dans un nuage de bon goût, chargé d'électricité statique et prêt à envoyer la foudre d'une condamnation méprisante sur tout ce qui était bon marché, mal fabriqué ou, péché suprême, vulgaire. Tandis que l'éclair traçait son sillon vers sa cible, la lèvre supérieure de mon ami se tordait en un rictus formant un magnifique A qui signifiait «Atterrant». L'appartement indiquait qu'il avait appliqué cette idéologie à sa vie domestique actuelle.

Un large couloir partait de la porte d'entrée jusqu'à la pièce à vivre orientée plein sud. Lumineux et bien aéré, le vestibule exhibait un parquet de bois clair et des murs d'un blanc glacial. Deux portes de bois foncé s'encastraient dans le mur à droite, tels des dominos sur un couvre-lit : l'une à mi-chemin et l'autre pratiquement au bout. Du côté gauche,

Oskar était manifestement à l'origine de la rénovation : une longue cloison de verre isolait une vaste cuisine et un coin-repas. À son extrémité, le hall d'entrée s'ouvrait sur un living délimité par une simple marche. Le parquet de bois blond recouvrait le moindre recoin et la cloison de verre qui, je le supposais, s'était substituée à un mur non porteur, permettait à la lumière cristalline de se déverser en flots réguliers depuis les larges fenêtres panoramiques.

Le bon goût et l'argent s'étaient rencontrés dans le creuset de cet espace et s'étaient sublimés. Le bois, l'acier et le verre étaient les solides transmutés par cette alchimie.

Derrière moi, la porte d'entrée se referma avec le bruit mat et rassurant du poids et de la sécurité. Je me dirigeai vers la pièce à vivre – salon ? salle de séjour ? Elle s'articulait autour d'un sofa et de deux fauteuils-cubes en cuir noir et chrome, signés par un architecte suisse décédé. Sur le mur situé à l'est, une imposante bibliothèque accueillait principalement des livres, mais également quelques *objets**[1]. Dans la cuisine, l'aluminium et l'acier régnaient en maîtres – que des produits d'importation, pensai-je, me remémorant la production locale entrevue à l'aéroport. Une table et trois chaises. Oskar recevait-il souvent ? À l'université, il s'était avéré être un hôte attentionné, mais irrégulier. Il préférait les restaurants, que nous autres sans-le-sou ne pouvions nous permettre. La pièce avait plus l'allure d'une salle d'exposition tirée d'un catalogue de designer que d'un espace de travail. Tout, partout, était impeccablement soigné. Une jarre avec des rameaux harmonieusement arrangés se dressait sur la table ; il y en avait une autre sur la table basse en verre qui présentait également un éventail de magazines, comme dans les grands hôtels – *New Yorker, Time, Economist*

---

1. Tous les mots ou expressions en italique suivis d'un astérisque sont en français dans le texte. *(Les notes sont de la traductrice.)*

(vieux de plus d'un mois), *Gramophone*. Et, sur une console devant la fenêtre panoramique centrale, plus de rameaux encore, ainsi qu'un *International Herald Tribune* paru quatre jours auparavant.

Dans un geste que j'interprétai comme celui du nouveau propriétaire des lieux, je posai les mains sur mes hanches et poussai un soupir – de soulagement d'être arrivé, mais aussi d'admiration. Comme il est agréable de constater que la réalité colle parfaitement à ce que l'on attend d'elle et qu'un homme se conforme exactement à l'idée que l'on se forge de lui ! L'appartement d'Oskar était tel que je l'avais imaginé, habitat idéal pour l'esprit que je connaissais. Oskar le polyglotte. Oskar l'amateur de design, de modernité et d'extravagante simplicité hors de prix. L'espace se mesurait en kilomètres. L'air qu'on y respirait semblait avoir été transporté par les bulles de milliers de bouteilles de San Pellegrino. Le magnifique parquet paraissait entretenu par une armée d'esthéticiennes. Seul manquait un piano.

N'eussé-je pas déjà su que mon ami était musicien, il aurait été facile de le deviner à la vue des photos noir et blanc disposées avec goût dans des cadres de verre sobres partout sur les murs : Oskar au piano, Oskar le bâton de chef d'orchestre à la main, Oskar jeune serrant la main d'un homme plus âgé que je ne reconnaissais pas, Oskar recevant une récompense, Oskar… Oskar avec moi. Quatre d'entre nous à l'université, peu avant l'obtention de notre diplôme. Des cheveux plus épais, plus foncés, pas de ventre. Un autre moi-même. J'essayai de me remémorer à quelle occasion la photo avait été prise. Aucun souvenir.

Par contre… pas de photo de son épouse. Et pas de piano. Ni de récompenses. Un mystère.

La première porte que je poussai – la plus proche des fenêtres panoramiques – résolut en partie l'énigme. L'appartement occupait le coin de l'immeuble, et la pièce où je venais de pénétrer le coin de l'appartement. Deux fenêtres supplémentaires orientées plein sud poursuivaient l'alignement de celles du living-room. Le mur à l'ouest en comptait une également, si bien que la lumière éclairant chaque recoin, chaque grain de poussière – même ceux-ci dégageaient une impression de propreté et leurs trajectoires avaient été aussi méticuleusement réglées que celles des vols de nuit en provenance de Téhéran et à destination de LAX[1] –, glaçait la surface du piano à queue, au point de transformer sa laque noire en blanc de publicité pour dentifrice. Un piano dans le coin du coin du coin, repoussé aux limites extrêmes de l'appartement: un peu plus, il se serait retrouvé dehors, sur le trottoir, près du carrefour. À la différence de la cuisine, il était évident qu'on travaillait dur dans cette pièce. L'un des murs était recouvert d'étagères, remplies d'un chaos organisé de boîtes à archives, de CD, de disques vinyle, de cassettes audio, de casiers pour partitions musicales, de certificats encadrés, de photographies (encore), de citations, de diplômes, d'honneurs et de récompenses. Une vie en abrégé. Près de la plus proche des deux fenêtres, un bureau et son sous-main aux coins en cuir, ses pots de stylos et de crayons et deux rames de papier – l'une de papier libre, l'autre normé pour recevoir les notations musicales. À proximité, une chaîne hi-fi semblait tout droit sortie d'un vieux programme spatial scandinave.

Pendant mon séjour – dans cet intermède d'oisiveté forcée –, je voulais écrire. À Londres, je n'avais pas réussi à canaliser mon imagination vagabonde, et les quatre murs

---

1. Aéroport international de Los Angeles.

recouverts de papier peint à motifs «magnolia» de mon appartement en sous-sol à Clapham m'avaient achevé. Sans ces murs, qu'est-ce qui pourrait m'arrêter? Pourquoi ne pas rédiger un livre entier durant les trois ou quatre semaines que j'envisageais de passer ici? Et peut-être que cet effet bénéfique persisterait à mon retour. Si je pouvais écrire quelque part, m'imaginais-je, ce serait ici. Dévoré de tourments à Londres, je fantasmais souvent sur l'environnement idéal qui favoriserait ma créativité, et il ressemblait énormément à la pièce dans laquelle je me tenais. Cet endroit semblait fécondé par le talent et la productivité d'Oskar. Il serait parfait. Je m'imaginais en train d'y écrire des nouvelles, des pièces, peut-être même d'y commencer un roman. Un de ces taille-crayons à manivelle que j'associais à l'école primaire était fixé au bord gauche du bureau, avec, en dessous, une poubelle en acier. Y plongeant le regard, j'y découvris, ô horreur!, quelques copeaux de crayon de papier et un prospectus avec les horaires de tram. Des ordures. Des débris même, abandonnés là avec désinvolture à la vue de tous. Mon ami s'oubliait! Pour un obsessionnel compulsif borderline comme lui… cela équivalait à surprendre Brian Sewell[1] à un concert de Britney Spears.

Comme pour répondre à l'indicateur d'horaires, un tram passa avec fracas dans la rue en dessous. Mon ami n'avait-il pas composé un morceau intitulé *Variations sur les horaires de tram*? Satisfait de ma mémoire, je me dirigeai vers le piano et ouvris le couvercle d'un geste vif. Cette action provoqua la chute d'un papier qui se mit à flotter vers le sol en dessinant des arabesques. Je le ramassai et le lus. De ses pattes de mouche pointues et tatillonnes, Oskar y avait inscrit:

S'il te plaît, NE joue PAS avec le piano.

---

1. Brian Sewell est un critique d'art connu au Royaume-Uni pour son approche conservatrice.

Facile d'accéder à cette demande puisque je ne savais pas jouer. Du bout des doigts, j'effleurai avec respect et douceur la surface des touches. Elles étaient d'un blanc nicotineux et d'un noir simplissime qui défiait les adjectifs. Brun-bleu-noir. Et encore, pas tout à fait. Je fis tinter les deux notes hautes que les béotiens font toujours résonner quand ils ne peuvent s'empêcher de tripoter un clavier.

Boîtes à archives toutes étiquetées de l'écriture noire et pointue d'Oskar : *Solo #2, Comp '00–'02, Halle Aug '01, Misc '04*. Chacune était bourrée… non, le mot ne convient pas, chacune renfermait des liasses ficelées, coupures de journaux, dossiers, partitions musicales, documents financiers, détails de voyages et factures d'hôtels méticuleusement arrangés, comme on le ferait pour un bouquet de fleurs : avec raideur, consciencieusement. Oskar l'organisé. Oskar le musicien organisé.

Des photos : Oskar avec des gens que je ne reconnaissais pas, nœud papillon et smoking.

Je me rappelai que mes bagages m'attendaient près de la porte d'entrée et que je devais les défaire. La porte que je n'avais pas encore poussée devait être celle de la chambre. L'ouvrir nécessita une action complexe impliquant de tenir mon sac fourre-tout de la main gauche et mon sac de voyage entre l'annulaire et l'auriculaire de la main droite, tout en tournant la poignée avec les deux doigts restants et le pouce.

Il y a quelque chose de primitif dans le crissement de griffes contre le sol avançant vers vous, dans le saut d'une bête. Ces bruits déclenchent quelque chose dans la partie reptilienne de votre cerveau, font sauter les verrous de sécurité et provoquent une réaction de survie, opérationnelle même si elle n'est vraiment pas nécessaire ; un magnétoscope Betamax allumé dans votre esprit animal…

qui transmet son message inutile, tel un butor agressif braillant une commande de boissons à une glande sans défense : *Un demi-litre d'adrénaline et grouille-toi, salope !* Je me tendis involontairement, tandis que deux boules duveteuses me passaient entre les jambes en direction du salon, deux irrésistibles vecteurs de résolution féline. Tardive et malvenue, ma peur d'homme de Cro-Magnon se manifesta par une suée ridicule.

Ah, pensai-je, *les* chats ! Oskar les avait mentionnés, et les voici, ou plutôt les voilà, car ils avaient déjà disparu. Effrayé par les chats ! Non pas effrayé, simplement surpris et déstabilisé, sous le choc. Et d'ailleurs, pensai-je, faisant appel à une section tout à fait différente de mon cerveau, *ce n'est pas comme si quelqu'un avait été témoin de ma surprise.*

Bon, alors tout va bien.

Je pourrais m'assurer de leurs bonnes grâces plus tard. Pour l'instant, je me dirigeai vers la chambre et déposai mes sacs sur le linge blanc du vaste lit conjugal. À part le lit, un fauteuil et une armoire de grandes dimensions, il n'y avait pas grand-chose à voir dans cette pièce. Le fauteuil, en osier tout simple et agrémenté d'un coussin blanc cassé, n'était là que pour donner un air familial et accueillant à une pièce qui, autrement, laissait échapper la même impression de froideur moderne que la salle principale. C'était l'un de ces sièges auréolés de futilité triste, qui regrettaient d'avoir été conçus pour qu'on s'y assoit, alors que cela n'avait jamais été le cas, et avaient souvent souffert de l'indignité d'être relégués au rang d'accessoire pour y jeter des vêtements.

Les meubles sont comme ça. Utilisés et appréciés selon ce pour quoi on les a créés, ils absorbent cette expérience et la relâchent dans l'atmosphère, mais si on les achète seulement pour l'effet qu'ils produisent et qu'on les laisse se languir dans un coin, ils vibrent de mélancolie.

Le mobilier des musées (NE PAS S'ASSEOIR SUR CE FAUTEUIL) dégage une impression aussi effroyablement tragique que les pensionnaires de maison de retraite à qui personne ne rend visite. Les violons désaccordés et les livres aux couvertures cartonnées auxquels on avait recours pour donner du « caractère » aux pubs de banlieue d'après-guerre végètent, mal à l'aise dans leur rôle imposé, comme des pumas en cage au zoo. Les cuisines majestueuses, jamais ou rarement utilisées pour organiser des fêtes somptueuses en l'honneur d'invités reconnaissants, se replient sur elles-mêmes et ne dégagent aucune chaleur. Comme celle de cet appartement, pensai-je.

Et il existait un indicateur supplémentaire de cette étrange psychologie des biens matériels dans la chambre ; le lit était flanqué de deux tables de chevet, et, alors que la plus proche des fenêtres supportait une lampe, trois livres empilés, un petit carnet et une statuette de pierre de modestes dimensions, l'autre n'accueillait qu'une lampe identique. Le côté d'Oskar, ainsi que celui de son épouse, jusqu'il y a peu, étaient clairement identifiables.

Ces rêvasseries ne signifiaient pas que je me laissais envahir par la mélancolie, loin de là. J'affichais au contraire un franc sourire qui chaque minute s'accentuait. J'avais accepté l'invitation de mon ami et étais venu dans sa ville afin d'y trouver l'inspiration et d'écrire, et j'étais aux anges – à dire vrai, une sensation proche de l'euphorie – de constater que dans un laps de temps aussi court et dans un environnement aussi étranger, je me sentais déjà soulevé par une vague de créativité, si j'en croyais la fréquence avec laquelle les détails affluaient. La découverte suivante accrut encore cet état d'exaltation. Les proportions de la chambre exigeaient trois fenêtres panoramiques, or il n'y en avait que deux et celle au centre avait été remplacée par une porte-fenêtre qui ouvrait sur un étroit balcon de béton donnant sur la rue. Dès que je m'en fis la remarque, je traversai la pièce pour creuser la question. La fenêtre s'ouvrit sans difficulté, laissant pénétrer une bouffée d'air et de bruits citadins désordonnés, et je sortis.

Deux étages en dessous, les dalles et les pavés de la rue vibraient, chahutés par la circulation ininterrompue. Un autre tram passa dans un grand fracas en se faufilant dans une mêlée de voitures cabossées et tuberculeuses de marques étrangères : Lada, Dacia et Oltcit. Les rares piétons à emprunter les larges trottoirs impériaux avançaient, voûtés et concentrés, vers des buts étranges et inconnus. En face se dressait une autre bâtisse résidentielle, baroque, et si grise qu'elle semblait avoir été moulée à partir d'une compression de cendres. Les quatre rues qui partaient du carrefour étaient bordées d'immeubles massifs d'avant-guerre d'apparence sale, à l'exception de quelques bâtiments municipaux, d'évidence plus récents, peut-être érigés sur les cratères de bombes tombées il y a un demi-siècle, ou exemples d'une tentative de réaménagement ratée des années 1960. Du linge séchait sur des fils tendus entre les balcons ; des plantes en pot agrémentaient de leurs couleurs les rebords et on pouvait observer, par-delà les balustrades, quarante sortes de papier peint aux murs. Une mosaïque de vie domestique exotique et charmante après le Bon Goût et les Lignes Pures d'Oskar.

Une nouvelle fois, je retournai par l'esprit vers ces murs qui délimitaient mon espace à Clapham. Des murs entaillés par des dossiers de chaises et souillés de traces de doigts et de cheveux. Des moquettes trouées par des fumeurs négligents, lors de fêtes alcoolisées, et tachées de vin rouge renversé. Topologie d'imperfections et de salissures signées par des milliers de mécréants anonymes. Mouvement au

ralenti inexorable et spoliation inévitable causés par d'innombrables mains. M'en apercevais-je? Même pas. Ces
éraflures sombraient dans la patine de l'arrière-plan dont
ma vie était tissée. J'avais signé un armistice avec l'entropie et m'en étais accommodé. J'avais laissé filer. C'était
un appartement loué et les propriétaires s'attendent à de
l'usure, alors j'y pourvoyais.

Comment Oskar voyait-il les choses? Cet endroit lui
appartenait, cela depuis des années, et la façon dont il
l'entretenait…

En réalité, je connaissais sa position. Il ne s'était pas
résigné. Impossible pour lui de laisser ces détails sombrer à
l'arrière-plan. Il avait forcé l'entropie à stopper sa progression, à accepter les conditions qu'il lui avait dictées.

Je ressentis un besoin soudain et stupide de faire état de
ma présence au balcon, de déclarer que j'étais arrivé et que
je resterais.

Bien sûr, Oskar avait laissé une liste précise d'instructions sur la table de la salle à manger. Pas de chaos avec lui.
Ni de désorganisation. Ni de désordre. À l'université, une
mauvaise plaisanterie courait à son sujet:

– *Où Oskar passe-t-il ses vacances ?*
– *Au cap Verre.*

Ah ah. Référence directe à son habitude – que les autres
étudiants considéraient avec un mélange de perplexité, de
dérision et de contrariété – de foncer un dessous-de-verre à
la main, chaque fois qu'une boisson servie chez lui menaçait
d'entrer en contact avec une surface. La folie sous-jacente
à son comportement était que les surfaces, fournies avec
la chambre par l'université, avaient déjà été ravagées à
maintes reprises sur des décennies, par des jeunes moins

méticuleux appartenant à l'élite intellectuelle de la nation. Il avait le même comportement dans les pubs.

L'appartement était calme et les chats – un mélange de noir et de blanc – faisaient leur toilette sur le sofa. J'avais besoin de bruit et de stimulation avant de m'asseoir pour lire ses instructions, aussi retournai-je dans le bureau pour y choisir un CD.

Impossible de me plaindre du manque de choix: les CD devaient se compter avec un nombre à quatre chiffres. Comme il fallait s'y attendre, la vaste majorité d'entre eux arborait la tranche jaune et rouge des classiques. Pas très à l'aise avec ce type de musique – ses codes et ses signes cabalistiques, les K341 et scherzos surprenaient et agressaient mes oreilles – je me mis en chasse de ce qui sonnait familier et récent. Après avoir cherché quelques instants, je découvris dans un coin discret et honteux sa demi-douzaine de disques de musique populaire: David Bowie, Simon and Garfunkel, Queen, the Kinks et un *Best of* du Velvet Underground, que je choisis et poussai dans la fente du lecteur hi-fi. *Sunday Morning,* avec le timbre mélancolique de Lou Reed, remplit l'étrange appartement de cette ville lointaine. Le calme m'envahit.

Quatre pages en A4 recouvertes de son écriture m'attendaient près d'une bouteille de vin rouge. Je lus:

Mon vieil ami,
À nouveau merci pour ton aide à un moment cruellement difficile pour moi. L'appartement n'est pas grand et je ne te demande rien d'extraordinaire. J'ai surtout besoin d'être rassuré en sachant qu'il y a in situ une personne de confiance et que je n'ai aucune raison de craindre les cambriolages et les incendies. Comme je souhaite sincèrement que tu en sois conscient, je serais heureux de te rendre la pareille à n'importe quel moment.

D'abord, traitons la question de mes amis les chats. Ils s'appellent Shossy et Stravvy. Débordants d'activité, ils sont souvent rapides et occupés, mais ce sont de bons compagnons, heureux qu'on les prenne dans les bras pour les caresser. Alors n'hésite pas, c'est bon pour tout le monde, je pense. Mais il faut les nourrir et se préoccuper de leur hygiène. J'ai laissé des boîtes de leur nourriture préférée, ainsi que leur assiette, leur litière et leur plateau, dans la petite pièce attenante à la cuisine, celle de la machine à laver le linge. La moitié d'une boîte le matin et la même quantité le soir leur suffisent. Tu y ajouteras des croquettes que tu trouveras dans le placard. S'il te plaît, nettoie la litière tous les jours – tu trouveras une pelle réservée à cette tâche peu agréable – et change-la toutes les semaines.

Quand tu vas te coucher, laisse-les sortir par la porte d'entrée et le matin, tu les retrouveras devant, affamés et prêts à prendre leur petit déjeuner ! Ils ont le droit de dormir sur le lit, mais PAS SUR LE SOFA, ni sur les fauteuils du salon.

Merde. Je regardai en direction du sofa. Les chats s'y prélassaient avec bonheur, ravis de cette occupation illicite. Mauvais départ. Bon, n'étaient-ils pas censés être « débordants d'activité » ? J'interrompis ma lecture pour les chasser de la zone interdite, les observai rebrousser chemin vers la chambre d'un air boudeur, puis m'en retournai à ma lecture.

S'il te plaît, assure-toi que les fenêtres et la porte d'entrée sont bien verrouillées, si tu quittes l'appartement ou quand tu vas te coucher. J'ai indiqué quelques numéros de plombiers et d'autres personnes dont tu pourrais avoir besoin en cas d'urgence…

Je me contentai de parcourir rapidement les numéros d'urgence, l'endroit où trouver un autre jeu de clés, les pharmacies les plus proches, les supermarchés, etc. Quelques détails au sujet de la ville.

Pendant ton séjour, efforce-toi de te rendre à la Philharmonie. Ils sont très bons et je ne te le dis pas simplement parce que je les connais ! Leur saison d'été a désormais commencé et il me plairait beaucoup que, même si je ne suis pas là pour aller les écouter moi-même, tu éprouves toi le plaisir de le faire.

Oh, et finalement ce qui est peut-être le plus important, puisque les chats sont capables de s'occuper d'eux-mêmes et qu'ils te feront savoir s'ils manquent de quoi que ce soit : S'IL TE PLAÎT, FAIS ATTENTION AU PARQUET ! Il est en chêne français et m'a coûté beaucoup d'argent quand j'ai remplacé l'ancien, et il faut le traiter comme la chose la plus raffinée de l'appartement, à l'exception du piano bien sûr.

NE POSE JAMAIS de boisson dessus sans dessous-de-verre.

ESSUIE TOUJOURS tes pieds avant d'entrer dans l'appartement et enlève tes chaussures une fois à l'intérieur.

Si le hasard voulait que tu renverses quelque chose, ESSUIE-LE IMPÉRATIVEMENT TOUT DE SUITE afin de ne pas tacher le bois. FAIS TRÈS ATTENTION. Mais si un accident survient quand même (!), il existe un livre sur l'étagère dédiée à l'architecture qui pourrait t'aider. APPELLE-MOI alors.

Le ménage est fait deux fois par semaine (tu n'as rien à débourser, ce service est offert par l'immeuble, aussi ne t'inquiète pas).

Je ne connais pas la durée de mon séjour à Los Angeles, personne ne m'a rien précisé à ce sujet et peut-être ne le savent-ils pas eux-mêmes. Mais je pense que je pourrais être de retour d'ici à peu près trois semaines et, avec un peu de chance, moins que ça. Je te téléphonerai de temps à autre pour te dire comment ça se passe.

Et encore merci. Le vin est pour toi. J'espère te voir bientôt.

Ton vieil ami,

OSKAR

Après avoir lu la note en entier, je restai les yeux fixés sur elle pendant un court instant, pour voir si une signification plus profonde en jaillissait. Une missive de cette longueur avec ce type de détails était-elle normale ? Normale pour Oskar, sans doute. Comme il devait détester quitter son appartement à l'improviste ! « Une personne de confiance », avait-il écrit. Vraiment ? À qui il ne faisait pas assez confiance pour lui épargner les directives sur la façon de se conduire, semblait-il. Si propre, si ordonné. Les copeaux de crayon dans la poubelle me traversèrent l'esprit. Son évidente maniaquerie ne faisait que mettre en lumière les « écarts » minuscules comme celui-ci. Bien sûr, on l'aidait pour le ménage. Mais ceux à qui incombait cette charge étaient-ils méticuleux ? Londres abondait en femmes d'Europe de l'Est qui travaillaient comme domestiques, mais j'ignorais la qualité de leur boulot. D'ailleurs, accueillions-nous les meilleures ou les seconds choix ? Étaient-ce les plus accomplies et les plus intelligentes qui convergeaient vers l'Ouest ? Ou seulement celles qui ne savaient pas se servir d'un chiffon dans leur propre pays ?

Les rayonnages qui couvraient un mur de la pièce attirèrent mon attention. Voilà des meubles diablement difficiles à nettoyer – la poussière s'accumule au sommet des livres à une rapidité surprenante et il est difficile et pénible d'astiquer minutieusement ces endroits. Je m'approchai pour observer plus en détail. Je voulais aussi trouver un guide qui m'aiderait à me repérer en ville, quelque chose de mieux que le volume inadéquat que j'avais apporté. Même si je doutais d'en trouver un, car je n'avais rien de similaire chez moi à Londres. Mais qui sait.

Comme pour le reste de l'appartement, Oskar avait apporté le plus grand soin au rangement de ses livres, classés par catégorie, puis par taille. Au moins quatre langues étaient représentées, l'allemand et le français en plus de l'anglais et de sa langue maternelle. J'y découvris un grand nombre d'immenses et luxueux livres d'art, volumes de photographie et «classiques du design», tous hors de prix. La catégorie «art» regroupait surtout les «modernes» et toutes ces Écoles compliquées en «isme», constructivisme, vorticisme, futurisme; Diane Arbus et Nan Goldin; une bouffée de chaleur et de lumière diffusa des volumes consacrés à Warhol et à Liechtenstein, avec lesquels je me sentais plutôt à l'aise. L'architecture était présente, bien sûr, moderne à tous les coups: Corbu et Mies, Richard Neutra et Herzog & de Meuron. Le Neutra, comme le Liechtenstein, suggérait l'intervention d'une main californienne. La femme d'Oskar avait-elle voix au chapitre quant au contenu des étagères? J'en doutais. Faire bibliothèque commune lorsqu'on est en couple implique énormément de confiance mutuelle, presque de la témérité, et vu l'incapacité d'Oskar à vivre sur le même continent que sa femme, comment pouvait-il envisager de mêler ses ouvrages aux siens? Rien que l'idée me fit l'imaginer en train de se crisper. Mais il ne semblait pas même y avoir une étagère pour elle. Aucun des ouvrages que je me figurais qu'elle avait lus: catalogues de ventes aux enchères, revues de droit, best-sellers pour occuper ces vols interminables à travers le monde, manuels de développement personnel concoctés sur la côte Ouest, des mètres de bibles écrites par des «gourous» du management – secrets d'affaires, manies des obsédés de l'argent, confidences de vendeurs et de spéculateurs à succès. Rien de tout cela. Son esprit n'avait pas établi la plus minuscule passerelle dans l'univers mental d'Oskar. Pourquoi cela? Le reste de la bibliothèque n'offrait que du typique et de l'attendu. Des étagères de livres que j'associais à Oskar. Une grande variété de romans et de récits, principalement des classiques du XXᵉ siècle : Koestler, Camus, Salinger, Soljenitsyne. De l'Histoire, Histoire culturelle, volumes sur la Seconde Guerre mondiale, les nazis et l'Union soviétique, *La Liste de Schindler*, la politique moderne avec un intérêt notable pour l'Amérique, la Russie et l'Allemagne, des tas de bouquins sur la musique, des biographies de compositeurs et de musiciens. Et pas le moindre grain de poussière, Oskar avait encore remporté cette manche-là. Même si je commençais déjà à m'y habituer.

Un ouvrage attira mon attention : un gros volume consacré à son orchestre, la Philharmonie, en allemand. On aurait dit une histoire rédigée pour célébrer un anniversaire très récent, les cent cinquante ans de quelque chose. Je le feuilletai avec l'idée de chercher son nom dans l'index et trouvai une feuille de papier glissée entre les pages : le programme de concerts de la saison. La photo de mon ami tout sourire m'accueillit. Devant tant de vanité, un rictus m'échappa : quelle idée de signaler la page avec une photo de soi ! À ses côtés se tenait un autre homme, plus grand, dont les rares cheveux très blonds sur le front dégarni encadraient une tête en ogive. Ils arboraient la sacro-sainte tenue de soirée des concerts de musique classique et son compagnon tenait un violon. C'était une bonne photo. Oskar y affichait un sourire chaleureux – plaisir d'autant plus vif qu'il était rare, car il appliquait les mêmes règles à la décoration intérieure et aux expressions faciales : sobriété. Un sourire était une extravagance décorative superflue ; un rire franc témoignait d'un excès rococo.

Il avait écrit sur le programme :

Peut-être utile ?

26

«*Peut-être utile*»? Pourquoi inscrire une telle phrase sur le programme de son propre orchestre, alors que personne n'en connaissait le calendrier mieux que lui? Ou cette note m'était-elle, ainsi que le programme, destinée? Si tel était le cas, l'insérer ainsi dans un livre était inhabituel, surtout ce livre-là! Sauf s'il savait que je le consulterais, ce qui était improbable. Ou peut-être pensait-il qu'ouvrir ce livre signifiait que je m'intéressais à l'orchestre et donc que je pourrais assister à un concert? Sa photographie me souriait. D'un sourire qui me semblait maintenant taquin. La feuille avait peut-être été destinée à quelqu'un d'autre (son épouse?), ou alors Oskar avait l'habitude de s'adresser des notes à lui-même.

Je sortis le programme, fermai le volume et le replaçai sur l'étagère. Bizarre, vraiment bizarre. À l'intérieur, trois concerts étaient signalés par un astérisque dans la marge, leur date soulignée. Je remarquai que la saison avait débuté trois semaines auparavant, mais les soirées indiquées se déroulaient toutes dans les deux prochaines semaines, comme si elles m'étaient destinées – suggestions de sortie que je pourrais apprécier pendant mon séjour ici –, ou alors, Oskar voulait tout particulièrement que j'y assiste pour quelque raison musicale qui me dépassait. La date la plus proche était dans deux jours.

Je fus électrisé quand la bizarrerie de la situation – ma situation – me sauta au visage. L'appartement d'Oskar. Cet endroit reflétait sa vie entière. Ses œuvres complètes. Et les œuvres qui m'entouraient ne révélaient pas seulement la partie essentielle de sa personnalité, son cerveau ordonné taxonomique; elles montraient aussi les interstices entre les différents plans de son moi, les trous, les billets de bus usagés, les excentricités et les replis.

Au même niveau que cette sensation bizarre d'omniscience, je ressentis un besoin accru de me sentir chez moi, d'obéir aux dieux du foyer. Je voulais me préparer une tasse de café afin de tester la cuisine. J'ignorais également à quelle heure les chats avaient pris leur dernier repas. Oskar les avait probablement nourris avant de partir ce matin – puisqu'il les avait laissés rentrer –, mais cela avait dû se dérouler aux aurores. Ils devaient mourir de faim et je pensais que les nourrir me permettrait de réaliser une bonne opération de relations publiques. Ah ah, penseraient-ils, voilà un homme qui sait se servir d'un ouvre-boîtes !

Mais un café d'abord. Dans ce type de relation, l'être humain doit se sustenter avant les animaux. D'ailleurs, un examen rapide des placards me permettrait également d'établir s'il y avait ici de quoi préparer un bon souper – impossible d'écarter l'hypothèse que mon ami n'achète que du café en grains à moudre soi-même, et tout ce genre de niaiseries épuisantes. Il en était bien capable, comme en témoignait le percolateur sur le plan de travail, dont les chromes étincelants semblaient me faire un clin d'œil. Et ces tasses qui pointaient vers moi leurs anses amovibles, accusatrices.

Avec l'ergonomie de la cuisine en tête, j'essayai le placard situé immédiatement au-dessus du perfide gadget en faux acier chromé. J'eus tout de suite ma récompense : un effluve de grains et de feuilles séchés, caféine importée, emballée sous pression, lyophilisée, approuvée par des gourmets, susceptible d'être utilisée d'une douzaine de façons différentes ; mais avec cet arôme encourageant s'échappa également un morceau de papier qui, aspiré hors du placard par la différence de pression atmosphérique créée à l'ouverture de la porte, se retourna, fit une boucle et tournoya jusqu'au plan de travail.

Y était inscrit, à nouveau de son écriture en pattes de mouche :

*Je t'en prie, prépare-toi autant de thé et de café que tu le désires,
mais n'oublie pas de reconstituer des réserves si tu consommes tout.*

Pendant un instant, je ne pus détacher mes yeux de la
note, bande de papier minuscule arrachée à un carnet. Une
délicate attention. Mais était-elle vraiment nécessaire ? Et
d'un pédant ! Craignait-il que je dépouille l'appartement
de ses provisions pour me préparer des boissons chaudes,
ce qui le laisserait mort de soif et démuni à son retour ?
Pensait-il vraiment qu'un autre message s'imposait ? Le
programme musical se trouvait encore sur la table là-bas,
près des instructions qui m'avaient déjà semblé très complètes. Mais enfin, c'était son appartement, et c'est vrai
qu'il avait une façon très singulière de traverser l'existence.
Son récent départ créait une charge d'électricité statique
dans l'air. C'était un homme avec des vues très claires sur
ce qui devrait se produire chez lui. Il avait toujours été
spécial.

Peut-être était-il dans l'ordre des choses qu'un compositeur écrive des notes. À l'université, il avait jonché l'étage
que nous partagions de bouts de papier, d'instructions,
d'interdictions, de déclarations d'intention, de rappels,
d'invitations et de reproches. Au cours de la première
semaine du premier trimestre, une petite note était appa-
rue au dos de la porte des toilettes communes : *S'il vous
plaît, utilisez le désodorisant. O.* Au sommet du réservoir de la
chasse d'eau se dressait un vaporisateur flambant neuf, au
pin. Il n'avait pourvu que les toilettes qu'il utilisait et avait
acheté le vaporisateur sur ses deniers. Comme le mot était
épinglé au dos de la porte, j'eus le loisir de le relire des
dizaines de fois, hypnotisé par le O, cercle parfait dont on
ne pouvait déterminer ni le commencement ni la fin.

Mais ce n'était que le début. Il insistait surtout sur les négations. S'il vous plaît, NE faites PAS tant de bruit après une heure du matin. S'il vous plaît, NE laissez PAS de vaisselle sale dans l'évier. À notre étage, huit étudiants partageaient la cuisine, scène et sujet de disputes sans fin. Oskar était loin d'être le seul à se plaindre et à avoir une longue liste de griefs, mais il était toujours le plus poli dans sa façon de les régler. Cependant, son comportement sec et glacial, le côté formel de ses messages, la propreté et le rangement pathologiques de sa chambre mettaient les autres sur la défensive. C'était à qui hurlerait le plus fort, mais ils avaient le don de tout oublier au bout d'une heure. Après s'être lancé des injures – «connard», «saloperie» –, ils se rendaient au pub le soir bras dessus bras dessous. Oskar, lui, ne perdait jamais son sang-froid, n'explosait jamais. Il était régulièrement en colère, mais cette dernière était aussi contrôlée, modulée et systématique que la musique qu'il écrirait plus tard. De la même façon, il ne se laissait pas aller à des manifestations d'amabilité bruyante ou à des crises de fou rire irrépressibles. Je ne l'ai vu saoul – vraiment saoul, au point d'être méconnaissable – qu'à trois occasions.

– *Que boit Oskar ?*
– *De la vodka pure.*

Pure. Ah ah. Il aimait la vodka pure, conservée à moins de zéro degré : son taux d'alcool l'empêche de geler. Après avoir acheté, pour lui-même et ses invités, une bouteille – la meilleure que le magasin de spiritueux pouvait offrir –, il ne trouva que le compartiment congélateur du réfrigérateur commun pour l'entreposer. Acquisition importante pour un étudiant, le flacon monopolisait le minuscule tiroir, réduit à la taille d'une boîte aux lettres par la couche épaisse de pergélisol. Il échappa à la petite amie de l'un de nos voisins que cette vodka devait être conservée à des températures inférieures à zéro degré et elle la transféra dans le réfrigérateur quand il lui fallut faire place nette pour un demi-pot de crème glacée au chocolat.

Déménagée de son petit coin discret pour être mise sous les yeux d'une demi-douzaine d'étudiants assoiffés, la bouteille remporta un franc succès comme on pouvait s'y attendre. La majeure partie de son contenu s'évapora en l'espace de trois nuits. Oskar découvrit le forfait la quatrième quand il reçut de la visite. Il n'apprécia pas du tout et ayant repéré la propriétaire de la glace («pas même quelqu'un de notre cage d'escalier!»), il remit son bien à la place qui lui revenait, avec une note attachée : *À NE DÉPLACER SOUS AUCUN PRÉTEXTE.*

Ce litige aiguillonna la malice des autres. Ils s'ingénièrent à déplacer le flacon et après en avoir prélevé quelques rasades, à le laisser de plus en plus vide dans un endroit inhabituel. C'est à ce moment-là que lui et moi devînmes amis : il me recruta pour l'aider. Dénué d'intérêt pour les autres sans être vraiment impopulaire, ils me considéraient comme une personne insignifiante, tout juste bonne à faire nombre dans les fêtes. Mon statut périphérique me transforma en atout pour Oskar : il savait que je ne faisais pas partie des conspirateurs et m'enrôla pour retrouver la bouteille.

Nous nous lançâmes ensemble à sa poursuite. La première fois, nous la retrouvâmes dans le réservoir de la chasse d'eau. La deuxième, nous la découvrîmes attachée à un lustre de l'entrée. La troisième, nous ne pûmes mettre la main dessus pendant des semaines. Nous la tenions pour perdue quand Oskar tomba dessus. Ne me demandez pas comment, mais on l'avait fixée au moyen d'un ruban adhésif sous son bureau. La répétition pénible du larcin ne mettait pas Oskar en rage, au contraire, il semblait de plus en plus calme. Quelques jours après le quatrième retour du flacon dans le réfrigérateur, il frappa à ma porte et m'informa calmement qu'il avait à nouveau disparu. D'habitude lorsque cela arrivait, son visage prenait un air sombre et déçu – j'eus souvent le sentiment qu'il pensait vraiment pouvoir changer l'attitude de nos camarades avec ses petites notes et sa froide impassibilité, idée évidemment ridicule, comme je le lui rappelais régulièrement –, mais ce jour-là, il affichait un petit sourire. Je lui proposai mon aide.

– Pas la peine, c'est surtout de l'urine.

Il souleva un sac de supermarché ; il contenait une bouteille d'Absolut et une poche de glace. Cette nuit-là fut la première où je le vis vraiment saoul.

Lui seul pouvait être certain de produire de l'urine absolument claire.

De l'urine pure.

Parmi les différents types de café et de thé, je choisis un bocal de Maxwell House. La bouilloire vibrait et crachait de la vapeur. Le lait attendait dans la porte du réfrigérateur ; du sucre brun dans un sucrier sur la table ; des tasses sur l'étagère au-dessus. L'efficacité régnait. Facile de se rappeler celle à l'œuvre, couplée de sobriété, dans sa musique, et d'imaginer l'exaspération et la frustration de sa femme… Avec sa manière de penser toute californienne, elle devait surtout voir en la cuisine un lieu où manger à longueur de journée des plats à emporter ! Scrutez ces surfaces en acier aussi longtemps que vous le voulez, vous ne pourrez jamais y distinguer le flamboiement couleur orange sanguine – et même transfusion sanguine – du crépuscule à Los Angeles ! Les cieux européens sont plus vieux que ceux d'Amérique ;

nos nuages naissent là-bas et quand ils arrivent ici, le voyage les a fatigués et effilochés.

Je versai de l'eau bouillante sur les granulés, une goutte de lait, et observai le résultat. Des nuages pâles vécurent et moururent à un rythme difficile à percevoir sous la surface, des tempêtes palpitèrent, grossirent et se contractèrent dans l'atmosphère d'un géant de gaz, des courants d'air ascendants et des dépressions soudaines traversèrent ce schéma de convection. Une petite cuillère entravait le processus.

Des flots de vapeur et de condensation montaient de la tasse pendant qu'elle refroidissait et j'entrepris de chercher la nourriture pour chat. De nouveau, ma quête fut de courte durée : elle se trouvait dans la pièce de stockage des provisions, au milieu d'un alignement martial de conserves et de sacs de nourriture lyophilisée.

À même le sol, près de deux soucoupes d'eau et de deux assiettes d'une propreté impeccable, attendait une palette assez grande pour contenir seize boîtes de mystérieux restes animaux coupés en dés à la sauce Machin : l'emballage plastique était déchiré à un coin et il en restait quatorze. Outre des mots en slave incompréhensibles (probablement «succulent», «dents résistantes» et «au moins tel pourcentage de viande»), chacune arborait une image de félin aux yeux étincelants comme du verre de taxidermiste, et dont la langue, telle que la photo l'avait saisie, explorerait dorénavant et pour toujours le même coin de gueule souriante. Le chat devenu consommateur décervelé, enfermé avec treize clones aux langues étirées vers la droite comme autant de *Heil*, les yeux fixés dans le vague sur un futur infini où toujours plus de ces aliments délicieux seraient servis tous les jours. Près de cette fratrie reposait un sac de croquettes miniatures censées donner de la consistance à cette pâte visqueuse. Et un morceau de papier soigneusement plié sur l'une des assiettes d'une propreté chirurgicale et que je n'avais pas remarqué de prime abord. Papier défraîchi sur porcelaine décolorée.

Je lus :

INSTRUCTION POUR NOURRIR LES CHATS.
La moitié d'une boîte dans chaque assiette le matin et la même quantité en début de soirée. Y ajouter chaque fois une poignée du mélange croustillant. Assure-toi de changer l'eau des soucoupes à chaque repas. Emporte le plateau avec les assiettes à la cuisine pour que S. et S. puissent manger et, une fois leur repas terminé, nettoie les récipients et replace le plateau dans le placard.
O.

Très bien. La liste des instructions générales avait exclu le repas des chats, et cette tâche, clairement plus importante que de me préparer du thé ou du café, avait l'honneur d'une feuille complète. Oskar était l'hôte absent le plus attentif que je pouvais imaginer, alors même qu'il se trouvait de l'autre côté du monde. Le chef d'orchestre, le compositeur de morceaux de piano précis et secs, le seigneur d'un royaume minimaliste et sobre n'aurait rien abandonné au hasard. Ma liaison avec son appartement et son univers devait être organisée avec beaucoup plus de soin que lui-même n'avait aménagé la sienne avec sa galeriste blonde-Marlboro de la côte Ouest sans passé.

Je libérai l'une des boîtes de son carcan de plastique et la transportai avec le plateau jusqu'à la cuisine. Je posai le tout sur le sol.

L'entrechoquement léger du plateau et des assiettes au moment d'entrer en contact avec le parquet dut agir comme un signal sonore, sonnerie de Pavlov. D'un seul coup, avant même que j'aie eu le temps de me relever, me parvinrent des martèlements en provenance de la chambre à coucher, puis une course effrénée, et le bruit caractéristique de pattes griffues glissant et crissant sur un parquet ciré. Me tournant en direction du bruit, j'assistai à un spectacle auquel je ne me serais jamais attendu : lancés à fond de train dans le couloir délimité par la cloison de verre séparant la chambre de la cuisine, les chats avaient tellement accéléré en un laps de temps si court que, au moment de négocier le virage, ils quittèrent le sol pour courir sur le mur immaculé – deux Jackie Chan assistés par des câbles dans un film d'arts martiaux à budget moyen –, puis ils accomplirent un salto, soutenus par les mains invisibles de la vitesse et de la force centrifuge. Le mur devenant peau de chagrin, ils atterrirent sur le parquet et continuèrent leur course sans sembler y perdre un joule d'énergie... avant de freiner brusquement, au milieu de la cuisine, à un bon mètre du plateau. Mais ils ne s'arrêtèrent pas pour autant et poursuivirent leur glissade avec une élégance maîtrisée sur la trajectoire préétablie – énergie cinétique brûlée contre le bois –, jusqu'à quelques centimètres de leurs assiettes encore vides. Alors ils se mirent à tourner autour avec des miaulements plaintifs.

Ma mâchoire pendait mollement, ses tendons coupés net par cette démonstration d'athlétisme. Tandis que Shossy et Stravvy miaulaient et cambraient leur dos chaud contre mes jambes, je résistai à la folle envie d'essayer de recréer l'événement dont je venais à l'instant d'être témoin : les replacer dans la chambre et remettre le plateau dans le placard, afin de reproduire le phénomène. Même s'il était clair que l'opération serait vouée à l'échec : impossible de refaire le battement d'ailes du papillon ou de redonner au nuage sa forme antérieure. Peut-être m'offriraient-ils le même spectacle demain, mais, hélas, il n'aurait jamais plus le même effet sur moi. Leur exploit appartenait désormais au passé.

La magie s'était brisée et il était impossible d'en recoller les morceaux.

Débordant d'adrénaline, je soulevai le sac de croquettes du garde-manger, allai chercher une fourchette (le bon tiroir, apparemment), poussai les succulents morceaux bruns dans les assiettes et aspergeai le tout de croquettes. Les chats étaient déjà en train de s'empiffrer pendant que je versais la garniture.

Ces récentes acrobaties félines encore à l'esprit, je me dirigeai vers la scène de leur exploit. Le parquet brillait dans la perfection de son éclat doré, d'évidence indispensable pour réussir la cascade. Sur un coup de tête, je poussai jusqu'à la porte d'entrée où j'envoyai valser mes chaussures. J'effleurai le sol de mes orteils : sa finition soyeuse ne trahissait que les plus minuscules imperfections naturelles du grain.

Dans les étages inférieurs de mon cerveau, une sous-commission dévorée d'ambition prit la décision et, oubliant de la soumettre aux instances de contrôle concernées, déclencha l'action. Je bandai mon énergie, dédiai un moment ridiculement court au calcul complexe des forces en mouvement et fonçai dans le couloir. Après quatre pas et demi exécutés avec toute l'accélération en mon pouvoir, je freinai, posai mes pieds nus à plat sur le bois et me ruai en glissade jusqu'au mur opposé.

Quelque vingt ou trente minutes plus tard, la douleur dans mon genou gauche et mon gros orteil, aidée, sans doute, par une bordée de jurons, passait du stade de l'agonie invalidante à une souffrance simplement gênante.

Quand, enfin, je me remis de ma chute, et après avoir déballé mes sacs, la soirée débutait. La lumière illuminait encore le ciel, malgré le soleil bas. Je me préparai un sandwich avec un peu de fromage et de salami dénichés dans le réfrigérateur et ouvris la bouteille de vin qu'Oskar avait laissée pour moi. Je mangeai sur le sofa, la télévision allumée sur *BBC News 24*. Le rythme et le ronron des nouvelles du monde en boucle apportent un réconfort étrange, mais au moins l'appartement était-il rempli d'accents britanniques et de spots publicitaires connus. La répétition des bulletins d'information et des titres m'apaisait comme un métronome, plus berceuse qu'alerte. Idéal pour un petit somme.

Je ne sais combien de temps je dormis, ni l'heure exacte à laquelle je m'éveillai, mais il faisait nuit dehors, et la pièce était inondée de l'orange fluo de l'éclairage public. Les voyages et les endroits non familiers épuisent et j'étais plus fatigué que je ne l'aurais cru. Près de moi sur le sofa, l'un des chats m'interrogeait du regard, tête penchée de côté.

– Miaouh ?

– Ouais, répondis-je en prenant tout mon temps pour me lever et m'étirer. Tu veux sortir. Pour moi dodo !

Plusieurs articulations gémirent pendant que je me contorsionnais pour libérer ma main gauche de son engourdissement. J'avais piqué un somme ni assis ni allongé, juste affalé. Me mettant debout à grand-peine, je m'emparai du minou et l'amenai jusqu'à la porte d'entrée devant laquelle son partenaire attendait tel un invité retenant un taxi pour un ami. Pas besoin de les encourager… ils avaient déjà disparu dans la nuit.

DEUXIÈME JOUR

Il existe un moment entre le sommeil et le réveil où l'on est libre. On est retourné à la conscience, mais on doit encore déchirer le voile fin qui nous sépare de notre environnement, de notre réalité. On flotte hors de tout contexte, attaché à aucun endroit spécifique – sans dormir, sans être complètement réveillé, sans être à la merci de l'inconnu du subconscient, et sans être encore exposé au connu insipide des soucis et de la routine. C'est à ce point d'intersection entre deux mondes que je pense être le plus heureux.

Pendant une seconde, désorienté, il me fut impossible de déterminer où je me trouvais. J'étais enveloppé de blanc, bulle dans un océan de lait. Puis, avec l'afflux de détails, je me souvins que j'étais dans l'appartement d'Oskar, sous son plafond blanc, sous les monts et les creux de sa couette blanche, sur ses draps et ses oreillers blancs.

Le régime en Iran torture avec du blanc. Ses geôliers habillent le prisonnier de vêtements blancs et le placent dans une cellule d'isolement blanche éclairée d'une lumière blanche où rien n'accroche l'œil. On lui sert de la nourriture – blanche – sur des assiettes en carton blanc, apportées par des gardiens revêtus de blanc portant un masque blanc. Situation intolérable pour le détenu qui la vit comme une dépossession quasi totale de ses sens. Aveuglement dû à la neige. Déconnexion des membres. Rupture d'échelle et de perspective – libération du principe de réalité vu comme enfer, et non comme ravissement.

Quel tourment pervers dans un pays islamique où, m'avait-on rapporté, la perfection est la chasse gardée du divin ; où tendre vers elle est le fait d'un orgueil répréhensible ; où l'humilité pousse à introduire sciemment des imperfections dans les œuvres d'art ! Dans chacun de ces fabuleux motifs décoratifs islamiques abstraits, l'artiste a pieusement inséré une erreur délibérée rompant volontairement la répétition.

Comme ces prisonniers doivent appeler cette imperfection de leurs vœux ! Marque sur le mur, fissure ombrée, dalle de plafond tachée. Apparemment, cette lacune suffit à dégonder l'esprit et à faire en sorte que l'on essaie à tout prix d'échapper à cette pièce où l'œil ne s'accroche à rien.

– Pourquoi ne m'aiment-ils pas ?

– Oh, Oskar, ils…

J'avais l'intention de répondre : *Oskar, ce n'est pas qu'ils te détestent, c'est juste qu'ils ne t'apprécient pas vraiment, tu es différent d'eux et tu n'es pas une personne facile à apprécier.* Je m'en abstins.

– Pourquoi tu poses une question pareille ? finis-je par dire. Ils n'ont pas l'intention de te faire la peau.

– Je ne comprends tout bonnement pas pourquoi ils ont volé la vodka.

Et d'indiquer du doigt la bouteille qu'il avait apportée et dont le contenu était dorénavant largement entamé.

Nous buvions depuis des heures et mon invité se montrait sous le jour inquiétant d'un ivrogne sentimental.

– Tu n'aurais pas dû avoir la naïveté de la mettre dans le réfrigérateur que nous partageons tous.

– Mais c'est la seule façon de la garder à la bonne température !

Envahi par une morosité comique digne du chien Droopy, mon ami avait convoqué des bajoues dont je découvrais l'existence.

– Je ne sais pas moi, mélange-la avec du coca ou quelque chose d'autre.

Il plissa le nez et le dédain contorsionna sa lèvre.

– Je la préfère pure.

– Nous partageons la cuisine, soupirai-je. Tu dois trouver un compromis. Il faut te montrer tolérant.

– Sauf qu'eux, question tolérance… ils ne rangent rien, ne font pas la vaisselle…

– Ce sont des étudiants, les défendis-je mollement. Comme toi, comme moi. Détends-toi.

– Car tu penses que je peux me détendre avec ce que j'ai sous les yeux ?

Perdu dans les brumes de l'alcool, il me fallut un moment avant d'enregistrer qu'il avait posé une question.

– Hein ?

– Tout ça.

Et de désigner ma chambre d'un geste las.

– Tu penses que je peux me détendre avec ce que j'ai sous les yeux ?

J'essayai de saisir le sens de ses paroles. En vain.

– Eh bien, n'est-ce pas une détente de boire un verre avec un ami…

Oskar me tapait sur les nerfs. C'était la première fois que je le voyais ivre. Cet inconnu, cet étranger imprévisible.

– Non, non, non !

Il haussa le ton et rassemblant toute son énergie, se leva de sa chaise et se mit à arpenter la pièce.

– Ceci ! Ta chambre ! La façon dont tu vis ! Ce chaos !

Sa réaction me prit par surprise. Dans un autre état d'esprit, j'aurais pu me sentir blessé, mais au lieu de cela, je me découvris en train d'embrasser la chambre du regard, pour essayer de la voir à travers le filtre de ses yeux. La bouteille de vodka ouverte se dressait sur mon bureau, ou plutôt se trouvait sur la petite portion de bureau non recouverte d'une épaisse carapace de livres, de papiers et de toutes sortes de détritus. Des signets se hérissaient, tels des étendards défraîchis de guerres oubliées ; ou bien les livres eux-mêmes étaient ouverts, accablés, au milieu d'une pensée à jamais irrécupérable. Des papiers s'éparpillaient dans tous les sens, rarement complètement utilisés. J'y avais jeté deux lignes ou un message dont j'avais perdu la signification. Des stylos fatigués attendaient tels des cure-dents. Une assiette souillée de miettes et de traces cireuses de beurre de cacahouète chapeautait un tas de copies. Au pied d'une autre pile, un frisbee me rappelait vaguement qu'il avait servi de cendrier avant d'être recouvert de notes. Un autre cendrier improvisé – couvercle de bocal de cornichons dans une vie antérieure – vomissait dorénavant ses mégots derrière le bureau, dans un nid de cordons électriques emmêlés. Illuminant la scène de son œil de cyclope, ma lampe flexible brillait, tels les projecteurs de pompiers éclairant un carambolage sur l'autoroute à minuit. Avec de subtiles variations, le désordre du bureau contaminait les vêtements, livres, affiches, lit et tout l'attirail sans valeur qui accompagne les premières années de l'âge adulte – mobile de bouteilles de coca, guitares gonflables, chopes de bière volées, porte-encens, étuis de CD cassés, ouvre-bouteilles fantaisie, cafetière endommagée.

– Je sais que c'est un peu le bordel… reconnus-je avec un haussement d'épaules.

– Ce n'est pas seulement la chambre ! Une chambre n'est pas qu'une chambre. C'est la manifestation d'un état d'esprit, le produit d'une intelligence. Que ce soit conscient – et il s'effondra de façon spectaculaire dans son fauteuil, tout en soulevant un nuage de poussière et de cendres de cigarettes – ou inconscient. Nous faisons nos chambres qui, à leur tour, nous font.

Je voulus lui rétorquer : *Nous y voilà ! C'est la raison pour laquelle ils ne t'aiment pas*. À nouveau je m'en abstins. J'arrêtai de fumer. La majeure partie du contenu de la chambre finirait dans des sacs-poubelle noirs à la fin du trimestre. Et en effet, après cette chambre, il y en eut d'autres, puis j'ai partagé des maisons, et ensuite occupé tout un chapelet de studios. J'ai jeté sur tous ces lieux le même regard d'insatisfaction. Ce fut le cadeau d'Oskar.

Fixant le plafond de sa chambre inondée de soleil, j'éprouvais un profond sentiment de satisfaction. À l'écoute des bruits furtifs de la ville. Un tram passa dans un grondement fracassant, bruit métallique de crécelles et crissement de freins au carrefour. La cloche du devoir s'immisça également dans mon esprit endormi. Grattements et miaulements sur le balcon : Shossy et Stravvy avaient faim.

J'ouvris tout grand les portes-fenêtres pour accueillir l'air et les bruits de la ville. Les chats s'enroulèrent autour de mes jambes – curieuse habitude des félins de se frotter quand l'espace abonde – et se dirigèrent sans tergiverser vers la cuisine, avec la détermination impatiente d'ouvriers qui entendent le signal de la pause-déjeuner. Je les suivis en m'étirant.

Des vestiges de la soirée précédente se trouvaient à côté du sofa – les messages, le verre de vin. Je m'occupai des chats, puis remplis la bouilloire et la fis chauffer. En attendant le point d'ébullition, je nettoyai mon chantier : la bouteille vidée – avec la note d'Oskar –, les journaux et les magazines, le verre.

Je me figeai. Une goutte de vin ou deux avaient dû couler le long du verre pendant ses nombreux remplissages. Sans dessous-de-verre. (Mon imagination me montra mon ami en train de tressaillir.) Un arc à quarante-cinq degrés de vin rouge maculait son précieux parquet, balafre chirurgicale violette sur peau pâle.

La tache retint mon attention pendant deux ou trois minutes : du verre pilé me coulait dans les veines. Des taches de vin rouge, pensai-je. Je me remémorai l'injonction de mon ami. De nulle part surgit le souvenir que la vitesse de réaction était cruciale pour traiter ce genre de choses. Il me fallait agir, insistait mon cerveau, oublieux que j'avais dormi plusieurs heures.

Sans paniquer, je me rendis à la cuisine et passai un chiffon sous le robinet, puis je retournai sur la scène du crime. À genoux comme pour supplier, je commençai à frotter et à gratter. Bonne nouvelle : la marque semblait partir plutôt rapidement. Après environ cinq minutes de travail, impossible de détecter la trace de vin. J'attendis un moment que la latte sèche, puis je l'inspectai, aidé par le soleil de fin de matinée.

Une marque subsistait, arrondi rougeâtre très léger à peine visible dans les fibres naturelles du bois. Tache de naissance en attente de son dernier traitement au laser. Sauf que mon œil ne pouvait s'empêcher d'être attiré par elle, comme si elle avait la taille et la noirceur inévitables du sofa.

Je fis le vide dans mon esprit et essayai d'évaluer la surface en toute objectivité, comme si je me trouvais dans la pièce pour la première fois. Stratégie obligatoirement vouée à l'échec. Mon travail – mon illustre carrière d'écrivain – consistait principalement à rédiger et à concevoir des brochures pour les conseils municipaux. Les habitants d'Ealing se souviennent peut-être d'avoir parcouru avec plaisir *Découvrez les services offerts par votre bibliothèque !*, même si mon chef-d'œuvre incontestable est *Haro sur les déchets : Comment, Quoi et Quand recycler*, réimprimé cinq fois et traduit en neuf langues. (Cela vous intéresse de connaître le mot somalien pour « compost » ? Je peux vous le dire.)

Chaque fois que l'une de ces œuvres majeures sortait de presse, il s'y trouvait inévitablement une erreur. Les erreurs colossales, humiliantes, visibles à l'œil nu (« Le conseil municipal lance une compagne contre l'illettrisme ») sont très rares. Mais pratiquement tout ce qui sort de presse contient une faute quelque part. Invisible au regard non expert – un double espace ici, une virgule mise de façon fautive en italique là –, elle saute aux yeux du seul rédacteur en chef. Mais une fois qu'il ou elle en a repéré une dans le produit imprimé, il ou elle ne verra plus qu'elle ! Il ou elle ne verra plus la clarté remarquable avec laquelle est expliquée la loi punissant les décharges sauvages, car il ou elle n'aura d'yeux que pour le tiret cadratin mis à la place du demi-cadratin…

C'était exactement ce qui se produisait pour moi avec le parquet d'Oskar.

Je faisais une fixation sur le bout de bois endommagé, même à une distance absurde. Quantité négligeable, à peine visible, celui ou celle qui le remarquait pouvait le prendre pour une variation naturelle dans la couleur du bois, mais pour moi, il ressortait comme le lac à vin européen.

L'eau avait depuis longtemps atteint son point d'ébullition et je me préparai un café. Les chats mangeaient bruyamment. De nouveau, j'essayai de déterminer lequel était Shossy et lequel Stravvy. Chose impossible bien sûr. Même si je détectais d'une certaine façon des différences de personnalité entre eux, c'était insuffisant pour décider qui était qui.

J'entrepris de condenser ma visite des hauts lieux touristiques en une seule journée, ce qui m'épargnerait l'effort mental et physique d'essayer de trouver une activité différente chaque matin, alors que je pourrais être en train d'écrire. Ce pays était à ce point privé de lieux de curiosité que je n'avais pas pu dénicher de guide le concernant à la librairie de Heathrow. Je m'étais quand même débrouillé pour mettre la main sur un *Lonely Planet* qui traitait de tout ce qu'il fallait voir dans la capitale et alentour en seulement quarante pages.

Lorsque je me rendis à pied de l'appartement jusqu'au Vieux Marché – «joyau du centre-ville et toile de fond de toutes les commémorations» –, quarante pages me semblèrent plutôt généreuses. La ville avait beau avoir été construite à l'époque romaine et avoir connu un âge d'or exceptionnel au Moyen Âge, il n'empêchait que la plus grosse partie de cet héritage avait été rasée au milieu et à la fin du XIXe siècle pour faire place nette à d'innombrables bâtiments érigés dans un style néogothique et baroque, avec des matériaux de piètre qualité, et rénovés de façon si catastrophique qu'ils ressemblaient tous à la pièce montée de la Miss Havisham de Dickens pour son mariage, une couche de suie antique en prime. La Seconde Guerre mondiale et le bloc de l'Est avaient également apporté leur lot de transformations calamiteuses. Je longeai la façade du Musée national dont le gigantisme évoquait l'Acropole, mais le gardant pour plus tard, je m'aventurai dans le Vieux Marché.

À Londres, j'étais à l'aise dans les foules comme dans mon milieu naturel, le discours pressant de l'humanité, le langage du métro, l'âme même de la ville. Ici, elles m'apparaissaient sous un jour différent. Nervosité peut-être due à mon ignorance de la langue locale (le manuel d'expressions toutes faites alourdissait ma poche comme un poids de plomb) ; ou peut-être parce que j'étais de façon si évidente un touriste. «L'activité du marché est un contrepoint charmant au côté grandiose du décor », m'informa *Lonely Planet*. Cependant, l'enthousiasme des transactions commerciales qui s'y nouaient était, me semblait-il, un contrepoint charmant à l'insignifiance totale des biens proposés à la vente. De maigres tas de racines dégoûtantes et défraîchies s'empilaient près de montagnes de Tupperware qui donnaient l'impression d'avoir déjà traversé une ou deux décennies d'utilisation intensive ; des livres de poche obsolètes et abîmés se bousculaient aux côtés de candélabres de pacotille recouverts de peinture dorée en train de s'écailler.

Pas le moins du monde affectée par l'absence de marchandises dignes d'intérêt, la place du marché grouillait de ce qui me parut être la population entière de la ville. Jamais auparavant, je n'avais vraiment saisi la signification véritable du mot « houle » en relation avec les masses humaines, mais celle-ci soulevait littéralement le marché ; obligé de se laisser porter par la foule, les flots contraires empêchant d'en atteindre certaines parties, on se retrouvait souvent dans un endroit diamétralement opposé à celui où l'on voulait se rendre à l'origine, direction faussée dictée seulement par un nouveau frémissement de péristaltisme dans les plis et les interstices que les éventaires laissaient à leurs malheureux consommateurs. Surplombant la mêlée telles des divinités, des affiches gigantesques qui chantaient les louanges d'une entreprise de cosmétiques occidentale remplaçaient les vitrines du premier étage de ce qui avait été autrefois, supposai-je, le grand magasin d'État, et les visages de trois mètres de haut de belles actrices de cinéma et de mannequins sexy regardaient avec suffisance les hordes grouillant en dessous d'eux. Les nouveaux hommes et femmes libres d'Europe étaient aussi éloignés de cet idéal qu'ils l'avaient été jadis du visage rougeaud présenté comme la perfection par la propagande de l'ancien État. Je jure que je ne croisais dans

47

cette foule personne en dessous de soixante ans – estimation charitable – et tous se recroquevillaient, agressifs, les yeux éclairés d'une lueur méchante non spécifiée, non nécessaire, non motivée, d'une façon que je ne pouvais même pas commencer à quantifier.

Si seulement j'avais quelque chose à acheter, pensai-je, pour justifier ma présence, alors peut-être n'aurais-je pas cette conscience aiguë d'être littéralement un corps étranger. Mais de quoi avais-je besoin? Qu'est-ce que je pouvais bien vouloir acquérir dans un endroit pareil? Rien ne me traversa l'esprit; et alors que je jouais des coudes pour me rendre de l'autre côté du marché, l'idée d'être simplement là en observateur me sauta aux yeux comme la chose absurde qu'elle devait peut-être sembler être pour ceux qui m'entouraient. Il ne faisait pas chaud, mais la transpiration hérissait ma peau et rares ont été les fois où je me suis senti aussi mal à l'aise. Rames de métro ténébreuses aux heures de pointe, supermarchés la veille de jours fériés: jamais auparavant je n'avais été autant la proie de sensations aussi cuisantes et alarmantes.

Je fendis la foule, recevant d'un pas mal assuré les regards mauvais et fixes dont j'étais la cible, et atteignis le Monument national où les passants se raréfièrent. Faisant écho à l'humidité accumulée sous mes aisselles et au bas de mon dos, le ciel se mit à transpirer à grosses gouttes, dans son effort pour faire traverser le firmament à des nuages grisâtres. La bousculade s'atténua au moment de toucher aux marches du Monument, et je me retrouvai face à une bitte d'amarrage en granit de dix fois sa taille normale, suspendue en l'air par des soldats rectangulaires dont les bras tordus militaient à la fois contre l'esthétique et l'anatomie. Moignon en attente de prothèse, le Monument était un os cassé net transperçant de la chair bricolée. Dans le sillage de calme qu'il créait dans la foule mouvante, je me tournai à nouveau vers la place.

Retouchés à la perfection, des dieux et des déesses séculaires impeccables baissaient les yeux sur leurs ouailles. Leurs avatars les fixaient comme des peintures de tombes égyptiennes – le crocodile, le demi-homme, le demi-cheval (bâton de polo levé, prêt à frapper). Ils promettaient le salut, Parce que Vous le Valez Bien. Le Salut, par L'Oréal.

Derrière les panneaux publicitaires, le stuc s'effritait. Les insipides gardiens en pierre du Monument national traversaient de leur regard les masses qu'ils avaient sauvées d'un «isme» pour leur en imposer un autre.

Pourquoi Oskar se plaisait-il ici? S'y plaisait-il par-delà l'accident de sa naissance? Son immense talent et son succès lui donnaient le droit de choisir son lieu de travail, et cependant c'était ici qu'il avait jeté son dévolu, dans cet endroit de femmes enfoulardées et de billets de banque ocre à multiples zéros.

Après avoir acheté une bouteille d'eau à un marchand, je m'assis sur les marches. Enveloppé du grondement de la foule et de l'omniprésent fracas des trams, je me sentis plus à l'aise.

Oskar m'avait parlé de son pays natal, cette première fois où nous nous sommes vraiment saoulés ensemble après notre épique chasse à la vodka. Nous avions porté un toast à sa vengeance et au goût inaltéré du précieux alcool conservé à zéro degré. Non que j'aie compris de quoi il retournait – la vodka m'hébétait et me brûlait tout bonnement. Pour l'adoucir, je n'avais à disposition qu'une canette de coca à température ambiante. Ajout auquel je m'étais risqué seul, car Oskar y voyait un sacrilège. Il m'avait néanmoins confié qu'il arrivait à ses compatriotes d'y ajouter de l'ail. Je lui avais posé des questions sur ses origines, curieux de cet individu qui était devenu mon ami presque par accident. M'attendant à ce qu'il entonne un hymne sentimental à la gloire de l'Europe centrale, triste et débordant d'amour, quelle ne fut pas ma surprise quand il aborda la question avec une gravité incohérente bizarre et réfléchit longuement avant de me répondre :

– Pour moi, c'est important.

Il avait avalé une gorgée. Un ange était passé. Puis il avait anticipé ma tentative de briser le silence, tandis que je prenais une inspiration :

– Quand j'aurai terminé mes études, il se peut que je les poursuive en Amérique, ou ici, ou que je cherche un contrat quelque part. Peut-être que je retournerai dans mon pays. Mais…

Pause. Nouvelle gorgée.

– Vous êtes drôles, vous les Anglais. Vous êtes toujours en train de vous inquiéter pour ci pour ça… Vous dites « tout fout le camp », c'est ça, hein ? Cette peur… Cependant quel bonheur pour vous d'être sur cette île, hors de la portée des armadas et des nazis ! Mon pays n'arrête pas de changer de forme sur la carte, les empires et les armées le traversent, il disparaît, puis réapparaît sous une nouvelle forme, juste une tache de couleur, une histoire. Cependant je sais comme mes compatriotes qu'il existera toujours. Mais vous les Anglais, vous pensez que le monde s'effondre s'il se débarrasse des vieilles cabines téléphoniques rouges.

Il avait bu tout son verre et l'avait rempli de nouveau, ainsi que le mien. Puis il avait proposé un nouveau toast avec un sourire sardonique.

– À nos mères patries respectives ! Saoulons-nous assez pour les aimer.

Et c'était ce que nous avions fait.

Pas un chat au Musée national, à l'exception d'un contingent de vieilles femmes renfrognées à la tête recouverte d'un foulard. Assise sur un siège de bois dans l'atrium, l'une vendait des billets à une table de jeu. Dans les salles où l'écho portait, les gardiennes tricotaient, lisaient le journal ou ne me lâchaient pas des yeux. Malgré leur regard plus sévère qu'accueillant, je leur étais reconnaissant de leur présence, car sans elles j'aurais été seul dans le bâtiment.

Les objets exposés m'apprirent quelles parties du pays étaient oolithiques et quelles autres précambriennes. Des animaux empaillés aux yeux de verre malveillants et à la fourrure poussiéreuse étaient tapis dans des coins inattendus. Un tableau mural expliquait les subtilités de l'exploitation du lignite ; un autre, les rouages d'une usine de bauxite. Les produits de l'industrie nationale offraient pratiquement toute la palette des merveilles du monde moderne : machines à laver de la taille de petites voitures, petites voitures de la taille de machines à laver, télex, radios à modulation de fréquence, poêles à frire en aluminium, dentifrice à base de plomb, pyjamas en acétate, édredons en amiante... Rares étaient les tableaux chronologiques explicatifs qui trouvaient la force de se propulser au-delà de 1975. Clin d'œil à l'époque de l'écran tactile interactif, beaucoup de vitrines de verre avaient besoin d'un bon coup de chiffon pour révéler les trésors qu'elles contenaient.

Une salle était consacrée à la description de la vie paysanne traditionnelle à travers les âges, dans différentes parties du pays. Ce portrait se poursuivait par une séquence expliquant l'Histoire nationale à travers le servage, la monarchie, la révolution industrielle, la République, le fascisme, la République populaire et la République démocratique. On retrouvait un condensé de ces différentes phases au XXe siècle. Les époques antérieures se limitaient à une routine sinistre de pogroms et de dictateurs pure souche affublés de sobriquets comme « l'arnaqueur ».

La version particulièrement puissante de l'enfer, telle que les nazis et les Soviétiques la mirent en œuvre en Europe de l'Est, était traitée de façon curieusement modeste : sans grandiloquence ni horreur. Et les trois derniers panneaux de l'exposition étaient de toute évidence des insertions récentes, taches pâles sur le mur trahissant les grandes lignes de leurs prédécesseurs. Je supposai que les originaux avaient porté aux nues les avancées glorieuses réalisées par la République populaire en chemin vers le nirvana socialiste, telles que son chef, le Père de la Nation, les avait tracées. Au lieu de cela, ils exaltaient l'effondrement de l'Est soviétique. Des murs étaient tombés. Des assemblées avaient été prises d'assaut. Des noms de rues avaient changé. Les publicitaires étaient arrivés.

L'Histoire était l'élément le plus récent du bâtiment.

Tandis que je traversais le plancher ciré de l'atrium du musée pour rejoindre les lourdes portes de bois, et la rue qui se trouvait au-delà, la vieille femme qui m'avait vendu mon billet sauta de sa chaise. Je me figeai, soudain nerveux, alors qu'elle se précipitait vers moi, apparemment désireuse de m'empêcher de partir. Le cuivre de la plaque fixée à la porte principale était froid sous mes doigts, mais malgré mon ardent désir d'en franchir le seuil pour m'échapper, je me retins. La pensée me traversa qu'il fallait peut-être payer en sortant, or j'avais déjà acheté un billet en entrant ; peut-être fallait-il payer à l'entrée et à la sortie ; ou peut-être s'attendait-elle à un pourboire. Ou peut-être encore craignait-elle que j'aie dissimulé une chouette empaillée sous mon manteau... Elle pensait à coup sûr que j'avais commis un acte répréhensible.

Elle me poussait vers la porte avec des gestes qui semblaient à la fois me chasser et m'encourager, comme si elle voulait que je sorte. Tout en me parlant, torrent incompréhensible. Se contentait-elle de me faire des adieux chaleureux ? Me chassait-elle ?

Nous avions passé la porte et elle continuait de m'adresser paroles et gestes, cette fois avec une certaine impatience, à moins que ce ne fût de la détermination. Elle m'attrapa par la manche de mon manteau et, me précédant de son dandinement rapide, me fit contourner le côté du bâtiment, où une allée étroite séparait le musée du cube de pierre voisin. Des décennies d'émanations de lignite, des aventures industrielles arriérées et des automobiles pitoyables avaient taché de façon irrégulière le mur latéral du musée, défiguré par des graffitis au sens à la fois mystérieux et en référence directe avec des événements locaux ou internationaux (une swastika et USA #1). Des cicatrices, telles des séquelles d'acné, s'éparpillaient sur cette surface dégoûtante, trous profonds ressemblant aux mottes de gazon arrachées au golf.

La gardienne du musée me regarda avec l'air d'attendre quelque chose. Ce mur était ce qu'elle m'avait amené voir, sauf que j'ignorais pourquoi. Ses yeux, qui m'observaient avec une sorte de ravissement anticipé, ne me livraient aucun indice. Dans les années 1990, j'avais assisté à une fête d'anniversaire où, parmi les cadeaux offerts à l'hôte, on dénombrait un « œil magique », rectangle coloré statique qui, si on le fixait pendant un certain temps, finissait, apparemment, par révéler une reproduction de la ligne de gratte-ciel de New York. Les yeux plongés dans l'image, de nombreux invités avaient poussé des cris de joie, d'étonnement ou de satisfaction quand le truc avait fonctionné. Or avec moi, elle n'avait pas dépassé le stade du fouillis polychrome. Concentre-toi plus, m'encourageaient mes amis, garde les yeux dans le vague, louche, regarde au-delà de l'image, détends-toi. Je n'arrêtais pas de fixer et ils me regardaient tous avec la même expression d'impatience sectaire que le guide du musée maintenant.

– Alors, c'est quoi ce que je regarde ? demandai-je en indiquant le mur du doigt.

Avant que j'aie le temps de baisser le bras ou de reculer d'un pas, la vieille femme me saisit par le poignet et me tira avec insistance en direction du mur. J'étais abasourdi ; une vague d'horreur déferla sur moi et je pense que j'expirai sous le choc, tandis qu'elle continuait d'afficher son grand sourire déterminé. Elle avait une poigne de fer, peut-être aurais-je pu me libérer, mais en accomplissant un mouvement violent totalement au-delà de mes forces. Cette femme avait peut-être plus du double de mon âge, et cependant, je me sentais totalement incapable d'envisager de lutter pour me libérer de son emprise terrifiante, surtout avec des muscles de la consistance de lourds morceaux de papier hygiénique humide. Elle avança ma main afin que mon index, encore en extension, entre dans l'un des trous – combien d'années de saleté s'étaient accumulées là ? – et elle libéra mon poignet, abandonnant ma main un doigt pointé dans cette petite cavité grossière. D'une profondeur de, peut-être, dix centimètres ou plus, elle avalait pratiquement mon doigt. L'érosion naturelle n'avait pas pu la creuser et elle n'était pas toute seule.

– Pan ! fit la femme d'un seul coup, recourant à cette courte syllabe explosive. Pan ! Pan !

Et de mimer le geste de tirer avec un fusil. En d'autres circonstances, le spectacle aurait pu me sembler comique. Mais pas maintenant.

– Pan !

Je compris alors où elle voulait en venir et sortis vivement le doigt comme s'il avait reçu une décharge électrique. Ces trous avaient été creusés par des balles et le côté du musée en avait été criblé. Au cours de quelle guerre ou de quelle révolution? Avec quels combattants? Y avait-il même eu combat? Ils auraient pu se contenter d'aligner les gens dans l'allée pour les tuer. Justice révolutionnaire. Justice contre-révolutionnaire.

L'employée du musée continuait de m'adresser un grand sourire. Elle voyait que je savais maintenant ce que j'étais en train de regarder, j'en étais certain. Peut-être pensait-elle que c'était ce qui intéressait les touristes: la vraie Histoire. Elle m'avait clairement étiqueté «étranger» – peut-être pensait-elle ou savait-elle d'expérience que les Occidentaux étaient peu enclins à apprécier l'exposition, alors qu'ils manifestaient une fascination morbide pour l'Histoire inscrite dans la pierre, les boyaux, le vrai truc quoi! Ces écorchures étaient-elles récentes ou pas? Je n'en avais pas la moindre idée, même s'il me semblait que l'Histoire ici était récente. Je doutais fortement que leurs programmes de télévision soient encombrés de déclarations d'amour envers les années 1980. Grèves et pénuries, couvre-feu et disparitions. Les trous signalaient une présence, pas une absence. Ils me terrifiaient et me glaçaient.

J'effleurai des doigts une cavité à hauteur de poitrine, un morceau de plomb enchâssé en bas dans la pierre solide. Qu'avait-il traversé avant de trouer le mur? L'air vibrant de cris, d'ordres et de bruits terribles; et la peau, les muscles et les nerfs, les os et le sang? Le sang avait-il été nettoyé, ou était-il désormais un composant de la saleté noire recouvrant chaque centimètre du mur? Du sang qui devient saloperie: fluide vital en mouvement à un moment, saleté le suivant. Et le sang de qui, en admettant qu'il n'ait pas été nettoyé? Versé pour quoi? Dans quel but? Du sang fasciste? Communiste? Nationaliste? Dissident? Loyaliste? Monarchiste? Collabo?

Résistant? Ces globules avaient-ils appartenu à des combattants de la liberté ou à des terroristes? Privilège du gagnant de le décider. Des idéalistes sans visage traversèrent mon imagination. Ou personne, rien – une balle zébrant l'air à toute vitesse, sifflant avec des slogans oubliés pour finir enchâssée dans cette pierre morte qui en garde encore le souvenir. Puis les slogans font écho au silence, et un homme d'un pays indifférent voit la marque, mais non pas celui qui l'a laissée, ni l'époque à laquelle il a vécu, ni la raison pour laquelle il a agi ainsi. Tout s'est évanoui, à l'exception des dégâts et de la saleté.

La femme du musée, cette étrange dame qui m'avait amené ici, plissa le nez comme pour indiquer : *oh, c'est drôle, pas vrai ?* Et elle rebroussa chemin, tout en se parlant gaiement. J'attendis deux minutes avant d'avoir la certitude que je ne risquais pas de la rencontrer au coin de la rue, puis je m'en allai par le même chemin.

Mon estomac se contracta et je réalisai alors qu'il avait mal choisi le moment de me signaler que j'avais faim. L'heure du déjeuner était largement passée, l'après-midi déjà bien avancé et les kilomètres parcourus avaient endolori le bas de mon dos. J'accueillis avec encore plus de répugnance l'idée d'aller au ravitaillement. À moins que je ne mange dehors… mais comme j'ignorais la durée de mon séjour ici, je craignais que la dernière hypothèse répétée tous les soirs ne se révèle onéreuse. Même si l'idée d'aller en courses, alors que j'étais techniquement en vacances, me rebutait.

J'avais localisé un petit supermarché où m'arrêter sur le chemin du retour. Mais à un moment de l'histoire de la ville, un épigone du baron Haussmann extraordinairement incompétent avait voulu y apposer sa griffe. Après avoir pratiquement fait table rase de son plan originel de vieilles rues historiques, il l'avait remplacé par une grille systématique qu'il avait complexifiée en y ajoutant une série d'avenues non orthogonales partant de deux points centraux : la place du Marché et l'Assemblée nationale. Ce qui faisait apparaître, dans le plan, des douzaines de carrefours en forme de fer à repasser, d'écharde et de dents de scie. On aurait dit sur la carte une plaque de verre blindé défigurée par deux trous de balle à partir desquels divergeaient toutes sortes de fractures. Le chemin que j'empruntai pour retourner à l'appartement d'Oskar en passant par le supermarché m'obligea ainsi à effectuer des zigzags et à suivre les méandres d'une sorte de W irrégulier.

La grande surface occupait le rez-de-chaussée de l'un de ces pâtés d'immeubles qui rappellent de loin la proue d'un navire. Au-dessus de son entrée, une lourde horloge en fer antique, alourdie de couches de peinture noire appliquée en grosses plaques de cellulite et enlaidie de chiffres romains témoins d'une époque révolue, se projetait en avant de la pointe la plus avancée du bâtiment. Et elle dominait à présent la masse bourdonnante d'enseignes éclairées au néon fluorescent et d'espaces de restauration rapide. Dans ce purgatoire de linos poisseux et de lampes au radium bleues censées tuer les insectes volants, j'achetai ce dont j'avais besoin et partis aussi vite que possible.

Tandis que, mal à l'aise, je poussais la lourde porte de l'immeuble d'Oskar, un bruit déconcertant me parvint. D'abord je pensai que c'était la porte qui grinçait, or le bruit ne provenait pas d'elle. Certes il s'agissait d'un grincement, mais plus encore. C'était comme le raclement d'un tranchant de pelle contre le trottoir avec des variations d'intensité, sauf qu'ici, elle augmentait de plus en plus. Puis une fraction de silence éclata, suivie par une espèce de froissement et un claquement métallique sonore. Bruit produit par un géant mécanique éclopé boitant vers quelque but maléfique. Le double son se répéta, miaulements rouillés et claquement de sas. Il provenait d'au-dessus.

Sur le palier entre le rez-de-chaussée et le premier étage se tenait une femme – cheveux retenus par l'éternel foulard – quelque part entre quarante-cinq et soixante-dix ans. Une vie de dur labeur et de régime alimentaire médiocre l'avait couverte de durillons et son nez se retroussait au point de me rappeler le museau écrasé d'une chauve-souris. Elle était occupée à jeter des sacs en plastique remplis de détritus par la trappe équipée d'une porte métallique creusée dans le mur du palier. Ce vide-ordures doté d'un ressort mis à mal par des années d'utilisation savait encore opposer de la résistance quand on voulait l'ouvrir. À coup sûr, l'abaisser nécessitait un effort considérable, surtout qu'il s'amusait à se refermer rapidement avec un claquement brutal. Il grinçait et claquait. Quand elle m'entendit monter les escaliers, la femme fit volte-face pour me demander quelque chose que je ne compris pas.

Je ressentis une aversion immédiate pour cette nouvelle personne qui faisait son entrée dans ma vie et se mettait en travers de ma route. Après l'intermède troublant survenu dans la ruelle du musée, non merci, je n'avais nulle envie de rencontrer de nouvelles vieilles ratatinées! N'étant pas vraiment un Apollon moi-même, j'essaie de ne pas juger les gens sur leur apparence. Mais la laideur physique de cette femme me sembla refléter fidèlement sa nature. Cheveux dissimulés sous l'éternel foulard, nez appartenant à l'ordre des chéiroptères et lueur impitoyable dans les yeux… En outre, elle était grasse, non pas à cause d'un coussin de graisse né d'une gourmandise excessive, mais une carapace l'enrobait comme un tatou. Les sacs remplis de produits d'épicerie que je portais auraient dû l'assurer que je n'étais ni un cambrioleur ni un violeur, je ne m'en sentis pas moins un intrus. En les déposant sur le sol en pierre, le bruit de deux bouteilles de vin rouge s'entrechoquant attira son attention désapprobatrice. J'indiquai du doigt l'étage supérieur, tout en extrayant les clés d'Oskar de ma poche avec mon autre main.

– Oskar, au-dessus, répétai-je à plusieurs reprises, en continuant à agiter les clés comme un hypnotiseur.

Elle les fixa avec ce qui ressemblait à du scepticisme, puis avec une acceptation forcée. Alors en indiquant du doigt l'étage supérieur, le visage traversé d'un regard impatient, elle prononça un mot qu'évidemment je ne compris pas. D'un air interrogateur, je pointai l'étage supérieur. Elle répéta le mot, tout en hochant la tête. Puis elle le redit, en y ajoutant un point d'interrogation. Déconcerté, je souris et répétai le mot du mieux que je le pus. Elle me renvoya un sourire, très satisfaite. Avec force sourires et en hochant la tête comme un homme d'affaires japonais, je détalai au-dessus.

Au moins, la modernité avait pris fermement possession de l'appartement d'Oskar. La cuisine brillait tel un instrument chirurgical. Pattes emmêlées, les chats ne bougeaient pas sur le sofa – je les en chassai avec un soupir, puis brossai de la main les poils qu'ils y avaient déposés. La raison pour laquelle ils aimaient cet endroit était évidente : la lumière directe chauffait le cuir noir ! Affamés, ils se mirent en orbite autour de moi, tout en prenant grand soin de me montrer à quel point je devais m'apitoyer sur leur sort. En baissant le regard sur eux qui arpentaient l'espace compris entre le sofa et la table du salon, mon œil fut attiré par la petite rougeur laissée par mon verre de vin sur le parquet. Le changement de lumière forçait à ce qu'on la remarque et Oskar allait forcément la voir. L'expert en échafaudages de faux raisonnements que j'étais savait que cette fois-ci je ne pourrais pas me défausser. Oskar la verrait, j'en étais convaincu. Quelle flétrissure sur mes états de service, alors que mon entrée dans son appartement remontait à moins de vingt-quatre heures ! Un jour, mon ami m'avait étonné lors d'un dîner, en dressant l'inventaire de mes défauts avec un talent exceptionnel pour le détail. Ma petite amie de l'époque n'en avait pas cru ses oreilles et j'ai pensé que cette soirée avait contribué à mettre un point final à notre relation. La petite amie d'Oskar en ce temps-là était la femme qui devint plus tard son épouse, relation qu'une douzaine d'avocats californiens était en ce moment même en train de détricoter pour ce que j'imaginais leur plus grand profit.

Cette marque… J'allai jusqu'à l'évier, mouillai une éponge à récurer et versai une goutte de liquide vaisselle dessus. Puis je l'attaquai avec la férocité d'un homme trompé. Quelle folie, vraiment, de posséder un parquet allergique à la plus légère agression ! Un parquet est conçu pour marcher dessus et toutes sortes de choses y tombent inévitablement ! Sans m'arrêter de brosser, je me remémorai ce dîner. L'une des raisons pour lesquelles j'appréciais Oskar était sa facilité à dire la vérité, son côté direct pour répertorier les défauts des autres, souvent sans s'encombrer de conventions sociales telles que leurs sentiments. Ce qui m'étonnait par contre, c'est qu'il ne m'avait pas appliqué plus tôt son effrayante perspicacité et son honnêteté sans compromission ! Puis je pensai au mépris qu'il avait affiché au sujet de ma capacité à tenir ma chambre à l'université. Il me présenta ses excuses plus tard et mit même un point d'honneur à le faire. En réalité, ce dîner s'était trouvé à l'origine d'une chaîne d'événements qui l'avaient conduit à me demander de m'occuper de son appartement.

Quand le coude et l'épaule se mirent à me faire mal, j'arrêtai mon brossage. Je rinçai l'éponge, la tordis consciencieusement et essuyai l'eau savonneuse. La flétrissure avait-elle disparu? Difficile à dire avec le parquet mouillé. D'ailleurs, j'avais comme l'impression que cette souillure se comportait comme une ombre portée d'un flash après la prise d'une photo, tache gravée au revers de mes yeux et nulle part ailleurs. Ma frénésie de nettoyage me remémora la nouvelle d'Edgar Allan Poe « Le Cœur révélateur », dans laquelle un assassin est poussé à la folie en imaginant le battement du cœur de sa victime cachée sous les lattes du plancher de sa chambre. Or je n'étais pas un assassin, pensai-je, et il me faudrait plus qu'une minuscule marque sur le parquet pour me pousser à la folie.

TROISIÈME JOUR

J'étais allongé dans le lit d'Oskar, pas le moins du monde réveillé, quand je pris conscience des transformations bizarres de mon environnement pendant la nuit. Le lit avait-il grandi de façon démesurée ? Ou alors c'était moi qui avais rapetissé. Or cette hypothèse ne résistait pas à un examen minutieux. La couette blanche n'avait pas varié d'épaisseur depuis mon coucher, ses coutures et son tissage de coton avaient conservé la bonne échelle, mais je ne voyais pas la fin du matelas ni de ce qui le recouvrait, peu importait la direction de mon regard. Elle s'étirait vers un point de fuite invisible, horizon de coton blanc se découpant sur un ciel couleur blanc plâtre. Ciel ou plafond ? Impossible à déterminer et la réponse semblait sans importance. Sous moi, j'imaginais un monde souterrain insondable de ressorts poussiéreux. Au-dessus, le rien privé de pertinence.

Panique lente. Ramper et sortir pour arpenter le désert de la couette sans chemin tracé, ou pour fouler le marécage perfide du duvet des oreillers, signifierait me perdre, succomber à l'aveuglement de la neige et finalement (revêtu de mes seuls boxer-short et T-shirt) m'exposer à la mort. Me faufiler sous la couette me sembla d'abord une meilleure idée ; au moins, y limiterais-je mon exposition au froid. Mais une couette de cette taille devait peser des milliers, des millions de tonnes, j'en avais peur, sans prendre en compte son indice d'isolation thermique ! Et m'enfoncer trop profondément pour ramper ne pouvait que m'entraîner vers une mort certaine – je suffoquerais dans les ténèbres avant de venir à bout du premier kilomètre.

Quelle malchance! Mon environnement immédiat, bien en place dans le monde avec ses proportions raisonnables, m'offrait un confort certain: j'étais tout bonnement dans un lit. Sauf que ce dernier, en grandissant pour englober le monde entier, s'était transformé en piège mortel aussi étranger et impitoyable qu'un désert de neige et de glace, ou un désert asiatique. Tout endroit, réalisai-je, peu importe son degré temporaire de confort et d'hospitalité, n'est rendu habitable que par la promesse d'autres lieux au-delà.

À défaut d'alternative, je me retournai. L'horizon, grisaille composée seulement d'une qualité de blancheur fraîche, distante et horizontale, jaillit à ma vue. Un léger mal de mer afflua et reflua… sans voir le début du moindre océan; pas même une goutte d'eau. Combien de temps pouvait-on survivre sans eau? Non que je puisse mesurer le temps – je ne croyais pas que ce dôme blanc cendré au-dessus de moi variait d'apparence selon le moment de la journée. Obligation de conserver et «recycler» mes propres fluides, pensai-je. Pouah! La perspective de boire ma propre urine me rebutait. Surtout que je n'avais rien pour… la décanter! Serais-je réduit à utiliser le creux de ma main ou devrais-je… viser? La mécanique de toute l'opération me répugnait. Après, je devrais me déplacer vers un nouvel endroit sur la frontière, je n'en doutais pas, car je n'allais pas rester couché dans l'endroit trempé. Rencontrer une mort certaine dans les terres sauvages était une chose, me vautrer dans mes propres déjections en était une autre. Heureusement, et c'était le seul point positif de toute l'affaire, je n'étais pas en manque d'endroits identiques si je voulais aller ailleurs.

Incroyable – cette situation nouvelle ne durait pas depuis plus de dix minutes que j'étais déjà en train de m'imaginer pisser partout sur moi. Au même moment, la question des fluides se posa et une douce plainte s'éleva de la partie inférieure et charnue de mon abdomen. Je ne pouvais pas y échapper, surtout qu'elle devenait de plus en plus pressante. Quelque chose d'autre clochait, quelque chose de sombre qui avançait au loin, au-delà de mes pieds. Peut-être m'étais-je fourvoyé dans l'alternance des jours et des nuits ici, et c'était le crépuscule. Or ce n'était ni le crépuscule ni le mauvais temps. Ce quelque chose de sombre au loin se répandait en dessous de l'horizon, en ressemblant à une tempête, tout en ayant plus l'allure d'une marée montante. Ça ressemblait à une tempête, oui, teinte bleue contusionnée du vin rouge renversé, teinte pourpre à tête de cumulonimbus. La mer lie-de-vin d'Homère suintait dans le coton blanc sur des kilomètres de couette, s'assombrissant au fur et à mesure qu'elle s'enfonçait. D'abord, on aurait dit un lac de plus en plus grand qui léchait mes pieds, puis alors, dans un instant de rêve, je réalisai que le même phénomène survenait à ma gauche et à ma droite, me coupant toute possibilité de fuite. Je ne voulais pas regarder dans mon dos. Ce n'était pas le lac qui grandissait, j'étais devenu une île qui rétrécissait.

À ce moment de crise de plus en plus aiguë, ma vessie exigea aussi de l'attention. Ce qui n'était rien qu'un tiraillement issu du premier système de prévention quelques secondes auparavant était désormais devenu de façon déloyale un cas requérant une action immédiate. J'étais confronté de toutes parts à un péril imminent de nature inconnue, à cause de la Tache de Vin venue de l'Au-Delà, et j'avais besoin d'aller aux toilettes. Mes deux priorités nécessitaient toutes deux l'évacuation. Or ce désir soudain d'uriner avait un côté étrangement rassurant. Dans de telles circonstances, c'était au moins une action familière. Un facteur réel avait fabriqué ce cauchemar de couette, de matelas et de ténèbres menaçantes. C'était réel, j'en étais certain. J'avais vraiment besoin d'aller aux toilettes – voilà une action que je pouvais mesurer empiriquement et que j'avais expérimentée auparavant. Je commençais à suspecter très fortement que tout le reste était un rêve. Et comme si elle avait détecté mon manque de confiance en elle, ma nouvelle réalité me sembla tout d'un coup moins substantielle.

La tache s'était approchée à moins de cinquante centimètres de mes deux pieds. Et avec elle, la conscience me tomba dessus telle une forme à biscuit découpant la forme rectangulaire d'un grand lit dans la savane de coton. Puis elle s'évapora pour révéler les murs de la chambre d'Oskar au-delà. La chambre d'Oskar! Je me mis sur mon séant de façon inattendue et mon cœur se mit à battre comme un ballon de caoutchouc lancé d'une grande hauteur sur une surface dure. C'était le matin; le soleil brillait et la rue retentissait de bruits. J'étais éveillé. J'avais besoin d'aller aux toilettes. Dehors, par-delà les portes-fenêtres, j'entendis les chats gémir. Les petites bêtes exigeantes devraient prendre leur mal en patience.

Je pivotai sur mon derrière, lançai mes jambes hors de la couette (même si elle avait repris ses proportions normales, je sentais que la prudence exigeait que je la traite avec suspicion) et mis les pieds au sol. Cette manœuvre provoqua un «bang» sourd du matelas. Quelque chose dans sa façon de produire de l'écho me rappela le cri des baleines dans les profondeurs marines. Le parquet sans tapis était frais; des heures de chaleur accumulée dans le lit se communiquèrent aux lattes à travers mes pieds. Debout, je m'étirai et trottai jusqu'aux WC, traversant, ce faisant, un losange de lumière. Sa chaleur me surprit.

Une tristesse inexplicable m'avait envahi au milieu de la nuit et la promesse d'une journée de soleil éclatant ne semblait qu'aiguiser cette sensation. Peut-être la détresse de mon cauchemar m'avait-elle suivi malgré mon réveil…

Je pouvais pourtant expliquer mon humeur morose : je n'avais rien à faire. Ce qui n'était, bien sûr, ni strictement ni techniquement vrai : je devais prendre ma douche, nourrir les chats, m'alimenter. Mais à part ces tâches quotidiennes, je n'avais rien prévu. Ce temps vide, rangé mentalement dans la catégorie « se détendre » ou « suivre son petit bonhomme de chemin » – deux expressions qui impliquaient autre chose que rester planté comme un piquet ou retourner au lit –, s'était délibérément immiscé en vaste quantité dans mon programme sommaire, surtout que je l'avais anticipé avec enthousiasme au moment d'envisager mon voyage. Ce temps vide, pensais-je, favoriserait l'éclosion de mon meilleur moi – celui qui consistait à améliorer ma façon de lire et d'écrire des poèmes – et me permettrait de déblayer de mon chemin tous les obstacles que je considérais comme la source de mon manque de créativité et d'épanouissement personnel, une fois de retour à Londres. Je n'avais pas à travailler, personne n'allait venir m'interrompre, j'évoluais dans un environnement agréable et je me sentais (plutôt) bien. Les lourdes chaînes du devoir et de la distraction ne pesaient plus sur mon âme sensible et celle-ci allait pouvoir dorénavant (ainsi en avais-je décidé) prendre son envol. Il n'empêche que j'étais la proie d'une sorte d'horreur : même dans ces conditions idéales, je ne réussissais pas à créer l'humeur parfaite qui me permettrait d'être tout ce que je voulais être. Cela m'était tout bonnement impossible. Si rien ne m'arrêtait, alors qu'est-ce qui m'arrêtait ? Parce que, pas de doute, j'étais à l'arrêt. Quelque chose me tenait par les entrailles.

Des amis déloyaux fustigeaient mes ambitions comme des prétentions. Indubitablement ils avaient tort. Oskar avait été plus que déloyal : il s'était montré férocement loyal. Je ne savais que penser. «Je veux être écrivain» sonnait juste à mes oreilles, mais chaque fois que je formulais ce désir, le Roi des Bobards me lançait un grand coup de pied dans l'estomac, façon de me dire «si tu crois que je vais laisser passer ça!». Mon ambition m'apparaissait sous les traits d'un fier pur-sang quand, en réalité, elle n'était qu'une mule boiteuse à moitié aveugle. Incontestable que la chevaucher ne m'avait pas mené très loin : à dire la vérité, je n'avais même pas quitté l'écurie! Pour ne pas prendre mon ego à rebrousse-poil, j'avais grossièrement prévu que je serais au moins une espèce de journaliste, tout en poursuivant mon ambition d'écrire, peu importe ce que je voulais écrire, mais je n'y avais même pas réussi! À la place, j'écrivais des notices administratives. J'expliquais le programme de collecte des poubelles. La douche, au moins, réussit à me rafraîchir les idées et à me débarrasser de certaines de ces peurs.

Rituels domestiques. Je sortis la nourriture pour chat, tandis que la bouilloire chauffait pour mon café. Qu'est-ce qu'ils pouvaient bien fabriquer pendant la nuit? Ce qui était sûr, c'est que ça aiguisait leur appétit et ils descendirent leurs morceaux de viande avec entrain. Que faisaient-ils dans la ville endormie… Forniquer et rôder sans aucun doute, la fierté d'arpenter les rues sans tram ni pieds humains. Ils étaient actifs, extrêmement actifs, dans les coins sombres et froids de la nuit, et puis ils recherchaient les endroits les mieux éclairés de la pièce pour y dormir. Comme s'ils emmagasinaient de l'énergie le jour pour la libérer la nuit…

À propos de source d'énergie, vite un café pour moi! J'avais également faim, mais paresseusement. Il aurait été indiqué de petit-déjeuner, mais il était déjà onze heures passées, trop près du déjeuner. J'allumai la télévision et de nouveau dus expulser les chats du sofa afin de pouvoir la regarder. Pourquoi Oskar les chassait-il d'un endroit que de toute évidence ils adoraient? Quelle attitude arbitraire et cruelle! CNN jacassait son sempiternel monologue. Les informations à la télévision, surtout celles en boucle, surtout celles en boucle déversées par les chaînes américaines, sont âprement critiquées pour s'intéresser exclusivement aux nouveautés, aux crises, aux coups d'État, aux calamités, aux morts brutales et aux systèmes aux abois, mais selon moi, elles sont le mantra de la continuité imperturbable, ronron rassurant (pour certains) du mouvement perpétuel de la grande roue. Toutes ces horreurs, répètent-elles, toutes ces révolutions, tout ce tumulte, on s'en fiche mes enfants, ils ne changent rien au contenu des bulletins horaires, à l'ouverture et à la fermeture des marchés, aux battements de tambours du système mondial. Ces nouvelles persistent avec la confiance en soi suprême et hermétique des ordres monastiques du Moyen Âge. Elles chantent les heures sans se soucier du jour ou de la nuit, des matines et des complies, des nouvelles économiques et de la météorologie planétaire. Pas étonnant qu'elles paraissent si bien adaptées aux espaces interstitiels internationaux, salles d'attente d'aéroports et chambres d'hôtel. On accuse ces endroits de manquer de personnalité. Faux! Ils sont les choses invisibles, la toile, le soubassement, la carte-test de transmission. Tout le reste n'est qu'aberration localisée.

Quelle injustice d'empêcher les chats de se prélasser sur le sofa, alors que dans mon humeur déprimée, j'apprécierais la proximité de leurs petits esprits débordant de chaleur! Je soulevai le plus proche – celui dont la queue se terminait par un bout blanc, seul trait distinctif que j'avais pu discerner jusqu'ici – et le posai sur le sofa à côté de moi. Il tourna sur lui-même, puis bondit sur le sol, dans le seul but, apparemment, de me narguer. Très bien, agis à ta guise, si tu savais comme je m'en fiche !

Or je ne m'en fichais pas : un mammifère de race inférieure m'avait snobé ! Rien de tel qu'un chat pour vous humilier… Quel but cette attitude servait-elle dans la théorie de l'évolution, ce dédain inhérent, cette façon roublarde de me rouler dans la farine ? Le bulletin météo international me révéla à mon grand chagrin que le soleil brillait également à Londres. Quand moi, je voulais qu'il y pleuve et qu'il fasse beau ici, afin que je puisse pleinement profiter de la *Schadenfreude*[1] du vacancier. Dire qu'ils allaient transpirer dans le métro et qu'au moment du déjeuner, il n'y aurait pas un centimètre carré de pelouse libre dans les parcs du centre-ville, tous pris d'assaut par les culs imposants des secrétaires !

Le temps s'écoulait pesamment, les trams grondaient en passant. Pas étonnant qu'ils aient inspiré Oskar, ces repères qui rythmaient le passage du temps comme le meuglement du bétail ! Un tram n'est pas conscient de ses horaires ; même son conducteur, cette intelligence qui le guide, n'est concentré que sur son seul trajet. Je décidai que j'accomplirais au moins une activité culturellement enrichissante aujourd'hui, même si je n'accomplissais rien d'autre : j'écouterais *Variations sur les horaires de trams*, le grand succès d'Oskar.

Midi passa, jour cassé, craqué en son milieu comme le dos d'un livre de poche. Je me préparai un déjeuner simple,

---

1. Mot allemand signifiant la joie provoquée par le malheur d'autrui.

avec des rondelles épaisses de saucisses aussi rouges qu'un bus londonien, des concombres aussi verts qu'une Land Rover, des tranches de fromage et de pain : un déjeuner composé de tranches coupées par un couteau d'office très pointu, instrument hautement chirurgical déniché dans la cuisine chirurgicale d'Oskar. Évitant consciencieusement de penser à mes actions et à leurs implications, je dévissai le bouchon de la bouteille de vin à moitié pleine sur la table et me versai un verre. Un verre juste après midi, une heure après mon réveil, était-ce bien raisonnable… Mais n'étais-je pas en vacances pour ainsi dire ? Il me fallait donc briser le carcan des contraintes de la vie de tous les jours… et faire attention, cependant, de ne rien renverser.

La tache n'avait pas disparu bien sûr, satanée petite marque. Si petite et pâle, rien du tout. Je craignais à présent que mon nettoyage forcené de la veille n'ait fait que l'accentuer un peu plus. La surface rugueuse de l'éponge avait imprimé de minuscules griffures dans la subtile finition du parquet – tache mate de forme ovale avec cette foutue petite flétrissure au milieu. Le message était clair : fini le brossage ! Rien de mieux à faire pour améliorer la situation que d'arrêter d'y penser, que de l'ignorer. Possible qu'Oskar ne la remarque pas…

Hein, quoi, qu'est-ce que j'ai dit ? Bien sûr qu'il allait la remarquer ! C'était inévitable et je le savais. Je mastiquai une tranche de saucisse d'un air contrit et me souvins de mes efforts pour nettoyer mon appartement avant son arrivée à dîner cette fois-là. Et mes efforts avaient-ils changé le cours des événements ? Nenni !

Qu'est-ce qu'il voulait après tout ? Comme s'il ne pouvait s'opposer à l'inévitable dégradation des choses, éraflures, taches de suie, coulures, traces de doigts et poussière. Les empreintes de doigts sont universelles, ne servent-elles pas de carte d'identité à l'humanité? J'adorais ces émissions de médecins légistes, ces séries policières à la télévision dans lesquelles la police scientifique reconstitue minutieusement les crimes à partir de pâtés et de résidus, tache de sang et trace de rouge à lèvres, Kleenex souillé et fil arraché. Dans ces films, les criminels les plus malfaisants sont toujours ceux qui laissent le moins d'indices. Quand un assassin n'en laisse aucun, pas même un cheveu, pas la moindre petite hélice, vous savez que vous avez affaire à un vrai salaud, psycho-pathe calculateur privé d'émotions et qui n'appartient pas au genre humain. Doté d'une immense intelligence froide sans compassion. Quant à la poussière, elle est plus humaine que n'importe quoi, constituée principalement de cellules de peau morte. Nous sommes des usines à poussière ambu-lantes. Malgré son degré de futilité, la résistance d'Oskar à cette crasse inévitable était magnifique.

Comme il était trop tôt pour me mettre au vin, j'en bus une gorgée avec prudence. Il adhéra à mes lèvres et aux parois du verre. Ce phénomène, que les vignerons appellent «avoir de la jambe», renseigne sur le taux d'alcool: la visco-sité advient quand l'alcool domine la tension de surface du liquide.

La tension de surface – voilà qui décrivait bien les peurs que je concevais pour le parquet et tout ce qui était par-faitement lisse chez Oskar. Son autre niveau d'existence. À quoi s'occupait-il à ce moment précis? On approchait des trois heures du matin en Californie: il devait dormir dans sa chambre d'hôtel, dans cette ville de chambres d'hôtels et d'autoroutes. Mon image mentale de Los Angeles se résumait à un enchevêtrement de clichés avec du bitume fondant au soleil. L.A. était le point d'attache de sa femme et future ex-femme Laura. Je l'avais rencontrée l'unique fois où ils étaient venus dîner, et tout de suite, elle m'avait déplu. Elle travaillait pour un grand cabinet américain de commissaires-priseurs et gagnait des sommes d'argent fabuleuses à superviser le transfert de chefs-d'œuvre entre super riches. Métier parfaitement légitime que mon sale gauchisme, néanmoins, m'avait poussé à considérer comme déshonorant. Elle aimait les alcools forts selon Oskar (de la vodka pure, peut-être) et m'avait donné l'impression de ne pas me tenir en haute estime non plus. Même si moi, j'avais de bonnes raisons de penser d'elle ce que j'en pensais, bien sûr, alors qu'elle, aveuglée par le snobisme, commettait une erreur monstrueuse !

Une profession déshonorante, la preuve : elle s'était présentée comme « négociante en huile ». Ce qui me poussa à supposer qu'elle devait travailler dans les matières premières. Mais non, elle faisait de l'humour ! Drôle de façon de briser la glace – son stratagème pour me désarçonner et prendre l'initiative. L'art de la conversation selon Sun Tzu.

Pour aggraver la situation, l'échange eut lieu juste à l'entrée de mon appartement, endroit qui puait les produits chimiques, à cause de l'eau de Javel dont j'avais aspergé les WC près de la porte d'entrée, localisation courante dans les petits appartements londoniens de l'époque victorienne. Bienvenue chez moi ! Ça sent peut-être la tranchée gazée, mais cette odeur n'est-elle pas préférable à celle de latrines ? Quand je considère l'emplacement de ces toilettes, les cabinets au fond du jardin me semblent une innovation intelligente…

Les toilettes d'Oskar par contre ne sentaient ni les produits chimiques ni les latrines. Elles répandaient une vague odeur de savon, mais surtout elles exhalaient l'eau. Pas celle, marécageuse et humide, qui s'accumule parfois dans ce genre d'endroit. Non, elles dégageaient la fragrance d'un pur torrent glacial s'écrasant contre les rochers, avec son parfum de glace. Que sent-on en réalité quand on inhale cette odeur ? L'ozone, ou les ions, ou quelque chose du genre. Peut-être que si je prêtais plus attention aux publicités de shampoing, je le saurais.

Je rinçai sous l'eau l'assiette et le couteau d'office et les laissai dans l'évier. Puis j'égouttai mon verre penché au-dessus des robinets et retournai à la table de la cuisine. De nouveau sans réfléchir (un autre verre ? alors qu'il n'était pas encore une heure de l'après-midi ?), je me saisis de la bouteille de vin et libérai le bouchon d'un coup de pouce. Le verre rechargé – et mon moral aussi par transitivité –, je décidai de rendre une nouvelle visite au bureau d'Oskar, prélude à, peut-être, une action constructive, à quelque chose qui en valait la peine. Il m'attirait comme un environnement de travail idéal.

Il se trouvait dans le même état que celui dans lequel je l'avais laissé, bien sûr. Presque exactement comme Oskar l'avait laissé. S'y était opéré un subtil changement d'air (à vrai dire à peine perceptible), odeur de papier, de coupures de presse jaunissant lentement (l'automne de la presse à imprimer), relents de poussière. C'est à peine si j'en isolais quelques grains, cependant elle avait déposé son arôme infinitésimal, trace fantomatique en suspens dans l'air, par- ticules surprises dans leur migration de convection diurne, paresseuse mais agitée. Diaspora de poussière bannie des surfaces. Mais depuis le départ d'Oskar deux jours aupa- ravant, elle se stabilisait. Le saupoudrage le plus fin était visible sur le couvercle du piano demi-queue. Du personnel d'entretien viendrait bientôt à la rescousse pour l'enlever. Les produits ménagers portent souvent des noms violents : *Ouragan, Raid, Purge.* Pourquoi pas *Pogrom* ?

Je posai mon verre sur le buvard du bureau et glissai mon doigt dans les traces de poussière sur le dessus du piano. Puis j'essayai d'écrire mon nom parmi les particules, mais en réalité, il n'y en avait pas assez pour qu'on puisse le lire et je l'effaçai. Quel étrange instinct nous pousse à signer sur les vitres recouvertes de buée, dans le ciment frais, dans la neige ? Voilà qui nous apparente aux animaux délimitant leur territoire, surtout dans le cas d'hommes signant dans la neige. Même si je ne pense pas que cette attitude procède d'un acte de possession exclusif : « C'est à moi, dégage ! » À l'époque où nous étions une espèce jeune, le monde devait nous sembler sans limite, vierge de chemins tout tracés, et laisser notre empreinte devait être notre façon pour nous signaler aux autres et entrer en relation avec eux, ces étrangers qui le resteraient à jamais. Laisser sa signature, alors, exprimait son profond désir de voir celle des autres.

Par négligence, j'enfonçai une touche du piano (aucune idée de laquelle, quelque part vers le milieu) et l'écoutai résonner dans l'air. De l'autre côté de la porte, la télévision toujours allumée et quasi inaudible me berçait de son rythme doux de paroles et de jingles publicitaires ; et des sons montaient de la rue : voitures (pas tant que ça), trams (réguliers) et bruits de pas.

Les trams me firent penser à quelque chose. J'inspectai les étagères de CD, avec leur tranche sérieuse, classique et verbeuse, et mis la main sur une petite section d'œuvres enregistrées par la Philharmonie locale. Oskar avait dû jouer un rôle dans beaucoup de ces enregistrements et, comme je m'y attendais, je dénombrai plusieurs exemplaires de *Variations sur les horaires de trams*. Lou Reed était encore dans le lecteur de CD : je l'éjectai et ouvris l'étui contenant le *Meisterwerk* d'Oskar.

Un bout de papier s'en échappa.

J'espère que tu vas apprécier ! – O.
(Mais Dewey sera encore mieux !)

Comme c'est gentil de sa part, pensai-je, ou du moins c'était la pensée qui commençait à prendre forme dans mon esprit, quand l'idée se figea dans ma tête, telle l'aiguille arrachée de la surface d'un vieux vinyle. Ce n'était pas «gentil», ou si cela l'était, ce qualificatif-là appartenait au spectre sinistre des «gentils» que je n'avais pas la capacité de rencontrer. Combien de notes avait-il laissées ? Brièvement, l'idée de mettre l'appartement à sac me traversa l'esprit... avant que je ne l'écarte. C'était seulement un peu flippant, sans être vraiment menaçant. aucune raison de basculer dans la folie. Et tant qu'à devenir fou, autant avoir une raison ! Selon le constat que j'établissais, Oskar dévoilait une faiblesse mentale qui lui appartenait en propre. Ce qui devrait me donner un sentiment de supériorité.

Le compartiment de CD de la stéréo tirait encore une langue obscène. Et quelle langue, satané lecteur ! J'y insérai les *Variations*, poussai le tiroir, puis froissai la petite note et la jetai à la poubelle. Commettais-je une faute ? Peut-être aurais-je dû la laisser *in situ*, afin qu'Oskar ignore que j'avais écouté sa musique. Pourtant, sa note annonçait clairement qu'il voulait que je l'écoute (« *J'espère que tu vas apprécier !* »), aussi ne pouvais-je que me féliciter de montrer de l'intérêt. Et puis d'ailleurs, si je remettais la note en place maintenant, il me faudrait d'abord la défroisser et il serait évident que j'avais ouvert l'étui, chiffonné la note avant de la remettre en place, chronologie évidemment marquée du sceau de la folie. Quoi qu'il en soit, les notes étaient peut-être une façon pour Oskar de suivre exactement mes allées et venues dans l'appartement. Confrontée à une obsession du contrôle de cette ampleur, qu'exigeait la politesse ? Dissimuler les indices de mon passage, ou les laisser par esprit charitable ?

Or il était impossible d'essayer d'anticiper des tactiques de cet ordre. Si tant est que l'on puisse parler ici de tactique… Et je ne pouvais écarter la possibilité qu'Oskar agisse sans malice, que ses actes soient dictés par l'amitié, et que ce soit ma réaction à moi qui tienne de l'aberration.

– Dingue ! m'exclamai-je doucement.

« Play ». La composition d'Oskar fendit l'air, manifestation éclatante de son talent. Elle ouvrait très simplement sur une note métronomique basse ; puis soudain, avec une double note plus élevée qui évoquait presque exactement celle d'une sonnerie de tram, le morceau gagna en complexité. Ce qui sembla être trois, ou même, quatre lignes mélodiques différentes éclata dans des directions distinctes, donnant à la composition l'apparence du chaos… avant de se rencontrer à nouveau et de se recouper. Il s'agissait d'unités répétitives simples, ressemblant au cliquetis métallique de roues sur des voies, même si à certains moments, il était difficile de déterminer le nombre de pianos impliqués.

À l'origine, bien sûr, il n'y avait eu que le piano de cette pièce. Comment rendre cet effet – entendre de la musique qui ne se trouve nulle part si ce n'est à l'intérieur de soi, et la piéger, note après note ? Oskar était-il un génie ? Je ne possédais pas les compétences pour l'affirmer.

Comme je n'ai pas la moindre oreille musicale, un jingle publicitaire de six notes est une œuvre d'une alchimie transcendante pour moi. Mais le talent de mon ami sonnait comme une évidence et, en l'extrayant de la masse, lui permettait de rejoindre ce cercle minuscule d'hommes et de femmes d'exception. Je ressentis le pincement du complexe d'infériorité : et moi, qu'avais-je réalisé ? J'avais son talent à portée d'oreilles, rehaussé encore par la clarté Dolby. Grâce à moi, de nombreux Londoniens connaissaient dorénavant le numéro de téléphone du préposé à la lutte antiparasitaire de leur quartier et savaient comment se débarrasser de leurs appareils ménagers hors d'usage. J'aime à penser que je m'étais réellement investi dans mon travail, mais si je n'avais pas existé, quelqu'un d'autre aurait tout bonnement écrit ces notices explicatives.

Je regardai le piano avec un mélange de curiosité et de respect admiratif. Tout en lignes droites et arrondies, en surfaces mystérieuses et en potentiel caché, tel un bombardier furtif. *Ne joue pas avec le piano*, avait-il écrit. Ce «avec» arrogant – bien sûr, tu ne sais pas jouer du piano, au mieux, on peut s'attendre à ce que tu joues *avec* lui, comme un enfant, eh bien même cela t'est interdit!

Avec moult précautions, j'en soulevai le couvercle et le laissai ouvert. À l'intérieur œuvrait sa machinerie compliquée mais sans mystère, rangée de soldats endormis, harpe posée sur le côté. J'appuyai sur une touche et l'un des marteaux bondit – pain grillé hors du grille-pain – en produisant une note qui se superposa à la musique du CD qui jouait encore. Son cristallin jailli d'un amas de matériaux si disgracieux – bois, cordes, feutre. Autre note, claire et anachronique dans la musique.

Un bêlement strident de machine déchira le calme, envoyant une carafe d'eau glacée le long de ma colonne vertébrale. Je fus à un doigt de lâcher mon verre et, n'eût-il été vide, j'aurais renversé une partie de son contenu. Par prudence, je le reposai sur le bureau et, ce faisant, le cri électronique se répéta. Le téléphone sonnait. Que faire en de telles circonstances? Répondre, mais je n'étais pas chez moi. Possible qu'il s'agisse d'Oskar – quelle heure était-il à Los Angeles? Je craignais au plus haut point que, si je décrochais, la personne au bout du fil ne parle pas ma langue et qu'elle me considère comme un intrus et prévienne la police. Quels risques encourrais-je ?

Troisième sonnerie. Sonnerie ? Plutôt cri d'agonie d'un robot de mouette. L'ingéniosité du bloc de l'Est à l'œuvre, sans aucun doute, élaborée à partir de l'alarme signalant les fuites radioactives dans un sous-marin nucléaire.

Quatrième sonnerie. Si c'était mon ami, mieux valait donner l'impression d'être «à la maison» en train de garder l'appartement. Si je tombais sur un inconnu ne parlant pas ma langue, je me contenterais de répéter le nom d'Oskar comme un idiot. J'attrapai le combiné dans la première demi-seconde de la cinquième sonnerie, hoquet assonant abrégé.

– Allô ?

Crépitement de friture due à l'appel longue distance, sifflement de câbles en cuivre couverts de poussière.

– Allô, c'est Oskar.

– Bonjour Oskar. Comment vas-tu ?

– Bien, je pense.

Le vide électrique se profilait derrière ses paroles et menaçait de les engloutir. Je me lançai dans un exercice de calcul mental : s'il y a sept heures de moins à Los Angeles qu'à Londres, et que moi, j'avais deux heures de plus qu'à Londres, il était treize heures passées... Je m'étais trompé.

– Quelle heure est-il là-bas ?

– Il est tard. Ou tôt. Je souffre du décalage horaire. Tu es en train d'écouter ma musique ?

Les *Variations* jouaient. Impossible de répondre non, d'ailleurs la question d'Oskar ne me laissait pas cette possibilité.

– Oui. C'est excellent.

– Hum. Est-ce que tout se passe bien dans l'appartement ?

Mon œil dévia jusqu'aux chats sur le sofa et la tache sur le parquet. En réalité, la table basse me cachait cette dernière, mais c'était comme si je la voyais, brûlure de flash sur la rétine en plein milieu... jusqu'à ce que je me concentre pour la regarder, et psitt! elle disparaissait.

– Oui oui, tout se passe bien. Je voulais te demander...

– Oui?

– Tu as mentionné du personnel d'entretien. Quand vient-il?

– Pourquoi, le ménage a besoin d'être fait?

Oui, tout, toujours.

– Non, mais j'ai pensé que ce serait mieux de le savoir, au cas où je serais nu ou quelque chose du genre.

Un tram passa, sourd grondement, emportant avec lui ma capacité à retirer ce que je venais de dire.

– Tu es nu en ce moment?

– Non! Mais ma présence est peut-être requise pour leur ouvrir ou quelque chose du genre.

– Elle a une clé.

– OK.

Je ramassai un bouchon sur la table de la cuisine en face de moi et commençai à le rouler entre mes doigts. Cet appel téléphonique était-il vraiment nécessaire? Des questions non formulées alourdissaient-elles la ligne grésillante? Oskar attendait-il que je le rassure pour une raison inconnue?

– Alors, tu t'amuses bien?

Mon ami avait l'habitude de terminer ses affirmations avec un point d'interrogation – pas de la façon exaspérante de ces riches Californiens, mais d'une manière plus philosophique et européenne, comme s'il faisait précéder la question dissimulée d'une expression non dite du genre: «Nous sommes d'accord que...» Il m'avait pourtant posé là une question directe.

– Oh oui. J'ai fait du tourisme hier, j'ai visité le Musée national…

– Profite de ta présence pour aller à la Philharmonie. Alors, tu vas y aller ?

– Oui, peut-être, si j'ai le temps…

– Si tu as le temps ? Qu'est-ce que tu as d'autre à faire ? C'est la saison d'été pour la Philharmonie et j'ai aidé à en établir le programme. Il est excellent. Tu vas y aller demain ?

– Demain ?

J'avais l'intention de dire que j'avais déjà planifié ma journée de demain, ce qui aurait été un gros mensonge. Alors que je me creusais pour en trouver un meilleur (j'avais pratiquement réussi), je laissai un long silence s'insérer dans la conversation.

– Demain, alors, décida Oskar d'une voix qui n'admettait pas la contestation, et clairement heureux de m'infliger de la musique classique. Je leur passe un coup de fil pour qu'ils mettent une invitation à ta disposition.

– Oskar, rien ne t'oblige…

– Je sais, mais j'ai toujours des places gratuites, alors je vais les appeler. Sept heures trente et au programme : Schubert, *La Truite* et *La Jeune Fille et la Mort*. Excellent. Les gens adorent. Toi aussi, tu vas voir.

Je pressai très fort le bouchon, en proie à l'apathie et à l'ennui. J'avais autant envie de sortir que de me jeter dans un lac glacé… mais au moins, j'aurais quelque chose à faire. Un ange passa.

– *La Jeune Fille et la Mort*, c'est un film, n'est-ce pas ?

Ma question ne rencontra que du silence à l'autre bout de la ligne.

– Ariel Dorfman a écrit une pièce de théâtre appelée *La Jeune Fille et la Mort*, confirma Oskar de la voix d'un adulte expliquant un point à un enfant peu doué. Elle traite de ce morceau de musique.

– Mais il y a eu aussi un film, protestai-je malheureux.

Un fragment de souvenir émergea.

– Avec Sigourney Weaver.

– Ah oui, en effet. Bon, eh bien je vais leur téléphoner pour qu'ils te gardent une place. Salut.

– Au revoir Oskar. Merci d'avoir appelé.

Ma dernière syllabe ne rencontra que du vide. La conversation téléphonique était terminée.

Je posai le téléphone et lançai le bouchon en l'air, tout en essayant de l'attraper avec mon autre main. Je ratai mon coup et il vola en frôlant le sol, puis rebondit sur le parquet où il effraya l'un des chats, qui se figea pendant une demi-seconde avant de sauter pour l'attraper. Ah! Je ne sais ce qui lui traversa l'esprit, quelque campagnol en balade dans un minuscule tonneau, peut-être… Il ne sembla pas déçu, cependant, quand il découvrit qu'il avait capturé un bouchon de liège! Au lieu de cela, il coinça son butin entre ses pattes avant tendues, arrière-train penché et tendu également; puis il libéra le bouchon, le frappa d'un côté et bondit à nouveau. Bang!

La bouteille vidée, je posai mon verre une nouvelle fois rempli et donnai au bouchon un coup de pied qui l'envoya de l'autre côté du parquet. Le chat le rattrapa, tel un lance-pierre duveteux. Que c'était drôle! Je stoppai le bouchon du pied, l'animal tendu comme un sprinter, et assénai un nouveau coup dedans: une comète à queue traversa le parquet comme un éclair. (Son compère sur le sofa complètement indifférent. Qu'est-ce qui peut bien remplir un esprit de chat pendant ses heures d'oisiveté et de rêveries? Quelle direction peuvent-elles bien prendre?)

Une idée surgit. Pour la troisième fois, je récupérai le bouchon, dorénavant légèrement cabossé – Minou prêt à se démener –, et l'envoyai d'un coup à l'extrémité de la pièce. Puis j'ouvris l'un des tiroirs de la cuisine, l'un de ceux, à l'écart, qui pouvaient contenir de la ficelle.

À l'intérieur se trouvait une note d'Oskar.

Tire-bouchon : tiroir près de l'évier. Lampe électrique, piles : tiroir du bas sous évier. Trousse de premiers secours, aspirine : dans salle de bains. Produits ménagers, bougies : dans cagibi.

Ce tiroir : épices.

Impossible de contredire la note, ce tiroir exhalait ce mélange spécial d'odeurs issues de toutes sortes d'épices. Et contenait la note d'Oskar, une nouvelle. Est-ce qu'il y en avait une dans tous les tiroirs ? Dans l'un d'eux, j'avais pris des couverts et n'en avais pas trouvé. Curieux, je tirai le plus proche où je découvris une autre petite missive, identique à la première, sauf qu'il y était inscrit :

Dans ce tiroir : sets de table. <u>Dessous-de-verre.</u>

Avec le dernier mot souligné deux fois. Comme c'était agréable de constater que, même quand Oskar me surprenait, il était en quelque sorte prévisible. Cela faisait deux notes, mais tous les tiroirs n'en contenaient pas. Peut-être était-il possible de lire là le fonctionnement de sa pensée ; peut-être pensait-il que, si je fouillais, c'était pour mettre la main au plus vite sur des articles contenus dans la liste de sa chasse au trésor, aussi voulait-il m'aider…

Moi, c'était de la ficelle que je voulais. En quelles circonstances pouvait-il en avoir besoin ? Il me traversa l'esprit qu'il avait attaché certains de ses documents dans le bureau avec une cordelette, aussi me mis-je à en fouiller les tiroirs et je retournai triomphalement, une minute plus tard, avec un morceau d'un bon mètre de longueur.

J'attachai le bouchon à son extrémité et me lançai dans mon expérience, jetant le tout en direction de mon sujet d'étude, le chat encore en éveil. Toujours doté de sa passion de tueur, il mordit à l'hameçon sans réfléchir, avec la détermination féroce d'une jeune célibataire au physique ingrat se précipitant pour ramasser le bouquet de la mariée. Mais juste au moment où il atteignait le cylindre, je tirai sur la cordelette et l'éloignai de lui d'un coup sec. Minou se lança à fond de train à sa poursuite. C'était un jeu : en était-il conscient ? Impossible qu'il ait cru qu'il chassait un animal, un déjeuner potentiel. Jouer, une autre activité que nous partageons avec les animaux. Possible, cependant, qu'Oskar et moi ne soyons pas sur la même longueur d'onde à ce sujet. Mon ami jouait-il avec ses animaux comme moi ? Difficile à croire, mais il est vrai qu'a priori, je ne l'aurais pas cru capable d'en avoir. Des poissons, peut-être, si peu susceptibles d'empiéter sur son territoire et avec des besoins simples qui correspondaient bien à son esprit programmé. Au lieu de cela, il avait trouvé dans sa vie, dans son appartement, de la place pour une créature aussi dérangeante et autonome que le chat domestique ! Et deux en plus !

Je ne cachai pas mon exaspération quand je vis le chat se fatiguer du jeu avant moi. Un peu comme si l'illusion de s'attaquer à une proie vivante s'était soudain évanouie et qu'il découvrait la réalité de la situation : un homme le taquinant avec un bouchon à l'extrémité d'une cordelette ! Lorsque je lançai le bouchon pour la quinzième ou seizième fois, mon partenaire ne daigna pas bouger le moindre poil de sa moustache. Il étudia le projectile avec une indifférence géologique et lui tourna le dos, queue dressée en l'air comme pour m'adresser un bras d'honneur.

L'exercice m'avait fatigué et il faisait très chaud : je m'affalai donc sur le sofa et tripotai le nœud qui attachait la cordelette au bouchon. Une migraine menaçait au sommet de ma colonne vertébrale, tiraillement aigu nauséeux. Trop de vin trop tôt dans la journée.

Emma avait trop bu aussi, trop tôt dans la journée, quand Oskar et Laura étaient venus dîner. Un collègue – elle travaillait dans les relations publiques – avait quitté la boîte ce vendredi-là et toute l'équipe était sortie déjeuner, avant de poursuivre au pub. Elle n'était toujours pas rentrée au moment où Oskar et sa «négociante en huile» s'étaient présentés à dix-neuf heures trente comme convenu. Un appel impatient à son téléphone mobile une heure auparavant m'avait informé qu'elle était «en chemin». Peu avant l'arrivée de nos invités, j'avais de nouveau appelé son portable et appris qu'elle était toujours «en chemin», malgré le constat qu'elle n'avait évidemment pas bougé : les rires tapageurs et les hurlements de voix qui avaient fusé autour d'elle dans la taverne du West End bourrée à craquer avaient brouillé ses excuses au point de les rendre pratiquement inaudibles.

Oskar m'avait demandé presque immédiatement où elle se trouvait.

– Elle est en chemin, avais-je répondu, à moitié certain d'être dans le vrai.

Emma n'avait encore jamais rencontré Oskar ; il était mon ami et elle avait accueilli l'idée du dîner sans enthousiasme. Pourtant, je lui avais assuré qu'Oskar était «vraiment, vraiment sympa», preuve que nous prenions tous deux nos aises avec la vérité.

– Je ne sais pas comment vous autres, les Britanniques, vous pouvez vivre dans des appartements aussi petits! s'était exclamée Laura à notre entrée dans le salon.

Peut-être s'essayait-elle à une conversation innocente, mais moi qui passais au radar chacune de ses paroles en quête de piques, j'étais confronté à un hérisson.

– Cet appartement me suffit, avais-je rétorqué en commençant à ouvrir une bouteille de vin. Londres est hors de prix.

– Même Clapham?

Horreur, elle avait dit Clap-Ham en deux syllabes séparées, et non Clappam attaché! J'avais senti pousser une pointe d'antiaméricanisme primaire... qui s'était terminée en dégoût de moi-même! Tellement prévisible, ma foutue réaction gauchiste petite-bourgeoise! Si je commençais à me trouver moi-même ennuyeux, difficile d'imaginer comment j'allais pouvoir me métamorphoser en hôte charmant... Prévisible le merlot versé dans les verres, tout comme le banal morceau petit-bourgeois d'écoute facile que j'avais mis en musique de fond et qui allait parfaitement avec ce type de dîner petit-bourgeois.

– Beaucoup de gens aimeraient y vivre.

J'avais décidé de voler au secours du quartier que j'avais choisi.

– Vraiment? s'était étonnée Laura, pas convaincue le moins du monde.

– Est-ce que les écoles vont être notre prochain sujet de discussion? avait proposé Oskar imperturbable et profondément européen. Je pense que cette discussion arrive en second lors de telles occasions.

Ma migraine naissante n'avait pas encore pris d'ampleur, mais d'autres symptômes s'étaient développés: tourbillon acide dans l'estomac, malaise métabolique généralisé. Ce dont je souffrais, j'en pris conscience, c'était d'une gueule de bois miniature, survenue au beau milieu de l'après-midi, alors que je n'étais resté sobre que quelques heures auparavant. Je n'avais donc que deux options aussi déprimantes l'une que l'autre : boire un peu d'eau et attendre que ça passe, peut-être en m'allongeant un peu ; ou continuer de boire pour mieux traiter le mal ultérieurement par une vinothérapie radicale. La télévision laissait filtrer des bribes sur une catastrophe en Afrique. Complètement dégoûté, j'éteignis.

D'abord, nous avions décidé d'attendre Emma avant de commencer à dîner. Sauf que les ailes de poulet séchaient dans le four, que les pommes de terre se ramollissaient dans la marmite et que la conversation s'embourbait. Aux alentours de vingt heures quinze, j'avais déclaré forfait et ouvert une autre bouteille. Nous étions passés à table.

Emma fit son apparition peu après vingt et une heures. C'est à peine si elle tenait debout. Cela ne valait pas la peine de me mettre en colère et je n'allais pas aggraver la situation en commençant une dispute enflammée sur le seuil de la porte. Étant donné son état, cela aurait pu nous conduire au désastre, télescopage de voitures et larmes hurlantes. À la place, je me résignai, glacial, à la situation et lui suggérai de boire un peu d'eau et de se reposer. L'idée la séduisit et elle se retrouva sous la couette avant que je ne termine de lui enlever ses chaussures.

Quand je retournai à table, j'étais en proie à la honte et à une colère non ciblée. J'avais pas mal bu moi-même. Comme nous tous.

– Je suis désolé, dis-je plein d'amertume. Jusqu'ici, cette soirée ne s'est pas déroulée comme je l'aurais voulu. Merde.

– Eh bien, moi je m'amuse beaucoup, protesta Oskar tout sourire.

Une vague de furie me traversa et je le fusillai des yeux.

– Bien sûr. Bien sûr, toi tu t'amuses! Tu dois t'amuser follement. Quelle jouissance de me voir toujours aussi incapable d'organiser quoi que ce soit! Eh bien, sache que je m'en contrefous si ça ne te… non, en fait ça me dérange, putain, ça me dérange vraiment, même si je suis foutrement impuissant à changer le cours des choses. Et puis sache que je n'aime pas qu'on me regarde de haut, vraiment pas…

Le sourire d'Oskar s'était effacé de son visage. Je ressentis un besoin urgent de conclure.

– Vraiment, j'aime pas ça.

– Pour te dire la vérité, dit Oskar avec la prudence pédante d'un non-anglophone utilisant un idiome, j'étais sincère.

Le vin et la colère m'avaient déjà enflammé, mais je poussai le courroux un cran au-dessus. Jamais auparavant je n'avais tordu le cou à une amitié; la plupart du temps, elles s'étaient éteintes par négligence, ou elles avaient glissé dans le coma.

– Je n'ai pas beaucoup d'occasions de te voir, poursuivit Oskar, et j'apprécie ta compagnie. Je me fiche d'Emma. Encore «une de ces choses»… Et je ne te considère pas de haut.

– Merde. Excuse-moi.

Laura me dévorait des yeux, apparemment fascinée.

– L'honnêteté… commença Oskar, et il s'arrêta pour chercher ses mots.

Je fus frappé par l'âge qu'il semblait avoir – pas un vieillard, non, mais il avait l'air mature, adulte. Sage, pas flétri – nous avons le même âge. J'eus l'impression d'être un adolescent auquel s'adressait un adulte.

– L'honnêteté, c'est important. C'est intéressant de savoir ces choses à ton sujet et comment tu les ressens.

Cependant, l'air était chargé de tension. Et moi, d'angoisse existentielle, mon angoisse existentielle.

– Je suis furieux contre Em, je suppose. Je suis tellement déçu de la tournure des événements.

Oskar écarta mes paroles d'un geste.

– Alors, laisse-moi être honnête pour une fois. Je ne me compare pas à toi. Tu n'es pas musicien et je ne me mesure qu'à d'autres musiciens. Autrefois, j'accordais de l'importance à ce que pensaient les autres, alors que maintenant je m'en fiche. Lors de notre rencontre, je t'ai apprécié parce que tu étais «à l'aise» et que moi, je ne l'étais pas. J'ai également apprécié ta tolérance envers les autres. Mais je pense que tu ignores que ta tolérance est devenue… un poison, un poison pour toi. L'opinion des autres t'importe trop, et comme tu leur donnes trop de place et que tu les tolères, tu tolères tout; tu vis dans ce petit appartement sombre que tu n'aimes pas vraiment; de la même façon, je ne pense pas que tu apprécies Emma, mais tu la tolères parce que tu penses qu'il te faut avoir une petite amie; et je suis sûr que tu détestes ton boulot, mais tu le tolères. Et pourquoi ça? Pour l'argent? Tu ne gagnes pas d'argent! Parce que tu travailles à la maison? Pourquoi veux-tu travailler ici? Et le pire, c'est que tu te tolères toi-même. Tu ne fais preuve d'aucune discipline et pour être franc, tu es plutôt paresseux, et ton attitude te rend malheureux, mais comment réagis-tu? Tu tolères la situation! Est-ce que tu attends qu'un événement extérieur te force à agir? Alors sache que tu peux attendre encore longtemps…

À la lumière de ces paroles, je commençais à sentir que ma tirade avait été justifiée. Comment pouvait-il ne pas comparer sa vie à la mienne? Depuis que je le connaissais, il était porté par la pente gracieuse et ascendante de son ambition. Il s'était toujours trouvé en accord parfait avec sa vie. Alors que moi, sans fil rouge et accablé de problèmes, je bricolais des solutions de rechange.

– Peu importe ce que tu dis, il me semble que tu as une très mauvaise opinion de moi.

– Non, riposta-t-il avec fermeté. Tu ne me comprends pas. Ce n'est pas toi que je tiens en piètre opinion, c'est ta façon de vivre ! Je n'ai en réalité pas d'autre opinion sur toi que le fait que je t'aime bien. Mon opinion se résume à : tu es mon ami.

Il but une gorgée de vin. Tout le monde se tut pendant un court moment. Le CD était terminé depuis quelque temps : je n'avais pas envie de me lever pour en mettre un autre.

– Alors, qu'est-ce qu'on fait maintenant ? demanda Laura traversée par une soudaine vague d'intelligence et d'énergie. On joue au Pictionary ?

Ils ne s'attardèrent pas. Emma non plus, d'ailleurs. Nous eûmes une petite dispute au sujet de son retard et de sa gueule de bois le lendemain, escarmouche qui ne porta pas à conséquence, parmi les nombreux conflits qui émaillaient notre relation. Mais celle-ci s'effondra d'elle-même deux mois plus tard. Aucun de nous n'avait de vraie raison de rompre, au-delà du fait que nous n'en avions pas davantage de rester ensemble. Elle fut à l'origine de notre rupture : je m'en fichai et ne pleurai pas son départ. Nous ne sommes plus en contact.

La migraine me tenaillait. Je n'allais certainement pas m'allonger. Cela aurait été un aveu de défaite. La seule option était de continuer à boire.

QUATRIÈME JOUR

Une explosion d'obus me réveilla dans la tranchée du sommeil. Mon cœur tressaillit et mes pensées s'envolèrent brutalement, champ d'étourneaux sursautant au coup de fusil d'un fermier. Mille minuscules points indépendants se mirent à tournoyer devant mes yeux, unis en une seule forme noire.

Un bruit avait retenti dans l'appartement, assez fort pour me réveiller, mais dépourvu de caractéristiques spécifiques, car il s'était produit dans les terrains vagues qui bordent le sommeil. Que s'était-il passé ? Je pouvais en percevoir d'autres à présent : des pas lourds dans le couloir, un bruit sourd accompagné de bouteilles qui s'entrechoquent. La porte de la chambre avait l'épaisseur d'une feuille de papier à cigarette, me semblait-il, et quelqu'un se tenait de l'autre côté. Je perçus d'autres bruits de pas, puis un gros soupir comme de vieux cirés poussés dans une armoire fermée depuis longtemps.

Je bondis du lit, ce qui déclencha un déferlement d'odeurs corporelles et d'alcool transpiré, ainsi qu'une claque humide et douloureuse sur la nuque, en écho au vacarme soudain qui m'avait réveillé. Un claquement : la porte d'entrée avait claqué et on avait pénétré dans l'appartement ! Je portais un boxer, un T-shirt et une couche poisseuse de sueur sur tout le corps, mon pantalon au pied du lit, tordu par la polio. Quelle quantité d'alcool avais-je consommée hier ? Aucun souvenir de m'être couché. Qui se trouvait dans l'appartement? Quelle heure était-il?

Le soleil était déjà haut dans le ciel, mais pas de chat sur le balcon! Je devais être allé me coucher sans les avoir libérés pour leur sortie nocturne. Alarmant, pas vrai, d'avoir été ivre au point d'avoir complètement perdu le contrôle... Tandis que j'enfilais mon pantalon, je me surpris à penser que c'était une chance de l'avoir d'abord enlevé. Ma nausée se localisait au niveau du cou, juste en dessous de ma pomme d'Adam. Et ma vessie était pleine – une aubaine, car cela signifiait que je ne l'avais pas vidée à un moment inopportun de la nuit. Autrefois, lors d'un réveillon, un ami qui avait consommé de la vodka russe au-delà des limites du raisonnable s'était soulagé dans une armoire parce qu'il se trouvait dans un environnement étranger. Miraculeusement, il n'en avait pratiquement pas éclaboussé l'intérieur, preuve qu'il avait bien visé. La pisse s'était, par contre, répandue plus généreusement le matin suivant, quand le propriétaire des lieux avait suggéré une balade tonique dans les bois proches et avait enfilé ses bottes en caoutchouc. Au moins, elles étaient chaudes.

Pieds nus, conscient que mes cheveux emmêlés témoignaient de mon lever récent, et non d'un réveil dès potron-minet pour étudier la Bible, je quittai la chambre. À la cuisine, la vieille femme à la gueule de chauve-souris que j'avais croisée dans les escaliers la veille – l'avant-veille, comme le corrigea mon cerveau, apparemment déterminé à informer son propriétaire de l'état actuel de rotation de la planète, et pour sa peine, il m'envoya un haut-le-cœur nauséeux – faisait le ménage avec la brutalité d'un agent de la police secrète tabassant un dissident.

À ma vue, un éclair de mécontentement zébra son visage suprêmement adapté pour manifester ce genre d'émotion.

Sans dire un mot, elle se tourna avec brusquerie vers le cagibi, si bien que mon «bonjour» s'adressa à la masse malveillante de ses cheveux rassemblés derrière sa tête (en «banane», sans avoir la plaisante connotation du fruit exotique). Elle disparut de mon champ de vision pendant un moment, et lorsqu'elle réapparut, elle portait, à mon grand désagrément, le bac de la litière pour chat qu'elle me mit sous le nez avec une exclamation colérique. Quatre ou cinq petites merdes félines y frémissaient, ce qui me fit monter le vomi à la gorge :

– Beurk !

Et de me retourner.

– ___ ! insista-t-elle en répétant sa première remarque avec intensité. ___ ! ___ ? ___ !

Pas difficile de comprendre la teneur de ses propos : j'aurais dû vider le bac, rafraîchir le sable et le ratisser pour le transformer en petit jardin zen afin que Shossy et Stravvy puissent le contempler pendant leur méditation. J'aimais les chats, mais on venait de me rappeler à l'instant pourquoi je n'en avais pas chez moi. Cette femme par contre, Gueule de chauve-souris, je ne l'aimais pas et je souhaitais ardemment qu'elle quitte les lieux. Même s'il était à présent clair qu'elle était la femme de ménage et la concierge de cet immeuble, et qu'elle ne partirait pas tant qu'elle n'aurait pas fini ce qu'elle était venue y faire. Combien de temps cela allait-il lui prendre ? Une heure ? Deux heures ? Pourrais-je me cacher dans la chambre ou le bureau jusqu'à ce qu'elle ait débarrassé le plancher ? Sûr qu'à un moment, elle voudrait aussi nettoyer la salle de bains, ce qui signifiait traverser la chambre – je pensai aux bottes en caoutchouc inondées. Il me fallait me rendre à la salle de bains avant elle, pour vérifier que rien ne clochait.

– ___ ! poursuivit Gueule de chauve-souris, en agitant le bac avec de grands gestes.

En mon for intérieur, j'imaginai le contenu du bac se dispersant sur le sol, les chats bondir sur les merdes tombées, les prendre pour des bouchons… Nouveau haut-le-cœur. Mais rien ne déborda. Les chats se prélassaient sur le sofa (était-elle au courant de l'interdiction qu'ils avaient d'y aller ?) et faisaient intelligemment semblant de dormir, stratégie que je regrettais de ne pas avoir adoptée. À mes yeux, l'état de la cuisine n'était pas si lamentable : deux bouteilles de vin vides ou à moitié vides, pratiquement pas de vaisselle, mais apparemment, c'était aux antipodes des critères scrupuleux d'Oskar. Une boîte de thon vide sur le plan de travail maculé de légères traces d'huile jouxtait une fourchette – je me souvins qu'elle avait constitué mon souper et de toute évidence, les chats s'en étaient donné à cœur joie pendant la nuit. Au plus profond de mon appareil digestif, je craignis que le thon ne se transforme en saumon et ne se mette à remonter le courant…

La femme de ménage s'empara d'une bouteille de vin au tiers vide, me la montra avec un air éloquent, poussa un bouchon dans son goulot et l'enfonça brutalement dans le casier à bouteilles sur le plan de travail.

– Je suis désolé de vous donner un peu de travail. J'avais l'intention…

Il me fut impossible de terminer ma phrase et, dans tous les cas, la barrière de la langue signifiait que c'était inutile. Je lui adressai un sourire stupide. Ma vessie, qui attendait poliment son tour, se rappela à mon bon souvenir. Je rebroussai chemin vers la chambre.

La situation ne pouvait pas être si mauvaise… Le désordre était limité dans le living et la réaction de Gueule de chauve-souris me semblait exagérée. Peut-être ne se plaignait-elle pas de l'état de l'appartement, mais de la pente vers laquelle il tendait – il basculait vers la négligence, vers le chaos inévitable, anarchie hobbesienne de saleté, de délabrement, d'absence de dessous-de-verre. Je me soulageai et, l'esprit encore prisonnier des vapeurs de l'alcool, le bord en porcelaine de la cuvette se mit à tanguer dans mon imagination, se transformant en caoutchouc vert vulcanisé… Le truc bizarre au sujet de cet incident, lors du réveillon chez cet ami, était que je ressentais une sympathie primaire envers l'acte de pisser dans une botte en caoutchouc. Mon ami l'avait fait – et il avait payé pour cela. Il ne gardait, cependant, aucun souvenir de son forfait, et d'une certaine façon, à quelque niveau subatomique, c'était moi qui m'en rappelais. Ce n'était pas que je m'en souvenais, mais j'étais certain que si je devais uriner dans une botte en caoutchouc maintenant, j'aurais la forte impression de *déjà vu**. Je ne le fis pas bien sûr. Je ne me souvenais pas de l'avoir fait. J'étais pratiquement certain de ne pas l'avoir fait. Selon moi, il était impossible d'agir de cette façon et de n'en garder aucun souvenir : et pourtant, mon ami qui l'avait fait prétendait n'en garder aucun souvenir.

Je voulais prendre une douche. Mais pas tant qu'elle était dans l'appartement. Cela avait-il tant d'importance, puisqu'il y avait deux portes fermées entre nous, dont l'une verrouillée ? De toute évidence, cela en avait parce que je me sentais mal à l'aise : j'attendrais son départ.

Après m'être lavé les mains, je fixai le miroir. Barbe naissante et cernes sombres sous les yeux. Sans pitié, le néon au-dessus du lavabo mettait en lumière tous les défauts de mon visage. La ventilation se mit à ronronner. Quelle folie d'être piégé ici simplement à cause de la femme de ménage ! Sentiment de déracinement… Mais quitter l'appartement pour aller où ? Peut-être dans un café aux alentours ou dans un parc, mais lequel ? Je n'en connaissais aucun. La journée qui commençait était chaude, torride même, alors pourquoi ne pas flâner… Au risque de me perdre. Et puis je n'aimais pas l'idée de marcher sans but. La paranoïa jaillit sous un nouvel accoutrement dans mon esprit – sans douche, il se pourrait que je dégage de mauvaises odeurs. La nuit dernière avait été difficile. Je ne doutais pas que l'odeur de l'alcool était encore sur moi, suintant de tous mes pores.

Je me brossai les dents – prenant pour cette tâche beaucoup plus de temps que nécessaire – et me peignai. Je me passai de l'eau froide sur le visage et ma migraine se rétracta dans une coquille sèche autour de mon cerveau. La nausée refluait également, sauf que je n'avais pas encore gagné la bataille. Ces soins d'hygiène corporelle m'apaisèrent. Il ne faisait aucun doute, cependant, que je devais sortir.

Il me semblait que la chambre avait rétréci, comme si on avait plaqué une épaisse couche de peinture sur ses murs blancs. Comme si ces derniers me renvoyaient en miroir ma sensation de saleté, recouverts eux aussi d'un vernis de sueur en train de sécher, et que j'avais projeté mon malaise sur eux. Le subjectif devenu objectif. J'attrapai ma veste légère – probablement trop chaude, mais quitter l'appartement sans rien aurait reflété mon manque de détermination et m'aurait mis mal à l'aise. Je traversai vivement le vestibule.

– Je sors pendant une minute.

Et de me jeter littéralement sur la porte d'entrée.

Une nouvelle journée chaude s'annonçait, incertaine et troublée, hantée par d'occasionnels souffles de vent plus frais qui agitaient une atmosphère aussi épaisse et collante qu'un loukoum. Le ciel arborait un bleu foncé intense.

Désireux d'explorer de nouveaux territoires, je suivis les lignes de trams qui partaient du centre-ville. Le peu de passants dans les rues me donnait envie d'en rencontrer. Trois trams en direction du centre me croisèrent. Le fait qu'ils aillent tous dans la même direction, ajouté à l'air confiné, me donna une sensation de pression accrue dans le dos. Au fond quel soulagement que les passants soient rares, car je n'avais pas oublié que je n'avais pas pris de douche! Soulagement encore amplifié quand je me mis à transpirer dans la chaleur torride : cette sueur fraîche, me semblait-il, allait dissoudre et déloger l'ancienne. Mon idée était de coller aux lignes de trams pour éviter de me perdre et ainsi pouvoir revenir sur mes pas. Mais après trois pâtés d'immeubles, je me trouvai de façon inattendue sur un petit pont. La rue perpendiculaire aux voies était divisée par un profond canal, veine d'eau sale étroite et stagnante, défigurée ici et là par des monceaux d'ordures et tachée d'huile aux couleurs de l'arc-en-ciel. À deux mètres et demi sous le niveau de la rue, des murs en pierre noircis ceinturaient l'eau. Une volée de marches évocatrices d'un donjon jailli de l'imagination du Piranèse menait du pont à un sentier étroit. Prétendre qu'il était accueillant aurait été mentir, je ne l'en descendis pas moins.

Une puanteur fétide et marécageuse assaillit mes narines. Rien que de penser aux rats qui avaient colonisé cet endroit provoqua chez moi une peur irrationnelle, ce qui donna un nouveau tour à mes pensées. Qu'est-ce qui se passerait si c'était un collecteur d'eaux pluviales, et si une averse soudaine (toujours possible sous ce climat tropical) l'inondait et me noyait, emportant mon corps hors de la ville au milieu d'autres détritus vers quelque *hinterland* lointain ? Mais, ce fut du moins ce que je me dis une fois que ma raison eut repris le dessus, le climat de cette ville ne nécessitait pas de collecteurs d'eaux pluviales et d'ailleurs, ceux-ci n'avaient pas de chemin de halage. Los Angeles – métropole desséchée soumise à des trombes d'eau soudaines, prisonnière de son cycle d'excès et de purges, dotée d'un réseau hydrolique

97

urbain boulimique et de rivières impromptues – voilà une ville qui en avait besoin !

J'appréciais la fraîcheur du canal. Pour une raison inconnue, l'état d'abandon quasi total dans lequel il se trouvait, les mauvaises herbes géantes qui jaillissaient ici et là aux points d'intersection du sentier et du mur, l'eau non draguée, la corruption de l'air, tous ces éléments me séduisaient, en phase avec mon état d'esprit assombri, et m'apportaient le calme. Le paysage ne manquait pas de romantisme, la négligence dégageant une sorte de douceur qui basculait vers le sentimental. Le temps avait passé ici, épargné : à mon tour de me laisser contaminer.

À mon retour, elle avait quitté l'appartement. Une légère odeur d'eau de Javel flottait dans l'air et les chats avaient mangé. Tous les vêtements que j'avais sortis de mes sacs avaient été pliés avec un soin ostentatoire et méticuleusement empilés sur le siège de la chambre, sales et propres mélangés. Je m'irritai très fortement contre cette intrusion – excusable de la part du personnel anonyme d'un hôtel, elle avait ici un air de violation délibérée. La salle de bains exhalait aussi une légère odeur d'eau de Javel. Je pris enfin ma douche. Ce soir, j'allais au concert, pensai-je, pendant que les séquelles de ma cuite de la veille étaient emportées dans les canalisations. Un concert. Schubert.

– C'est Schubert, me dis-je à moi-même, en imitant la voix d'Oskar. C'est Schubert. Très bien. Tu vas l'apprécier.

L'eau tourbillonnait autour de mes pieds pâles. Pas le moins du monde des pieds de mélomane. Invraisemblable que leur propriétaire annonce d'une voix claire : « J'aimerais un billet pour le concert de ce soir, s'il vous plaît. » Pas vraiment le type de pieds à ne pas bouger pendant deux heures, sous un siège inconfortable dans une salle assombrie, alors que leur propriétaire n'était occupé à rien, si ce n'est à écouter de la musique classique.

– Schubert. Shooby shooby Schubert.

Shossy, Stravvy, Shooby. Y avait-il un moyen d'y échapper? Je pourrais toujours ne pas me présenter. Mais c'était sûr qu'Oskar le découvrirait: s'il n'était pas vexé, il aurait toutes les raisons de l'être, car c'était un acte d'impolitesse délibérée. Non, il me fallait accepter ma punition en homme. D'ailleurs, j'avais une journée entière à occuper avant.

La douche eut raison de la plus grande partie de ma gueule de bois, sans m'en débarrasser complètement. Un résidu collant semblait s'être formé à l'intérieur de mon crâne, vers le bas derrière mon cerveau, et des éléments subversifs se manifestaient encore dans mes coudes, mes genoux, mon intestin. Le jour lui-même était poisseux, avec un taux d'humidité en hausse. Pendant que l'après-midi avançait, je réalisai que la luminosité avait changé, comme si on l'avait remplacée par une ampoule à basse consommation, dans l'espoir de faire des économies de lumière à l'insu de tous. Sauf que moi, elle ne m'avait pas échappé et je levai les yeux de l'activité qui m'occupait à ce moment-là – je caressais la fourrure d'un chat endormi sur le sofa – pour constater que les immeubles de l'autre côté de la rue attiraient tout particulièrement la lumière, comme si la pierre ou le stuc qui les revêtait était soudainement devenu luminescent sous la couche de saleté, caisson lumineux éclairant une radio criblée de tumeurs. En réalité, ils réfléchissaient les rayons, désormais obliques, du soleil couchant, et se découpaient brutalement contre l'obscurité soudaine du ciel derrière eux. Ciel qui avait pris une couleur gris ardoise intense, gonflée de tons bleus et pourpres. Embolie de ciel, barrage derrière lequel s'était accumulée une pression inimaginable. N'empêche que le soleil brillait sur les immeubles de l'autre côté de la rue, métamorphosant leurs façades en fausses illusions, les transformant en faux-semblants à la Potemkine annonciateurs de beau temps, alors que la tempête menaçait, sans aucun compromis possible quant à son évitabilité.

Et la tempête éclata, avec le tonnerre pour donner le coup de feu du départ, vite suivi d'une pluie marathon. Je dus courir jusqu'à la chambre, certain que les portes-fenêtres y étaient encore ouvertes (ce qui n'était pas le cas), tant le bruit était assourdissant, tonnerre d'applaudissements déchaînés par un million de gouttes de pluie. Les éclairs zébraient la couette de coton blanc et, dans le bureau (où les fenêtres étaient également fermées), l'eau qui coulait sur les carreaux donnait l'impression, en se réfléchissant, de tomber en cascade le long du couvercle dressé du piano noir.

Que cette pluie soudaine m'excitait! C'était l'action après l'immobilisme, le coup de pied qui met en branle le corps inerte. Mon corps inerte : les battements de mon cœur s'étaient accélérés après ma course de pièce en pièce et celle-ci m'avait insufflé une euphorie inattendue. À ma grande surprise, je découvris qu'en effet, je me réjouissais de sortir dans la tempête afin d'aller au concert, que cette perspective m'infusait de l'énergie, que le *Sturm und Drang* qui cognait aux fenêtres m'animait d'une sensation franchement wagnérienne. *Götterdämmerung! La Jeune Fille et la Mort*, qu'est-ce que ce titre sonnait bien, grandiloquent, tumultueux! *La Truite*, par contre, pas du tout. Un poisson sans dynamisme par rapport à des prédateurs comme le requin ou le brochet… Mais, qu'est-ce que je savais des poissons ou, en l'occurrence, de la musique classique?

Le chat que j'avais caressé sur le sofa s'était réveillé lui aussi, peut-être à cause de l'averse, plus probablement parce que j'avais sauté de mon siège pour vérifier les fenêtres. Il accomplissait dorénavant un cercle lent et fatigué sur le cuir noir, se servant de sa queue au bout blanc comme d'un périscope balayant à droite et à gauche. Nos yeux se figèrent pour nous regarder l'un l'autre, le félin sur le sofa suisse, moi près de la porte du bureau, et j'eus la sensation que quelque chose passait entre nous, sorte de iota d'information ou moment de compréhension. Dans cette nanoseconde prémonitoire, je sus que l'animal était sur le point d'agir.

En prenant tout son temps, provocateur jusqu'au bout des poils de sa moustache, le chat fit le gros dos, tendit les pattes de devant et sortit les griffes... pour érafler le cuir avec un terrible petit bruit de déchirure.

Une exclamation d'horreur dut m'échapper, halètement de protestation rauque, parce que la bête se pétrifia, marqua un temps d'arrêt au beau milieu de son acte de vandalisme, pattes de devant encore tendues, griffes encore visibles, sauf pour la partie enfoncée dans la peau du sofa. Elle me regarda; je la regardai. Quelle injustice et quelle contrainte que la vie ne nous offre pas un petit bouton pour remonter le temps, juste un tout petit peu! Trente petites secondes suffiraient amplement, cela ne me paraissait pas être une demande exagérée, sauf que nous étions embourbés dans la tyrannie ennuyeuse et implacable du temps linéaire.

– Merde! Non, merde, ouste! m'exclamai-je en fonçant sur le sofa.

Le chat comprit le message et déguerpit à toute vitesse. Le temps pour moi de constater les dégâts: deux rangées de minuscules larmes déchirées dans le cuir, reliées par des traces de griffes. Impossible à réparer, si ce n'était en recourant à quelque obscur procédé maîtrisé par un nombre de plus en plus réduit de vieillards flétris dont je ne savais rien. Pourquoi le cuir ne se cicatrise-t-il pas tout simplement? me demandai-je. Après tout, c'est juste de la peau. J'effleurai les balafres du bout des doigts, les caressai, mais je n'eus pas la sensation qu'elles se guérissaient ou se refermaient à mon contact. Non que la surface soit complètement détruite, elle était juste entaillée de griffures profondes. Peut-être existait-il des réparateurs secrets et invisibles quelque part… Or mes chances d'en dénicher un à Londres étaient pratiquement nulles, alors que dire de cet endroit étranger… Mes yeux baissés vers le sofa ne purent, bien sûr, résister au désir de se laisser entraîner jusqu'à la tache de vin, bien circonscrite par sa pâle pénombre soigneusement astiquée. Si la femme de ménage s'en était aperçue, elle n'avait rien fait pour la faire disparaître, ou alors peu importait son remède, il n'avait rien changé à la situation.

Mes grands-parents possédaient un petit bassin dans leur jardin de banlieue, derrière la maison, bassin dont la vie visqueuse me fascinait. Les grenouilles s'y accouplaient, le couvrant de grandes nappes d'œufs. Il était entouré de pavés en béton. Ma mère n'arrêtait pas de répéter à l'enfant de cinq ou six ans que j'étais à l'époque, à genoux sur les pavés, de ne pas trop se pencher. Mise en garde que je trouvais parfaitement inutile : je connaissais mon propre centre de gravité, j'étais tellement précoce ! Aucune chance donc que je tombe ! La fonction des pavés qu'aucun mortier ni ciment ne retenait consistait à arrimer le revêtement étanche de plastique noir. Des années de mousse et d'herbe envahissantes leur avaient donné l'allure d'éléments géologiques permanents, mais comme rien ne les fixait, un jour où je me penchais trop loin, un pavé bascula et… je tombai à l'eau.

Je me rappelle avoir entendu qu'un homme passe en moyenne vingt-quatre heures de sa vie à avoir un orgasme. Qui l'a dit ? Je ne m'en souviens pas, mais si on se mettait à additionner toutes ces secondes explosives, il est probable que l'on atteindrait une longueur de temps surprenante. Et j'imagine que l'on passe un temps aussi long à provoquer un accident – trébucher, laisser choir un objet cassant –, engagé dans quelque activité routinière ridicule. Pendant que je basculais dans le bassin, temps compris entre le moment où je perdais définitivement l'équilibre et celui où j'entrais en contact avec la surface de l'eau, une pensée éblouissante de clarté me traversa : *voilà pourquoi maman me mettait en garde de ne pas me pencher trop loin !* D'un seul coup, je compris. Quel dommage, cependant, que l'idée ne m'ait frappé qu'après avoir basculé, quand la situation était irrécupérable ! C'était comme si la pensée était restée tapie dans l'attente de sa libération, pour toucher le cortex au moment de la crise.

C'était donc la raison pour laquelle Oskar interdisait le sofa aux chats ! La *vraie* raison, pas les poils qu'ils y laissaient. Hélas, c'était seulement après la catastrophe que le raisonnement m'apparaissait dans toute sa clarté. Sagesse débordante de regrets… acquise a posteriori. Je mettrais ma main au feu que les Allemands ont un mot pour cela et qu'Oskar devait le connaître. Et si ce mot n'appartenait pas encore à leur vocabulaire, ils feraient bien d'en fabriquer un. Nous comptons sur eux pour donner un nom aux concepts de ce type.

Les chats ne se prélassaient plus sur le sofa : la porte de l'écurie avait été soigneusement refermée, procédure standard pour empêcher les chevaux de s'échapper. Le constat de l'impossibilité de réparer les dégâts m'avait fait glisser dans une calme hébétude. La tempête avait éclaté, le point de basculement appartenait au passé, il n'y avait rien à ajouter. Les choses étaient comme elles étaient : j'avais retenu la leçon. Nous étions tous devenus un peu plus vieux et un peu plus sages. Subsistaient une griffure et une tache mineure qui étaient loin de représenter une question de vie ou de mort. Dehors sous la pluie, les trams continuaient de jouer leur partition de basse monotone et rassurante, étincelles au-dessus de la tête et grondement viscéral, en écho aux étincelles et au grondement de la tempête.

Le ciel s'éclaira pendant une courte période et la pluie régulière fit subir une cure d'amaigrissement aux nuages, mais les cieux ne se dégagèrent jamais et la pluie n'arrêta pas non plus, même si de torrent, elle se réduisit à un ruisseau insistant et régulier. À l'approche de sept heures, la lumière commença de nouveau à se retirer, au moment où le soleil sombrait quelque part derrière l'épais duvet de nuages qui étouffaient le continent.

Je savais qu'il ne me faudrait pas marcher longtemps pour me rendre à la salle de concert. Je n'arrivais pas à imaginer Oskar jouer des coudes tous les matins dans le tram, *International Herald Tribune* sous le bras et attaché-case rempli de baguettes vierges, peut-être emballées individuellement dans un sachet de protection comme celles des restaurants chinois. Les trottoirs glissaient et leur surface s'animait des gouttes de pluie qui entraient en contact avec eux. Je me protégeais sous un parapluie que j'avais subtilisé au porte-parapluies sous les patères près de la porte d'entrée. Ce pépin pliant bon marché jouait d'évidence les seconds couteaux, au côté d'un autre, patricien, droit comme une baïonnette dotée d'un manche en acajou, clairement le préféré d'Oskar. Je considère ce type d'articles comme essentiellement jetables, opinion que j'avais été contraint d'adopter pour en avoir tant consommé au cours des années. Raison pour laquelle ceux que j'achète sont toujours bon marché et que je m'efforce de ne pas trop m'y attacher sentimentalement, sachant qu'ils poursuivront bien vite leur chemin dans le monde sans moi. Le chouchou d'Oskar présentait la double caractéristique d'être à la fois flambant neuf et cher, et très vieux et cher : il était donc hors de question que je le prenne pour ma sortie en ville. Il y avait eu assez d'embrouilles jusqu'ici sans que j'en rajoute encore… D'ailleurs, mon absence de l'appartement ce soir m'éviterait d'y bousiller quoi que ce soit.

Des ruisseaux se déversaient dans le caniveau. Voilà qui allait rafraîchir le canal cette nuit, pensai-je. Le plus gros du trajet suivait une unique avenue, axe tiré au cordeau bordé d'arbres, qui reliait deux points cardinaux : un arc de triomphe qui ne menait nulle part et commémorait un triomphe entièrement imaginaire, et un banal rond-point sans signification apparente. Soit le palais, le monument auquel était ancrée l'autre extrémité, n'existait plus – hypothèse fort probable dans ce pays qui ne pouvait fonctionner que si, périodiquement, il oubliait les contradictions colossales de son histoire –, soit il n'avait jamais existé. L'époque qui avait eu la confiance en soi et le pouvoir de trouer ces lignes à travers sa propre capitale avait apparemment regimbé à contraindre Dieu à s'adapter. À l'image des tapis islamiques porteurs d'un défaut délibéré, l'intervention du divin perturbait l'avenue. Une église d'Orient fit irruption dans une place traversée par le boulevard. Un cube crénelé sans grâce, surmonté de la masse fongique de dômes en cuivre, verdis par le temps et recouverts de plâtre d'un blanc antiseptique à chaque angle et à chaque avancée, qui ressemblait à un drap de lit amidonné bordé très serré par une matrone psychotique. Généreuse, presque catholique, la dorure luisait malgré les miasmes de pluie et, même dans la lumière rare, la chaux brillait tellement qu'on aurait dit qu'elle produisait sa propre énergie, dégageant une sorte d'effet Tcherenkov dans la cuve de refroidissement de la ville. Malgré son érection il y avait peut-être des siècles, l'église était si parfaitement entretenue qu'elle aurait très bien pu avoir été construite hier, cube de tofu frais nageant dans le trouble brouet *tetsu* de la ville.

De l'autre côté de l'avenue, on avait considérablement agrandi la place pour accueillir la contribution du XXe siècle à la scène. L'empilement menaçant de boîtes en béton tachées, zébrées méchamment par la pluie qui tombait, donnait simultanément une impression de poids terrible et imposant, et de fragilité mitée. Un peu comme si les innocents centres culturels gris sur la rive sud de la Tamise avaient enflé sous la pluie, bouffis de ciment et de tumeurs d'amiante, et avaient soudain commencé à diffuser une malveillance ineffable. Incarnation d'une campagne de sécurité publique à l'encontre du modernisme, cette bâtisse annonçait haut et fort: «cadeau du peuple soviétique».

Pendant un court moment d'horreur, je craignis, gelé sous la pluie, qu'elle n'abrite la Philharmonie. La Philharmonie d'Oskar. Après tout, il ne faisait pas de doute que c'était un bâtiment culturel. Mais l'adresse ne correspondait pas, je contournai donc la masse de l'église pour rejoindre une modeste façade «Beaux-Arts» dans la rue adjacente. Malgré l'amour déclaré d'Oskar pour le minimalisme, cet assemblage tout confit de bonnes manières avec ses colonnes et ses caryatides était à l'image de ce que j'imaginais être son lieu de travail. Avec son bois poli par le temps et son cuivre brillant autour des portes, cette bâtisse possédait même une vague ressemblance avec un instrument de musique. À l'intérieur, les escaliers raides et légèrement arrondis qui partaient à l'assaut du foyer donnaient au visiteur – avec leurs rampes et leurs baguettes pour tapis étincelantes – l'impression de se tenir dans un tuba, et les bow-windows derrière lesquels étaient assis les guichetiers avaient l'allure de tuyaux d'orgue pourvus d'ouverture en demi-lune au lieu de présenter une entaille à l'embouchure.

J'avais largement calculé mon temps : je pris donc place dans la courte file d'attente afin de retirer mon billet. J'étais entouré de mélomanes venus seul ou à deux. Le brouhaha de leurs conversations se réduisait à un murmure presque subliminal. D'un âge certain, les spectateurs portaient des habits classiques : pratiquement tous les hommes étaient en costume-cravate, à l'exception de ceux qui arboraient un costume trois-pièces et un nœud papillon. Au milieu d'une telle assistance à Londres, j'aurais pu me sentir mal à l'aise de ne pas respecter le code vestimentaire, mais ici, je pouvais en toute sécurité me réfugier derrière le personnage du touriste naïf. En outre, je ne doutais pas que si Oskar avait considéré la cravate obligatoire, il l'aurait mentionné.

Mon imagination me jouait peut-être des tours, mais malgré les efforts pour sauver les apparences, les vêtements avaient tous l'air élimés. La veste de nombreux messieurs était rapiécée aux coudes, ce qui leur donnait un style de conférencier universitaire, et les poignets et toutes les extrémités manifestaient des signes de fatigue. La robe de beaucoup de dames brillait sur les promontoires. Pour ce qui était du style – même si je n'ai pas compétence à juger de la mode –, j'avais la curieuse impression de plonger dans le passé, comme si j'étais arrivé à la fin d'un programme enregistré sur une vieille bande-vidéo et qu'un rideau de neige statique s'était abattu pour révéler, à mi-chemin, un enregistrement beaucoup plus ancien, Narnia au-delà de la mémoire quand le mur de Berlin n'était pas encore tombé et que le monde courait à la catastrophe de façon si rassurante.

Les chaussures des mélomanes étaient d'évidence de piètre qualité, fabriquées à partir de bakélite recyclée et de balles de tennis abîmées. Et il flottait dans l'air une odeur d'entrepôt Emmaüs, chargée principalement de poussière avec un zeste de mortalité incontinente. Je doutais très fortement qu'on ait un jour passé l'aspirateur sur les riches tentures du décor rococo. Les lourdes draperies rouges disposées ici et là donnaient l'impression que l'ombre de leurs plis ne disparaîtrait pas si le tissu était défroissé ; les dorures souffraient d'eczéma. Le foyer détenait-il le pouvoir d'exercer une influence à la Dorian Gray inversée sur ceux qui le fréquentaient, qui voulait que les chérubins et les séraphins sirupeux peints au plafond restent jeunes en se nourrissant de la vitalité, de la jeunesse des mélomanes en dessous ?

Mon billet était accompagné d'un morceau de papier ligné en bleu, peut-être arraché à un cahier d'exercice. Je le dépliai avec une familiarité lasse, mais l'écriture que j'y découvris – toute en rondeur et en excentricité, comme un chien par trop exubérant qui échapperait à sa laisse – n'était pas celle d'Oskar.

Rencontrons-nous au bar après le concert.
Michael (ami d'Oskar)

Pourquoi pas ?

Et le concert ? Question souvent posée, lors des rares fois où j'avais assisté à un événement musical et à laquelle il m'a toujours été difficile de répondre. Ma réponse habituelle était : « Oh, très bien. » Ce qui, dans ma bouche, signifiait : « Il n'y a pas eu d'erreurs évidentes. Pas de raté qui m'aurait permis de déceler une fausse note. Aucun musicien n'a oublié sa partition avant la fin. Aucun spectateur n'a été pris de folie meurtrière. Aucun incendie ne s'est déclaré. On a joué le morceau comme convenu… et je me suis ennuyé à cent sous de l'heure. »

Et le concert ? Supportable et j'avais eu l'agréable surprise de reconnaître la musique. Comme c'est le cas pour toute la musique classique : Oh, n'est-ce-pas-la-musique-pour-la-publicité-du-café-Nectar-de-Jacques-Vabre ? Mais je savais que j'avais entendu *La Jeune Fille et la Mort* auparavant – peut-être bien dans le film avec Sigourney Weaver –; et *La Truite* s'avéra être la mélodie choisie pour accompagner une série télévisée des années 1990 à la BBC dont je ne me rappelais pratiquement rien. Ancré par ces références culturelles – et rassuré de savoir que je n'allais pas devoir subir deux heures expérimentales avec des cris de bébé ou le raclement d'une pelle le long d'un trottoir –, j'eus toute liberté pour me divertir. Cependant, il m'était difficile de faire abstraction de la caractéristique psychologique dont le reste de l'auditoire était pourvu, caractéristique qui lui permettait de s'immerger et de se laisser captiver, alors que moi, je n'y arrivais que partiellement. Quand j'écoute de la musique classique, je veux en même temps pouvoir lire le journal ou bricoler. Si l'on me force à dédier toute mon attention à l'écoute, je me demande ce que je manque, quel canal secret de sublime je ne reçois pas, quel minuscule cartilage dans mon oreille interne me pousse à penser que la musique classique n'est rien de plus pour moi qu'un agréable fond sonore : quelque papier peint auditif de grande qualité. Obligé de contempler ce papier peint pendant deux heures, mon esprit s'échappe pour penser à autre chose.

Conscient d'être apparemment banni de ces vertiges de joie esthétique, je fis dévier mes pensées pour m'attacher au corporel. J'entrepris de penser à mes jambes, obsédé par la question de leur confort ; je me demandais si les hommes des cavernes s'étaient jadis assis comme nous ou si la façon que nous avions adoptée était assez récente. Mes jambes ressemblaient à des invités réticents que j'avais traînés à ce concert et auxquels il m'importait de plaire. Or, l'intérêt que je leur portais ne faisait qu'intensifier leurs jérémiades. L'obsession que je leur vouais mit très vite en avant des problèmes au niveau microscopique : la peur aberrante qu'une demi-douzaine de cellules sanguines aient trépassé et fusionné... pour former un caillot lâché dans la circulation sanguine, en quête aveugle d'un système vital où se loger. D'un seul coup, je pris conscience d'être un sac de sang secoué de pulsations, comptant entièrement sur la coopération de millions et de millions de cellules individuelles ; ces travailleuses grouillantes n'avaient toutefois eu que très peu d'occasions de transmettre leurs doléances à la tête pensante, puisque leurs réactions et leurs pétitions se réduisaient à des élancements et à des inconforts ridicules que j'attribuais soit à l'hypocondrie, soit à la gueule de bois... quand je ne me contentais pas tout simplement de les écarter. Mais peut-être qu'à ce moment même, une délégation furieuse d'entre elles était en train de remonter une artère majeure, transportant bien en évidence dans leur procession une masse encroûtée de collègues mortes, dans l'intention de boucher le cerveau avec ce caillot et d'y causer un arrêt de travail permanent. La grève au risque de l'AVC !

Mais la musique ne s'arrêta pas d'un seul coup, comme je le craignais, silence abrupt causé par ma mort. (« Des jambes rebelles », diagnostiquerait avec gravité l'officier de justice chargé de déterminer les causes de mon décès. « C'est d'être restées assises, elles n'ont pas pu le supporter. ») Le spectacle mourut de sa belle mort au bout d'environ une heure. Les musiciens se levèrent pour recevoir les bravos, tandis que je les passais en revue en quête de Michael. Tous très satisfaits d'eux-mêmes. Je me souvenais d'Oskar à l'issue des concerts que je lui avais vu donner : tension dans les joues à chaque extrémité d'une bouche parfaitement horizontale, rétrécissement félin des yeux ; masque, rictus de satisfaction qu'il s'était imposé à lui-même et qui donnait l'impression qu'il allait se transformer en expression de colère, de chagrin, ou d'hilarité, à l'instant où cette grimace pourrait se détendre en privé. Sauf qu'elle ne se détendait jamais, ni en privé ni ailleurs, elle reprenait simplement sa place sur son visage habituel, portes d'armoire en pin se refermant sur un téléviseur éteint.

Le bar n'était pas décoré du même rouge thrombose que le reste du bâtiment, mais était tapissé de papier gaufré vert foncé. C'était la couleur qu'arborait le foyer des acteurs dans les théâtres, pour reposer les yeux des artistes après une soirée passée sous les feux de la rampe – à ce propos, savez-vous que la chaux brûlante, utilisée autrefois pour éclairer la scène, rendait aveugle ? Bizarrement, cette salle aux dimensions généreuses et aux plafonds hauts rendait claustrophobe, car du papier peint recouvrait le plafond, apparemment pour contenir ce que j'imaginais être des corniches et des moulures en plâtre qui évoquaient désormais plus des arêtes et des tumeurs vaguement malignes. Un lustre de l'époque communiste suspendu à un tumulus de papier peint, particulièrement proéminent au centre du plafond, dispensait une espèce de lumière chirurgicale vacillante. Il proclamait le triomphe évident de l'esthétique prolétarienne et de l'installation électrique de cette époque sur les conventions bourgeoises de beauté et de sécurité. Il aurait été bien plus à son aise dans la mégastructure aux formes brutales de l'autre côté de la rue. Avec le papier peint, on aurait dit un glaçon abstrait flottant dans un verre de crème de menthe congelée.

Le bar ne manquait cependant pas d'originalité. Derrière la chaloupe de teck ornée en cale sèche, décorée d'immenses miroirs au cadre doré accrochés aux murs, s'activaient les personnes les mieux habillées de la salle. Mais une longue portion du meuble était surmontée par un plexiglass vieillissant, qui commençait à s'embuer et à se craqueler par endroits. Je commandai un gin-tonic en anglais, langue que le barman comprit parfaitement. Un téléphone portable sonna dans mon dos ; la caisse enregistreuse qui avala mon argent était neuve. Je ressentis vivement la proximité de l'Ouest – chez moi – comme jamais auparavant, mais la sensation s'estompa aussi vite. J'eus l'impression que l'appartement d'Oskar était une bathysphère immergée dans de redoutables profondeurs et que je venais de remonter brièvement à la surface, bulle isolée d'humanité éclatant dans l'atmosphère étrangère. Une terrible vague de mal du pays me submergea. Combien de temps devrais-je encore rester ici ? Oskar avait annoncé une semaine minimum, plus certainement deux, peut-être encore plus. À ce moment présent, même la fin de la première semaine me semblait très éloignée. Comme son début : le temps se télescopait dans les deux sens. Je dénichai un siège pour siroter mon G & T. Peut-être souffrais-je encore de la gueule de bois. Le gin, pensai-je, allait me ravigoter. Oublions la gueule de bois, délayons le caillot avec une petite goutte, fluidifions…

La foule se fluidifiait également. Quelques mélomanes s'étaient installés à des tables avec leur verre, de petits groupes, maris et femmes ; des hommes avaient pris position à deux ou trois le long du bar, après avoir adopté une légère déviation par rapport à la verticale qui indiquait qu'ils étaient là pour y rester, et non simplement pour y acheter un rafraîchissement. Il régnait une atmosphère d'intelligence et d'autosatisfaction, deux sentiments dont j'étais exclu. J'étais en proie à l'embarras qui assaille le buveur solitaire. Spectacle loin d'être rare dans ce pays. C'était un état de solitude. N'avait-on pas commencé à fusiller ici les prisonniers politiques, soi-disant parce qu'ils appréciaient trop l'isolement cellulaire et l'exil intérieur ? La surface en zinc de la table à laquelle j'avais pris place était bosselée, comme si un peloton d'exécution de Lilliputiens l'avait utilisée lors d'exercices de tir. Ces petites bosses dans le métal rosâtre réfléchissaient mon visage éclaté, en me cachant les yeux et en me déformant la mâchoire comme dans une parodie d'*Elephant Man* : on aurait dit qu'une seconde tête jaillissait de moi…

On prononça mon nom. De toute évidence, très près dans mon dos. Je ne l'entendis pas comme un mot : je me contentai de tressaillir en réalisant d'un seul coup qu'on m'avait identifié.

Je me retournai. Un homme grand se tenait derrière ma chaise : le propriétaire de la seconde tête que j'avais vue gonfler à partir de la mienne. Tête ovale souffrant de calvitie précoce, clairsemée de touffes de cheveux incroyablement blonds sur un dôme infailliblement rose. Le front intelligent dirigeait cet assortiment de traits juvéniles et roses animés d'un sourire généreux. Ce visage affable surmontait un smoking noir et une chemise de soirée blanche ouverte à l'encolure. De la sueur luisait sur le cou chevalin.

– Ah ah ! se moqua le dôme. Je vous ai fait sursauter !

– Euh oui, répliquai-je en me tordant sur ma chaise et en me levant avec la grâce d'une girafe nouveau-née.

– Michael, se présenta le dôme avec un accent aux consonances germaniques.

Son sourire s'élargit encore, révélant des dents blanches d'une splendeur toute américaine. Il me tendit la main et je la saisis.

– Voudriez-vous boire quelque chose ? demandai-je avec un geste en direction de mon verre, au cas où le concept lui aurait été étranger.

– Oui, oui, s'enthousiasma-t-il avant de se rembrunir. Mais pas ici.

– D'accord, approuvai-je un peu hébété.

Parti pour me rasseoir, il me fallut me redresser.

Michael me fixa intensément pendant un moment, comme fasciné. Puis il indiqua mon verre sur le zinc.

– Mais avant, finissez !

J'attrapai mon verre et le bus cul sec. Les glaçons me firent mal aux dents.

– Vous avez combien d'argent sur vous ?

– Environ cent euros.

– Eh bien, nous allons pouvoir nous en acheter plus !

– OK, fis-je en enfilant mon manteau. Hein ?

Et de nous extraire des ventricules du foyer pour retrouver la rue dégoulinante de pluie.

– Il me doit de l'argent, m'expliquait mon compagnon. Quel connard ! Comment dit-on ? Un gros connard ! Une putain de connard ! Une putain de putain de gros connard ! Putain de merde. Voilà des mots utiles…

C'était le monologue qu'il s'adressait depuis notre sortie du bar, mais comme il avait pris les devants, je n'avais guère pu suivre de quoi il retournait.

– Qui ?

– Qui ? Victor !

Nous longions la cathédrale et traversions la grand-place.

– Il me doit des sous et c'est un vrai connard. C'est pourquoi je ne veux pas consommer au bar. Je ne veux pas le voir. Plus de fric pour lui !

– Le barman, me dis-je à moi-même.

Michael s'arrêta à mon grand soulagement au bord de l'avenue : je m'inquiétais de le voir fendre les flots de voitures de son pas déterminé, tant il progressait à grandes enjambées depuis notre sortie de la salle de concert.

– Oui, le barman, répéta-t-il, en me regardant comme si j'étais un crétin. Le barman. CHANGE !

L'exclamation me fit sursauter, mais elle ne m'était pas destinée : il s'adressait apparemment aux voitures. Il était plus de neuf heures et l'heure de pointe était finie, ce qui permettait aux automobilistes de s'en donner à cœur joie sur les grands axes de la ville. Leur vélocité accrue augmenta mon sentiment que la vitesse de la soirée s'accélérait. Moi, c'était me détendre que je voulais, et non pas entrer en compétition avec eux. Quelle expérience anxiogène de rencontrer un étranger dans une ville étrangère et, alors que nous devrions être en train d'essayer de nous comprendre devant un modeste souper, j'étais abasourdi par ma nouvelle rencontre. Abasourdi. Michael était franchement étonnant.

– CHANGE ! beugla-t-il.

La ville n'écouta pas. Les voitures continuèrent de filer à vive allure. Les pneus crissaient sur l'asphalte détrempé. De l'autre côté de l'avenue, l'eau déferlait sur le monstre en béton. Je m'étonnais qu'il ne se soit pas tout bonnement dissous, comme un cube de sucre gris. Les feux qui autorisaient la traversée des piétons changèrent et la circulation s'arrêta à contrecœur. Je compris enfin les exclamations de Michael.

– Bâtiment intéressant, dis-je alors que nous nous rapprochions du monstre de béton.

– Horrible ! s'exclama mon compagnon en agitant le bras gauche en direction de la structure, comme s'il essayait de la faire disparaître. Cadeau des alliés soviétiques. Construit sur le cimetière de la ville. Sur les cadavres ! Mais ceux-ci n'ont pas attendu pour se venger. Il est trop lourd. Il s'enfonce.

Il s'immobilisa sans prévenir et je faillis lui rentrer dedans.

– Grosses fissures dans le sol, ajouta-t-il avec un rictus macabre. Vous pouvez sentir la mort.

Sans pouvoir m'expliquer pourquoi, je commençai à l'apprécier. Il avait fait sauter mes défenses pour la soirée.

– Où allons-nous ? demandai-je en répondant à son sourire.

– Tout à côté.

Le bar consistait en une voûte en briques étonnamment sèche et pas trop étouffante, en dessous du rez-de-chaussée. Du jazz discordant s'échappait d'un lecteur de CD, tandis que les clients jacassaient enveloppés de fumée. L'éclairage ne convenait pas car, avec la fumée, il annihilait la profondeur. De retour dans la bathysphère, nous nous enfoncions. Quand nous eûmes pris place à une table dans un box voûté, un serveur nous apporta une bouteille de vin rouge, suite à l'index levé de mon compagnon. Aucun billet ne changea de main et je ne vis aucun prix marqué. La pensée que Michael pouvait considérer cent euros insuffisants pour la soirée me travaillait. Voulait-il que je paie également pour lui ? Étais-je celui qui régalait ? Je détestais ma mesquinerie.

– Alors, ami d'Oskar, dit-il en versant le vin.

Cela m'irrita qu'il ne m'appelle pas par mon nom.

– Parlez-moi de vous.

– Eh bien, j'écris.

– Ah, vous écrivez des livres ?

– Hum, non.

La conversation prenait un tour détestable.

– J'écris des dépliants, des communiqués de presse, ce genre de trucs.

Michael souleva un sourcil interrogatif. Il avait un front expressif. Caractéristique physique qui serait restée impressionnante même s'il avait conservé tous ses cheveux.

– Des dépliants ? C'est quoi ?

– Ce sont… de petits livres…

– Des nouvelles ?

– Non ! Non, des notices explicatives de huit-douze pages… pour les conseils municipaux.

Une lueur éclaira son visage intelligent.

– Ah des pamphlets ! À teneur politique, pas vrai ? Jonathan Swift, Tom Paine…

– Non, non – il m'exaspérait –, des dépliants… sur le recyclage, l'hygiène publique, les nuisances sonores, comment s'acquitter de ses impôts locaux par prélèvement automatique, comment voter… tous ces trucs qui intéressent les conseils municipaux au premier chef.

– C'est écrire ?

– Le terme exact est « conception-rédaction ».

– « Conception-rédaction » ?

– Oui, je conçois des textes et je les rédige. Même si c'est pratiquement toujours le même bastringue. Les dépliants des conseils municipaux sont pratiquement tous conçus et rédigés sur le même modèle. Le même tas de conneries ! Et sur Internet, c'est encore pire. Mais là, on ne parle plus de « conception-rédaction », mais de « fourniture de contenus ».

– « Fourniture de contenus », reprit-il en écho avec un large sourire. C'est écrire… « Fourniture de contenus ». Vous fournissez du contenu, hein ? C'est fantastique. Alors, je ne suis pas musicien. Je n'en suis plus un. Je suis « organisateur de bruits », hein c'est ça ?

Je ris et levai mon verre.

– À l'organisation de bruits !

Il me retourna mon toast et nous bûmes cul sec.

– Le concert était bon.

– Bof. Pas tout… Je bois pour oublier.

Il vida son verre à une vitesse étonnante, le remplit, ainsi que le mien.

– Moi, il m'a plu.

– Quand nous jouons, nous imitons les morts.

Il s'était rembruni d'un seul coup et la rapidité avec laquelle il basculait d'une émotion à l'autre me rappelait fortement Oskar.

– L'organisation de bruits d'après les morts…

Je décidai de ne pas relever. Le modèle de conversation anglais – où la mort n'existe pas, ou est un phénomène très limité réservé à des tiers absents – me semblait bien préférable.

– À quoi ça ressemble de travailler avec Oskar ? demandai-je avec ce que j'espérais être une expression espiègle.

Je descendis mon vin d'un trait, impatient de conserver le rythme et anxieux de ne pas être rejeté dans la catégorie des poltrons occidentaux.

– À quoi ça ressemble de travailler avec Oskar ? reprit-il avec ce qui me parut être du ravissement. Ah ! Ah ! À quoi ça ressemble d'être l'ami d'Oskar ? J'aime Oskar, c'est un homme bien, c'est… En musique… c'est un génie. Il est fantastique, superbe. Bonne chose qu'il aille à Los Angeles. Voilà un horizon qui lui convient. Là-bas, il sera célèbre.

– Il ne va y rester que deux semaines. Pour le divorce.

– Oui, le divorce… Vous la connaissez ?

– Laura ? Oui.

– Et alors, qu'est-ce que vous pensez d'elle ? demanda-t-il en plissant le nez.

Je lus dans son expression que je pouvais dire la vérité.

– Je ne l'aime pas.

– Oui! Oui… Seigneur Dieu… quelle salope, hein?

Et il semblait tellement savourer le mot dont il venait de la qualifier que j'éclatai de rire.

– Ah, ah, en effet, je ne l'aime pas.

– Quand elle est venue ici, elle a passé son temps à critiquer: la nourriture, le vin – et de tapoter la bouteille. Nous avons du vin italien ici, du vin français! Le communisme, c'est fini. Nous avons du vin australien et – la critique atteignit ici son paroxysme – du jus de fruit californien! Château Minute Maid, cuvée 7-Up! Elle a passé son temps à critiquer! Je pense qu'elle a trouvé la ville très sale et qu'elle n'en a pas aimé les habitants.

Je commençais à me sentir coupable moi-même de l'opinion que j'avais de la patrie d'Oskar, mais au moins j'avais su tenir ma langue. Et si Laura avait carrément vu la Grande-Bretagne comme un trou perdu sans foi ni loi habité par une populace en déshérence, alors je n'ose imaginer ce qu'elle avait pensé d'ici!

– Moi non plus, je ne l'aime pas. Mais Oskar, je l'aime. Je travaille avec lui. Vous êtes son ami, pas vrai? Parce que je pense que nous travaillons peut-être tous avec Oskar. Nous sommes tous ses camarades de travail. Il vit sa vie comme un travail. Il fait très bien son boulot, il est très efficace et engrange les succès. Vous êtes aussi son collègue. Il ne rentre pas chez lui après le travail. Il travaille quand il dort. Vous comprenez?

– Je pense…

Je remarquai avec horreur que mon verre se trouvait à nouveau à moitié vide; mais ce ne fut pas tant cette découverte qui m'horrifia que le fait que Michael s'en était aperçu également et qu'il tendait la main vers la bouteille largement entamée. Mais alors, l'horreur se dissipa brusquement et totalement, si totalement que je me demandai si j'avais vraiment été assailli par ce sentiment ; au lieu de cela, je me sentais… bien. Plein de chaleur et détendu. L'atmosphère du bar me plaisait, je la trouvais amicale, enveloppante, avec ses coussins de fumée et son brouhaha. De la musique passait, accordéons et clarinettes, modérément décadente, comme au temps de Weimar, avec la lucidité d'une civilisation qui court tranquillement à la catastrophe. J'eus l'impression qu'ici, je pourrais être un poète ou un intellectuel, en train de boire un verre avec un ami musicien.

– À quoi ça ressemble d'être l'ami d'Oskar ? demanda Michael.

– Je ne l'ai pas beaucoup vu ces derniers temps, depuis qu'il vit ici. C'est seulement quand il vient à Londres. Mais, je le connais depuis l'université. Nous étions assez proches là-bas.

– Qu'est-ce que vous appréciez en lui ?

Question directe. J'ouvris la bouche et soudain la réponse se déroba. J'étais en proie à un nœud inarticulé d'émotions intangibles et contradictoires. Puis je réalisai que je devais répondre quelque chose, n'importe quoi, juste pour briser ce qui était en train de devenir une pause embarrassante. Il me fallait parler.

– Euh, eh bien… Pourquoi apprécions-nous quelqu'un ? Je l'apprécie parce qu'il est différent de moi… Il est très intelligent et, je ne sais pas, j'aime sa loyauté. Non pas sa loyauté, on dirait que je parle d'un chien. Ce que je veux dire peut-être, c'est que j'aime le fait qu'il semble m'apprécier, même s'il n'a aucune raison de le faire ; au moins aucune raison visible. Vous savez, il me fait croire que je suis digne d'amour. Et peut-être est-ce réciproquement ce à quoi je lui sers. Je pense que se rassurer mutuellement est une grande composante de toutes les amitiés, vraiment. Je veux dire que je n'ai pas choisi de l'apprécier, je ne pense pas qu'on choisisse qui l'on aime, ni les personnes avec lesquelles on noue des liens d'amitié. Il y a beaucoup de raisons qui expliquent une amitié, sans qu'elles nous soient complètement claires. Vous pouvez aimer quelqu'un sans savoir pourquoi.

Comme vous, par exemple, pensai-je en mon for intérieur, *je vous apprécie sans savoir pourquoi.*

J'arrêtai de parler, conscient que j'étais en train de délirer. Michael semblait réfléchir à mes paroles. Ou alors, il n'avait rien écouté du tout et essayait de s'imaginer de quoi il retournait sans rendre son inattention évidente. Je sirotai mon vin un peu râpeux : il me montait vite à la tête.

– Et pourquoi pensez-vous qu'il vous apprécie ?

– Peut-être que ce n'est pas le cas, répondis-je en m'imaginant que le masochisme, plutôt que l'honnêteté, était la façon la plus rapide de terminer cette session d'analyse.

Je suis désolé, mais nous avons presque terminé la séance…

– C'est clair qu'il vous apprécie, renchérit Michael l'air absorbé. Vous êtes ici, après tout, n'est-ce pas ? C'est à vous qu'il a confié son appartement.

Vrai. Je haussai les épaules.

– Seulement quand il n'est pas là. Il n'a pas recherché ma compagnie.

– Sauf que c'est vous qui êtes là en fin de compte.

Je commençais à nouveau à me sentir mal à l'aise, sans être menacé ni sous pression, simplement en dehors de ma zone de confort. Sensation ni agréable ni désagréable.

– Vous devez avoir des qualités, c'est à vous qu'Oskar a ouvert sa porte.

Et regardez où sa confiance l'a mené, pensai-je. D'une certaine façon, je prenais conscience que j'étais en train de mettre un point final à mon amitié avec Oskar de façon préventive. Je savais que le parquet, le sofa, les chats allaient être source d'ennuis et j'étais certain qu'ils allaient avoir un effet négatif sur notre relation et la transformeraient à jamais. Techniquement, notre amitié restait intacte et Oskar conservait les mêmes sentiments à mon égard. Alors que les miens étaient en train de changer pendant mon séjour chez lui… Et il arriverait forcément un moment, quand il verrait les résultats de ce séjour, où ses sentiments changeraient. Notre amitié était une chose morte qui respirait encore, comme le chat de Schrödinger immobilisé dans sa boîte ni mort ni vivant. Mais quand Oskar ouvrirait la boîte, quand il pousserait la porte d'entrée de son appartement, notre amitié s'éteindrait. J'en étais certain, et cette certitude était libératrice, rafraîchissante.

– Nous étions très très proches à l'université. Il connaît mes habitudes.

– Très très proches ?

– Oui, enfin, je veux dire proches. Avec beaucoup de monde autour de nous. Vous savez, les piaules d'étudiants. Les dortoirs.

Il était évident que Michael n'écoutait pas. Il adressait un signe au serveur en lui indiquant la bouteille vide. Un vent de panique souffla en moi – une bouteille chacun ? Plus ? Mon compagnon avait consommé largement plus que moi, même en y incluant le gin. Mais alors que lui aiguisait son esprit incisif et son intelligence avec sa consommation d'alcool, chez moi, les idées s'embrouillaient et je me sentais prêt à basculer dans le délire, protégé par un barrage de plus en plus fragile derrière lequel poussait un réservoir d'expressions inappropriées et de faux pas. Point positif de toute l'affaire : je n'avais plus la gueule de bois et je me lâchais de plus en plus.

– À quoi ça ressemble de travailler avec Oskar ?

Je ne souhaitais pas que la conversation tourne toute la soirée autour de notre ami commun, mais je tenais là une chance unique d'en apprendre plus sur l'existence soigneusement cloisonnée de mon hôte absent. J'étais également désireux d'arrêter de braquer les projecteurs sur moi.

– Il est très exigeant, bien sûr. Il veut que tout soit parfait. Quand ça déraille, il peut se mettre très en colère. Très très en colère. Par contre quand tout va bien… Parfait. Vous avez entendu *Variations sur les horaires de trams*?

J'opinai du bonnet, silencieusement heureux d'avoir vaincu mon apathie, la veille, et de m'être passé le CD.

– Œuvre étonnante! Qu'il faut jouer avec une grande précision, sinon ça ne fonctionne pas. C'est la façon d'Oskar de nous faire jouer comme lui. Vous devez faire les choses comme *lui* veut qu'elles soient faites, vous voyez? Comme un tram, elles doivent avancer sur des voies fixées au sol à des horaires précis. Si un tram rate un arrêt, tout le monde est en retard et les passagers manquent leur correspondance. Si un tram quitte les rails… c'est le désastre, il y a des dégâts et des morts. C'est la même chose dans l'œuvre, il faut tout bien jouer, sinon c'est le désastre, il n'y a pas de place pour l'improvisation, il n'est pas possible de manquer de vigueur.

– De rigueur.

– Merci. Il n'est pas possible de manquer de rigueur.

– Il m'a dit qu'il travaillait à un nouveau truc. Dewey?

– Oui. Ah, Oskar, il est toujours… Il veut toujours plus. Une symphonie fondée sur la classification décimale de Dewey.

– Une symphonie fondée sur la classification décimale de Dewey? répétai-je en souriant.

– Oui.

– Le système visant à classer l'ensemble du fonds documentaire dans les bibliothèques?

– Oui. Pourquoi souriez-vous? Ce n'est pas une plaisanterie.

– C'est que cela me paraît tellement bizarre d'écrire une symphonie à ce sujet !

Michael secoua la tête avec un sourire indulgent.

– C'est là où vous avez tort. Il s'agit d'un système censé organiser toutes les connaissances. Éducatif et dialectique, il assigne un numéro et une place à chaque pan de savoir humain, à chaque fait : 200 est le numéro attribué à la religion ; 220 celui attribué à la Bible ; 222 celui de la Genèse et 228 celui de la Révélation et de l'Apocalypse ; 500 est celui de la science ; 520 celui de l'astronomie ; 550 correspond aux sciences de la terre et 551 à la géologie ; 570 à la biologie et 576 à la génétique et à l'évolution. L'alpha et l'oméga dans tous les systèmes différents, sans contradiction et par sauts de dix. La classification décimale de Dewey propose de mettre de l'ordre dans tout cela. Lui arrange le monde et Oskar écrit la symphonie du tout. Une symphonie grandiose qui unifie le tout.

Arrivé à ce point de sa tirade, Michael arborait un sourire messianique. Loin de partager les pulsions organisatrices d'Oskar, il était clairement enthousiasmé par son ambition. La symphonie représentait le rêve d'Oskar, mais Michael était, de toute évidence, devenu son serviteur. Le monde, rangé et classifié en subdivisions de dix. Vision globale qui paraissait de prime abord généreuse, mais qui comportait également une face sombre, car elle excluait la possibilité de penser en dehors du système. Elle imposait la conformité. Des idées nocives avaient pris racine dans les bars à bière d'Europe centrale, de très mauvaises idées. La foule se pressait autour de nous sur le sol froid.

– Vous voyez ? interrompit Michael.

Je m'étais tu pendant un moment. Je détournai les yeux du liquide rouge foncé dans mon verre afin de croiser le regard de mon compagnon.

– Oui, c'est très intelligent, consentis-je avec un sourire forcé qui, je l'espérais, n'apparaîtrait pas comme tel.

Je craignis que mon compliment manque d'enthousiasme ou de sincérité. C'était une idée intelligente après tout. Je me demandais quand elle avait traversé l'esprit d'Oskar. Dans une bibliothèque, sans aucun doute. Mais avec son côté chaotique et imprévisible, l'inspiration semblait être un acte trop spontané pour lui. Peut-être en avait-il toujours eu l'idée et avait-il toujours numéroté et planifié toutes ses pensées, et il s'était contenté d'attendre le bon moment. Il avait atterri sur terre avec une vie entière de pensées déjà installées, comme des fiches dans un dossier, et puis il les avait extraites l'une après l'autre quand les circonstances avaient été propices. Par moments, toutes les actions, toutes les possessions, toutes les réalisations, tous les amis d'Oskar ressemblaient à des ornements soigneusement disposés sur la courbe ascendante de sa trajectoire de vie. L'éducation, la carrière, le mariage… Mais…

– Or tout ne se déroule pas comme il le voudrait, ajoutai-je comme si de rien n'était.

– De qui parlez-vous ? D'Oskar ?

– Ouais, d'Oskar. Je veux dire… Vous venez de dire qu'il vivait sa vie comme un boulot. Je suis complètement d'accord. C'est comme s'il avait tout prévu. Il aime les horaires. N'empêche que ses plans déraillent. Des choses échappent à son contrôle. Il s'est trompé. Et maintenant, il la jette.

Michael, qui avait froncé les sourcils pendant mon intervention, éclata d'un rire qui manifestait son assentiment.

– Oui, oui ! Oui, bégaya-t-il en devenant soudain aussi rouge qu'un matador. Oui, sauf que je pense que c'est le contraire qui se passe et que c'est peut-être elle qui le jette.

– Ah, bon.

Je ne connaissais pas le détail du divorce, mais j'avais la forte impression qu'Oskar se tenait sur la défensive. En réalité, si la procédure avait été lancée en Californie, c'était parce qu'elle en était à l'origine – si c'était Oskar qui avait demandé le divorce, tout se serait passé en Europe, ce qui lui aurait épargné les tracas des avocats à Los Angeles. Peut-être fallait-il lancer la procédure dans le pays où le mariage avait eu lieu ?

– Oui, je pense que c'est elle qui le jette. Sauf que c'était lui l'employeur dans la relation ?

– Quel est le nom que vous donnez quand un salarié poursuit son employeur devant les tribunaux et exige des compensations pour avoir été maltraité… ?

– Ah oui, les prud'hommes, dis-je. Elle le poursuit devant les prud'hommes.

Le visage rouge, Michael riait comme un fou, d'un rire pratiquement silencieux : celui qui se manifeste par des spasmes musculaires. Il ne pouvait pratiquement pas mettre de mots sur la pensée qui avait provoqué cette crise d'hilarité.

– Devant… les prud'hommes… pour harcèlement sexuel !

Moi aussi j'éclatai de rire pour le plaisir de rire, rire de plaisir simple.

– Savez-vous la raison pour laquelle ils divorcent ? demanda Michael en reprenant le contrôle de soi.

– Pas vraiment. (Je savais seulement ce qu'Oskar avait bien voulu me dire la dernière fois que nous nous étions rencontrés à Whitecross Street, cet horrible après-midi où nous avions trop bu.) C'était très difficile pour le couple, lui ici et elle en Californie. Ils passaient leur temps dans les avions, et quand ils se retrouvaient, c'était pour se disputer. Elle n'aimait pas la vie ici et, je ne sais pas, je pense que lui n'aimait pas beaucoup la Californie. Vous en savez probablement plus que moi.

– C'est tout ce que je sais aussi. Il était assez souvent parti et il n'appréciait pas les interruptions dans son travail. Mais qu'est-ce qu'il était content quand elle n'était pas dans ses pattes ! Quand il allait là-bas, ou quand c'était elle qui venait ici, il était très anxieux et agité une semaine avant, et encore une semaine après. D'autres fois, il se comportait comme si elle n'existait pas et on oubliait facilement qu'il était marié. Les choses ont empiré. Et la relation a paru durer si longtemps qu'on a oublié qu'ils avaient été heureux ensemble.

– Oui. J'avais oublié. Je les ai vus ensemble une fois à Londres, et ils avaient l'air tout à fait heureux alors.

– Peut-être que Londres leur aurait convenu à tous les deux. Oskar ne s'y plaisait pas beaucoup. Mais je pense que la ville lui aurait plu à elle.

– Elle n'aimait pas Londres. Du moins, pas beaucoup. Mais peut-être qu'ils auraient été sur un pied d'égalité dans le malheur et que cela aurait été un bon compromis. Un sacrifice égal.

– Je ne pense pas qu'Oskar aurait été heureux de se sacrifier. Je pense qu'il voyait déjà toute sa vie comme un sacrifice à la musique.

– Elle ne m'a pas frappé non plus comme quelqu'un de masochiste qui aime à se sacrifier.

– Mais vous avez raison. Les choses ont déraillé. Cela doit être difficile pour lui.

– Oui, oui.

Michael avait raison, plus raison peut-être qu'il n'en était lui-même conscient. Déjà que pour quiconque, il devait être extrêmement stressant de voir son mariage partir à vau-l'eau, alors pour Oskar… Les perturbations, la perte de contrôle ne pouvaient qu'entamer l'espèce de sécurité qu'il semblait valoriser dans la vie. Et se marier, en tout premier lieu, avait dû lui demander beaucoup d'investissement émotionnel. Or maintenant, tout cet investissement faisait pschitt entre ses mains. Peut-être convenait-il aux préjugés que je concevais à son endroit de le considérer comme une créature rationnelle au sang-froid et de penser que son mariage était une affaire sans émotion fondée sur l'analyse froide des coûts et des bénéfices, mais il était humain après tout, il souffrait. Je n'éprouvai que dégoût envers moi-même pour ne pas m'en être rendu compte plus tôt. La compassion et le dégoût de moi-même me submergèrent et je sentis même la chaleur des larmes, prêtes à couler derrière mes paupières. Puis je me souvins de la quantité d'alcool que j'avais absorbée et je reconnus que mon balancier émotionnel avait basculé vers le malheur. Il me fallait m'éclaircir les idées. Je me levai et me rendis aux toilettes.

Elles dégageaient une terrible odeur : la puanteur de merde et de pisse rivalisait avec une eau de Javel bas de gamme qui me prit à la gorge, me cura les sinus et me brûla les yeux. Un couple s'affairait dans l'unique cabinet, oublieux du reste. J'inspirai de l'ammoniaque et du chlore. *Le gaz ! Le gaz ! Vite, les gars ! Effarés et à tâtons…* D'accord, le cabinet à côté servait de décor à beaucoup d'effarement et de tâtonnements. Apparemment tolérés, les graffitis recouvraient les murs, ainsi que des photos jaunissantes découpées dans des journaux ou des magazines et collées à même la brique. Elles représentaient surtout des filles, nageuses, starlettes. Certaines dégageaient un je-ne-sais-quoi de fétichiste déstabilisant, avec leur costume de bain mouillé, leur imperméable ou leur masque à gaz. Et au-dessus et en dessous de ce collage, des graffitis. La plupart intraduisibles. Les seules parties compréhensibles figuraient des cœurs transpercés de flèches, des initiales de clubs de football anglais et des déclarations extrémistes exacerbées : swastikas, marteaux et faucilles, COCHONS DE JUIFS, PUTAIN D'ISLAM. Ces dernières insultes étaient souvent

effacées ou complétées par de nouveaux écrivains critiques:
PUTAIN DE MERDE, etc. En quelques endroits, l'épiderme
de coupures de journaux et de photos se décollait, tout en
révélant la présence d'innombrables couches. Le plafond
concave en briques nues était lui aussi recouvert de graffitis et
de marques de brûlures de cigarettes.

Grâce au jet d'eau froide du robinet du lavabo crasseux
que je laissai couler sur mes mains, mes idées s'éclaircirent
un petit peu. Mais alors que je me faufilais dans le bar pour
retourner à mon siège, je me sentais encore mal assuré sur
mes jambes et étrangement déconnecté, comme si j'étais en
réalité ailleurs, à diriger mon corps avec une télécommande
qui ne réagissait pas.

Quand j'approchai de la table, je constatai que Michael
avait commandé une nouvelle bouteille de vin, la troisième.

– Michael, c'est vraiment la dernière, m'opposai-je
faiblement.

– Oui, oui. La dernière ici. Mais après, nous irons ailleurs.

– Je ne sais pas…

Dans l'urgence, j'essayai d'échafauder un compromis.
Pendant un instant, j'envisageai d'inviter Michael à m'accompagner chez Oskar pour y boire quelque chose – et puis
de là, je pourrais aller directement au lit en toute sécurité. Or
je ne voulais inviter personne, surtout avec tout ce que nous
avions bu. Trop de risque de causer un accident, convaincu
que j'étais que rien ne pourrait arriver à l'appartement pendant mon absence.

– On va aller danser. Est-ce que vous aimez danser?

Il mima un *boogie* dans son siège en tortillant les hanches.

– Bien sûr.

Au moins, si nous allions dans un club, cela ferait baisser la
quantité d'alcool. Et je pourrais m'échapper dans la mêlée.
Je détestais les clubs et cela faisait au moins dix ans que je

n'y avais pas mis les pieds. Mais n'étais-je pas en vacances après tout, et si j'adoptais l'état d'esprit adéquat, cette sortie pourrait follement m'amuser.

Michael se pencha vers moi. Il avait l'air sérieux, même sévère.

– Vous savez, c'est à moi qu'Oskar a d'abord demandé de s'occuper de ses chats.

– Vraiment ?

Qu'est-ce que cela signifiait ? Est-ce qu'il avait une dent contre moi ? Même s'il regrettait que le choix d'Oskar se soit porté sur moi, et non sur lui, il ne pouvait pas m'en tenir rigueur.

– Oui. Je les aurais emmenés chez moi. J'ai un petit jardin, une cour. Oskar pensait que c'était une bonne idée. On avait toujours procédé comme ça dans le passé.

Il était clair qu'il était aussi éméché que moi et je craignais qu'il ne bascule dans l'amertume et l'hostilité.

– Oskar ne m'en a rien dit. Il s'est contenté de me demander de venir ici et comme je pouvais, alors…

Où cette phrase allait-elle me mener ? Aucune idée.

– … Loin de moi l'idée de vous offenser. Ou d'offenser quiconque.

L'excuse surprit mon compagnon. Un éclair d'incompréhension traversa son visage, mais il finit par me sourire.

– Oh non, vous ne m'offensez pas. C'est une corvée à laquelle je suis heureux d'avoir échappé. Mais c'est bizarre, vous ne pensez pas ? Il n'y a que les chats qui ont besoin de soins quotidiens, et moi qui habite ici, j'étais prêt à m'occuper des petits monstres poilus. Je les adore. Sans eux, l'appartement ne craint rien : il y a une concierge dans l'immeuble, je pense, qui s'occupe du ménage… Mais c'est à vous qu'il demande de venir et de parcourir des milliers de kilomètres, afin que vous gardiez l'appartement. Pourquoi ?

Je battis des paupières.

– Je donne ma langue au chat.

Mes lèvres étaient sèches, très sèches, et je bus une gorgée.

– C'est vrai qu'il y a une concierge. Une femme de ménage.

– Peut-être qu'il n'a pas confiance en elle. Parfois elles volent. Mais j'aurais pu venir deux ou trois fois par semaine… Et d'autres aussi. Il a des amis dans l'orchestre. Sacré mystère, pas vrai ?

– Oui, c'est bizarre.

– Ma seule explication, c'est qu'il a une énorme confiance en vous. Son appartement si précieux.

Du vin s'était répandu sur la surface en bois devant moi. J'y trempai l'index et m'amusai à tirer un trait pour relier la tache à une autre. Retour en enfance. Relier les points.

– J'ai renversé un peu de vin, dis-je rapidement en embrassant la cause de la franchise. Sur le parquet, sur le parquet d'Oskar. Pas grand-chose, moins que cela, mais comme je ne l'ai pas nettoyé tout de suite, cela a laissé une petite tache.

Michael me fixait avec de grands yeux ravis, ce qui m'irrita.

– Ah. C'est sûr qu'Oskar ne va pas apprécier.

– Peut-être qu'il ne la remarquera pas.

– Peut-être, ajouta-t-il sans conviction.

– La femme de ménage l'a vue. Je pense.

– Alors elle va le lui dire. Elle voudra s'assurer que le blâme ne rejaillira pas sur elle. Elles sont comme ça. À l'époque du communisme, les concierges mouchardaient. Si elles savaient des trucs et que votre gueule ne leur revenait pas, alors elles allaient à la police et c'en était fini de vous. On leur attribue un logement avec leur boulot, mais elles sont payées des clopinettes, alors si elles peuvent gratter une petite rallonge et se faire graisser la patte…

Sa voix se perdit et il fixa un point sur le sol.

– Parfois, je pense qu'elles regrettent l'ancienne époque.

Puis, avec un frisson à peine perceptible, il se secoua et remplit nos verres.

Plus tard – après avoir terminé la troisième bouteille, je pense –, nous nous retrouvâmes dans la rue. La pluie avait cessé, même s'il était évident qu'il avait beaucoup plu pendant notre présence au bar, les lampadaires avaient les pieds dans l'eau. Peu de lumière aux fenêtres. Je ne savais pas l'heure, mais minuit devait être largement passé. Nous nous enfoncions dans la ville à vive allure, tout en nous éloignant de l'appartement d'Oskar. Michael chantait, mais pas très fort. La circulation avait pratiquement disparu, à l'exception d'une voiture occasionnelle lancée à toute vitesse avec force chuintements et crissements de freins, puis on voyait ses feux arrière rouges converger au loin. Pas de tram en vue, malgré la présence de petits groupes trempés en imperméables, rassemblés dans des flaques de lumière blanche à chaque arrêt, sentinelles muettes postées à des endroits stratégiques. À peine sorti du bar, je trébuchai sur un pavé instable en dessous duquel l'eau s'était infiltrée. Mine antipersonnel liquide, elle m'éclaboussa généreusement et remplit ma chaussure droite de gadoue froide. Ce type de mésaventure plombe généralement mon humeur, mais là pas du tout ! Rien ne pouvait entacher mon bonheur : j'avais traversé l'épreuve, je retrouvais un second souffle. Oskar était un type bien, il allait ne pas me tenir rigueur pour le parquet, tout allait bien se passer.

Mon compagnon interrompit son chant et se tourna vers moi qui pataugeais dans son sillage.

– Oskar ne vient plus danser avec nous. Pas depuis qu'il est marié. Disons qu'il est venu seulement une ou deux fois depuis son mariage.

– Je ne crois pas que cela soit vraiment son truc.

Marcher et parler simultanément dépassaient largement mes capacités de coordination. Des renvois de vin acide remontaient entre mes paroles.

– C'est vrai que par rapport à d'autres, il manquait d'enthousiasme.

– C'est plutôt pour les jeunes. Des gens plus jeunes que nous.

– Vraiment? Non, il y a des gars de tous les âges.

Nous nous arrêtâmes devant une porte noire chapeautée d'une enseigne au néon et flanquée d'un costaud en veste de cuir noir, bras croisés et pieds fermement écartés. STAR'S, annonçait le néon. Des bruits de basse répétitifs nous parvenaient. Michael adressa un signe de tête au videur et poussa la porte. Dedans, une volée de marches en béton à peine éclairées menait en bas. L'humidité à l'intérieur n'avait rien à envier à celle de l'extérieur.

– À nouveau les bas-fonds…

– Quoi?

– Rien…

Nos pas résonnèrent dans un étroit couloir curieusement vide, vasculaire, éclairé de lumière rouge. À mi-chemin, une femme plus que quadragénaire – néanmoins épaules nues et blonde décolorée – s'occupait derrière un petit comptoir de la vente des billets et du vestiaire. Contre nos espèces sonnantes et trébuchantes, elle prit nos vestes et nous remit quatre billets chacun : pour l'entrée, le vestiaire, une boisson et une danse gratuites. Mon regard s'arrêta sur le dernier : quelque chose m'avait-il échappé ?

– Je ne crois pas que je vais danser. J'ai les pieds mouillés…

Le sang dans mes oreilles et les cernes sous mes yeux vibraient au rythme de la musique.

– Il n'y a aucune obligation…

La lumière rouge affublait son rictus d'un aspect terrible. Ses yeux se perdaient dans l'ombre.

– Libre à vous de rester assis et de regarder.

Couvert de croûtes, anciennes et nouvelles, et gonflé de vin, mon cerveau opérait des rotations, prêt à déborder. Michael passa à travers le rideau de perles à l'extrémité du couloir et disparut. Je le suivis.

Nous refîmes surface dans un espace carré étonnamment vaste. Des box semi-circulaires étaient disposés le long des trois murs, avec de petites tables et une ou deux chaises grêles autour. De prime abord, il était difficile de déterminer si le club était brillamment éclairé ou plongé dans des ténèbres écarlates. En fait, il était les deux, avec la plupart de l'espace trouble, et un îlot aveuglant de lumière au centre. Sous le projecteur se trouvait une scène ; sur la scène, une barre ; et à la barre une fille… très peu vêtue. Elle arborait l'expression ennuyée et concentrée d'un conducteur de chariot élévateur. Son corps se tortillait et s'enroulait autour de la barre de façon simultanément animale et mécanique.

Ah la danse, pensai-je.

– Venez, m'encouragea Michael très content de lui-même. Nous avons un box.

D'autres filles sillonnaient le club avec des plateaux et se rendaient dans les box ; certaines ondulaient des hanches de façon suggestive ; d'autres embrassaient des hommes ; d'autres encore se contentaient de rester assises près d'eux. Les hommes étaient rares, la plupart des tables étaient inoccupées. On dénombrait plus de danseuses que de clients. Dans l'air, on respirait quarante pour cent de désodorisant, quarante pour cent de fumée de cigarettes, dix pour cent de bière éventée, cinq pour cent de sueur et cinq pour cent de dépravation authentique.

Nous nous glissâmes sur la banquette arrondie recouverte de skaï cramoisi de notre box, derrière une table circulaire agrémentée d'un yin yang noir et rouge stratifié dessus.

– Je ne suis pas familier avec ce genre d'endroit, Michael.

Dans mon imagination, les cellules cancéreuses encerclaient la peau mourante. Un caillot se formait. Du vin séchait, laissant une immense marque sombre. M'asseoir me donna le vertige. Mes muscles avaient tous reçu les mauvaises instructions, comme si j'avais soulevé une boîte dont j'attendais qu'elle soit lourde et découvert en vacillant qu'elle était vide. Je me sentais complètement dominé par les événements.

– Hein, quoi ? s'étonna Michael conciliant. Détendez-vous, détendez-vous, nous allons bien nous amuser.

– Je ne sais pas.

Embrasser ne m'emballait pas. Non plus que d'autres activités, mais c'étaient les baisers qui se trouvaient à ce moment-là au sommet de la liste.

– N'existe-t-il pas une règle qui empêche les contacts physiques ?

– Non, non, répondit Michael en mettant la main sur mon épaule. Si vous voulez toucher, il faut payer pour. Nous allons boire du champagne.

Une nouvelle cohorte de soucis et d'objections se profila à l'horizon. Escroquerie, boîtes où l'on se fait tondre, verre de jus d'orange à deux cents euros, coup-de-poing. Mais une fille revêtue de son seul bustier en satin rouge et d'un mini-short était arrivée à notre table, chancelante au sommet de hauts talons clairement en plastique, et Michael passait commande. En réalité, il faisait plus. Il bavardait.

– Vous êtes connu ici ? demandai-je quand la fille se fut éloignée en tortillant des hanches.

– Ouais, bien sûr. Nous venons souvent. Certains parmi nous dans l'orchestre.

– Oskar aussi ?

Pour moi il était pratiquement impossible de le placer mentalement dans un tel endroit.

– Bien sûr, même s'il ne vient plus autant depuis qu'il est marié. Comme je l'ai déjà dit.

La tête me tournait. Une autre fille apparut, avec encore moins de tissu sur elle, seulement un maillot deux-pièces rose et les éternels talons. Elle portait une bouteille de champagne et quatre verres. Ses seins se projetèrent en avant quand elle se pencha pour déposer sa charge sur la table et se dévoilèrent, pleins et lourds. Je me surpris en train de regarder et détournai les yeux. Puis je regardai à nouveau. En moi, il y avait cinq pour cent de transpiration et cinq pour cent de dépravation authentique. Je pensai à des ballons remplis d'eau. Puis je pensai qu'ils étaient remplis de sang. Je me demandai si j'avais encore du sang en moi et pris conscience que j'en étais partiellement rempli.

– C'est OK de regarder, oui, m'encouragea mon compagnon qui m'avait surpris en flagrant délit.

Il me poussa du coude avec un air salace.

– Vraiment, c'est pas mon truc…

Les mots sortaient lentement. Mon cerveau, je le sentais, était en train de perdre une bataille, fatalement amoindri par la boisson, trahi par mon propre instinct, privé d'alliés fiables. Je ne savais pas où tout cela me conduirait si je laissais couler. Je ne voulais pas me métamorphoser en bête au regard concupiscent, ni en chiffe molle.

– C'est vrai que vous avez l'air sacrément mal à l'aise ! beugla Michael. Comme une petite souris ! C'est OK, c'est OK.

Il pressa mon épaule. Je ne voulais pas que l'on me touche.

La « serveuse » en maillot de bain ouvrit la bouteille avec un glapissement et un petit rire idiot, au moment où le bouchon sautait et que la mousse débordait sur ses doigts. Elle serait froide, au moins, pensai-je, et les bulles rafraîchissantes. Je pris mon verre. Il était tiède. Je dus tressaillir ou grimacer, car je vis la serveuse plisser le front avec une moue comique. Elle prononça des paroles que je ne compris pas. Elle avait des seins magnifiques.

– Elle a peur que vous ne vous amusiez pas, expliqua Michael.

– Quelle perspicacité ! Pensez-vous que je pourrais avoir un verre d'eau ?

– Nous avons du champagne ! s'exclama Michael, comme si cela avait pu m'échapper.

Il dit quelque chose à la serveuse qui partit. Presque aussitôt, deux autres filles apparurent, une blonde aux formes généreuses revêtue d'un haut de bikini rouge et d'un mini-short, et une autre avec des cheveux courts foncés et une allure d'elfe, portant un bain de soleil doré et un mini-short. La blonde se colla contre Michael sans attendre d'y être conviée. L'elfe prit place à mes côtés sur la banquette. Le rôle que j'étais censé jouer était évident. Je la saluai, en essayant de me montrer sympathique et authentique, sans avoir l'air d'être un cas sexuel. Loin de réussir à trouver l'équilibre, je me réconfortai avec l'horrible pensée qu'elle avait dû rencontrer des hommes bien pires que moi.

La blonde avait enroulé un bras autour des épaules de Michael et lui caressait les cheveux.

– Si vous n'aimez pas cette fille, on peut en demander une autre.

– Est-ce qu'une blonde vous ferait plaisir ? demanda la blonde de Michael. Une qui me ressemble. Ou préféreriez-vous une Noire ? Une Japonaise ?

– Comment s'appelle-t-elle ? Parle-t-elle anglais ?

Michael – dont la fille embrassait l'oreille avec force salive, d'une façon que je ne pouvais imaginer agréable pour aucun des deux – s'adressa à l'elfe, qui répondit quelque chose du genre « Connie », tout en se tapant le buste entre ses deux petits seins en forme de pomme.

– Connie ? Vous vous appelez Connie ?

– Oui. Ouais. Anglais ?

– Oui.

– Je parle anglais, répondit-elle avec la plus extrême prudence.

Voilà qui me rassura : nous pourrions au moins parler… avant de réaliser que je ne pouvais imaginer de quoi.

– Peut-être que Connie accepterait de boire quelque chose, suggéra Michael. Nous achetons du champagne pour les filles et nous les regardons danser, nous nous amusons. Vous pouvez aussi boire de la bière ou du scotch. Le champagne contient une faible teneur en alcool pour ne pas enivrer les filles.

Je servis un verre du liquide pétillant à Connie, conscient que notre sortie allait me revenir horriblement cher. Elle plaça la main sur mon genou et me sourit. Nous fîmes gauchement tinter nos verres et bûmes une gorgée. Les bulles me décapèrent la gorge. J'avais le corps en chewing-gum. Connie caressa mon torse, qui avait, j'en étais certain, l'apparence et la virilité d'un tapis de bain en caoutchouc moite. Puis Michael s'adressa à elle.

– Billet, demanda-t-elle.

Je sortis mollement les quatre bouts de carton en ma possession, pliés avec d'autres babioles – billets de banque, talon du billet de concert, horaire de trams. Elle prit ceux qui me donnaient droit à une boisson et à une danse gratuites et disparut avec.

– Détendez-vous, détendez-vous ! me commanda Michael. Votre danse, vous allez l'avoir ! Amusez-vous ! Nous allons boire un coup.

– Je ne sais pas.

Car je me sentais tout, sauf détendu. J'essayais d'additionner les sommes dépensées pour déterminer combien il me restait, processus qui équivalait à essayer de replier un journal détrempé par vent fort. Mon cœur battait comme un jouet mécanique remonté à bloc. Transpirant énormément, j'étais certain de ne pas dégager une odeur agréable. Je ne pouvais supporter l'idée que des jeunes femmes inconnues et attirantes soient obligées pour des raisons financières de se jeter à mon cou, alors que je n'étais pas impeccablement propre. Des boutons de chaleur et des frissons fiévreux me tourmentaient et le vin tourbillonnait, alternant le rouge sanguin orangé et le noir de la Guinness, avec des striures huileuses aux couleurs de l'arc-en-ciel agitant sa surface stagnante. Allais-je être malade ?

– Et comment paie-t-on ?

Je ne voulais pas poser de question sur l'économie de toute l'affaire. Le demander était me remémorer que, dans cette affaire justement, tout se résumait à du commerce. Rien à voir avec l'amour, la chimie ou l'attirance véritable et, en outre, le vrai sexe n'y avait pratiquement pas de place. Il ne s'agissait que d'une transaction financière. Nous étions en train de nous titiller à l'intersection de deux courbes de recettes sur un graphe.

Connie revint accompagnée d'une autre fille encore, blonde ambrée à la frange droite agressive qui tombait sur ses yeux et donnait à sa chevelure l'allure d'un casque. Lourdement maquillée, elle avait la mine renfrognée d'une salope. Elle portait un haut bleu clair et une micro minijupe, tous deux en PVC ou en latex. Connie se rassit à mes côtés, posant une canette de bière devant moi. Ambre commença posément sa routine d'exhibition sexuelle. Elle n'était pas blonde naturelle.

Un haut-le-cœur et un coup de sang gonflé de testostérone me cinglèrent. Je m'émerveillai de la capacité du corps masculin à ressentir, à la fois, dégoût et désir en proportions équivalentes, avec des pulsions simultanées de honte et d'impudeur. Un ordinateur à commandes sexuelles automatiques luttait pour prendre le contrôle en moi. Je pensai à des pièces de viande entreposées dans des sous-sols froids. Je pensai au trafic et à l'esclavage sexuels, coup de grâce mental qui provoqua la panne de l'ordinateur, l'obligea à redémarrer et à désenfler son périphérique. On faisait venir des filles de pays comme celui-ci pour mener des vies inimaginables de servitude et d'horreur à l'Ouest. J'avais revu des brouillons de procès-verbaux rédigés par la police locale à ce sujet. Où tout cela menait-il ces filles ? Étaient-elles heureuses ou malheureuses ? Où pointait le curseur dans la cosmologie de la souffrance humaine ? Quel était leur degré de consentement ?

La vague d'alcool revenait à l'assaut, dissolvant ces arguments, les transformant en bouillie pour chat, empiétant sur l'éthique, la réflexion, les contextes plus généraux, les lendemains et ses conséquences. Ambre continuait son frotti-frotta et la boisson révéla une formule simple sur le palimpseste brouillé de mon esprit : recherche le plaisir ! Connie glissa une main entre mes cuisses et je me sentis soudain gêné, gauche même, comme si j'avais oublié de laisser un pourboire. J'avalai ma bière d'un trait.

– Pas mal ! s'exclama Michael tandis que les dévotions d'Ambre approchaient de la fin.

Était-ce une affirmation ou une question ?

– Super! répondis-je sans enthousiasme, tout en laissant un pourboire de cinq euros.

Penchée sur moi, Connie s'activait désormais entre mes jambes. Elle se pourlécha. Elle venait de prendre une douche. Elle agrippa les cheveux sur ma nuque de sa main libre. Quel dilemme, car je ne voulais paraître ni intéressé ni désintéressé. Avec difficulté, considérant l'imbroglio dans lequel je me trouvais empêtré, j'avalai une autre gorgée de bière tiède. Toutefois, dès que je sortis de ma bouche le goulot de la bouteille, Connie y colla les lèvres et y introduisit sa langue chaude. Elle avait un goût de bière, de champagne, de vin, de fumée, de métal, de sang. Ma main descendit sur sa taille fine et fragile et remonta sur sa poitrine. J'étais à nouveau en proie à la tyrannie du désir. Des feux d'artifice mouillés éclatèrent dans ma tête et la levure de la bière gronda dans mon ventre.

Je me dégageai de son étreinte. Connie était belle et ses lèvres humides luisaient dans la complexe lumière rouge. Elle était si belle et, en admettant qu'elle ne conçoive que dégoût pour toutes ces manigances, elle excellait à le cacher. Je voulais me sentir libre. Je voulais être confronté à un spectre ouvert de possibilités. Mais au lieu de cela, je me sentais ligoté par de nombreux fils, chacun relié à une action dans le passé et à un résultat dans le futur. La bière ne m'apportait pas son soutien, comme je l'avais espéré : elle m'avait menti. Je pensais à la fermentation, à la levure, aux gaz, aux processus microbiens. Le vin bouillonna, prêt à déborder. De nombreux fils tiraient à la fois.

– Ah seigneur Jésus, dis-je doucement. Michael, je pense qu'il me faut…

La fatigue et l'envie folle de vomir fondirent sur moi. Mes boyaux se liquéfiaient.

– Ah Seigneur Jésus, répétai-je.

141

Je me levai et poussai Connie pour sortir du box.

– Je suis désolé. Je dois y aller. Je me suis vraiment bien amusé. Je suis très ivre. Fatigué, et je suis très fatigué.

Surtout ne pas parler. Je prenais trop de risques à parler, à extraire des trucs de moi. Je fouillai parmi les bouts de papier que j'avais mis sur la table et y laissai de l'argent, plus que nécessaire. Puis je tournai les talons et sortis à toute vitesse.

Le couloir à l'entrée exhalait une odeur d'eau et de détergent. La même odeur que la salle de bains chez Oskar. L'endroit où je voulais me retrouver sans attendre. Je repris possession de ma veste dans une frénésie d'impatience et me retournai pour déterminer la source du bruit d'eau courante que je percevais.

Un torrent ruisselait le long des marches en béton et pénétrait dans le club, avant de s'évacuer par une grille. Marches transformées en caniveau. Couloir métamorphosé en espèce de collecteur d'eaux pluviales. Et au-dessus, la tempête faisait rage, averse biblique, l'une de celles qui menaçaient d'emporter les pavés et d'éteindre les lampadaires. Je fus instantanément trempé jusqu'aux os, mais je m'en fichais. J'avais besoin de rentrer chez Oskar au plus vite, priorité qui annulait toute autre considération. Les fils tiraient ; beaucoup semblaient arrimés à mon estomac.

Trottant et trébuchant, je traversai les rues guidé par mon instinct, mouillé de pied en cap, je glissai et m'emmêlai les pinceaux sur les pavés instables. Puis mes jambes cédèrent et je chancelai contre un mur grossier. Perdant une terrible bataille à l'intérieur, je vomis atrocement, puis me pliai en deux et eus un haut-le-cœur. Un jet de liquide rouge gicla avant d'aller se mélanger aux flaques. Puis un autre, chaud et acide. Puis un autre encore, moi appuyé à la surface abrasive, les pieds dans l'eau jusqu'aux chevilles. J'effleurais la rugosité sableuse de la paroi de la même main qui s'était, quelque temps auparavant, baladée, chaude et sèche, sur la taille et les seins de Connie. L'eau emplissait mes chaussures et mes oreilles. Quand tout cela m'était-il arrivé ? Il y a peu de temps ? Ou c'était il y a des heures ? Nouveau haut-le-cœur, j'espérais le dernier. J'étais épuisé, mais la lutte était finie, les fils me tiraient désormais vers mon lit sans ouvrir mes entrailles.

Je levai les yeux. Des formes géométriques de couleur noire et orange sodium s'emboîtaient au-dessus de moi. C'était le palais de la culture aux formes brutales, révélation qui me fit lâcher un cri de reconnaissance joyeuse. J'avais vomi contre son mur de béton, mais la pluie s'activait à nettoyer rapidement toute trace de mon abandon, dissolvant mes vomissures dans l'énorme flaque où je me tenais debout. Cette flaque – une mare plutôt – encerclait le palais telle une douve et je me souvins que Michael m'avait confié qu'il s'affaissait dans le cimetière en dessous.

De l'autre côté de l'avenue, dans une flaque de lumière à un arrêt de tram, un groupe silencieux et statique d'une demi-douzaine de formes humaines enveloppées dans des cirés brillants m'observait.

Je me remémorai le visage de Connie qui avait levé les yeux sur moi, remplie de confusion et vaguement inquiète, quand je l'avais poussée pour partir. Morts depuis longtemps, les urbanistes avaient, sentis-je à ce moment-là, creusé leur avenue et reconstruit leur ville pour moi, pour ma commodité. La route déroulait son ruban au loin.

CINQUIÈME JOUR

Bruit blanc. Son indistinct, en dessous du seuil d'audition, grondement et afflux de sang forçant des passages étroits. Battement à deux temps des baguettes du meneur d'esclaves, tandis qu'une galère de muscles épuisés se soulève pour traverser un océan de mélasse. Cœur pompant une chaude et épaisse matière visqueuse. Cellules qui se battent et meurent. Cerveau grésillant comme une lampe anti-insectes. Cascade d'étincelles neuronales, réaction en chaîne crépitante, synapses qui s'enflamment. Sensation de n'en avoir aucune. Puis la conscience.

J'étais éveillé. Il me sembla n'être que nœud de douleur, illusion créée par les dégâts apparents causés à mon appareil sensoriel. Le cerveau, mon cerveau, me faisait souffrir, abîme insondable de supplices aspirant tous les autres sens. Chaque battement de tambour, chaque coup de rame engendrait d'autres sensations et les aspirait vers ce point noir de douleur. Mon cœur était au bord de céder et d'être avalé par ma tête, il allait exploser et j'allais mourir au lit.

Au lit. Ainsi j'étais au lit. Bon signe. Car si tel était le cas, cela signifiait que j'étais bien rentré à la maison. Ou du moins que j'avais pu m'allonger dans un lit avant de perdre connaissance, même si je n'étais pas à la maison. Je me trouvais donc en sécurité et le nombre de coups durs dont j'aurais pu être la cible tombait de l'infini à un chiffre plus raisonnable : quelques dizaines de milliers ?

Mon cœur battait encore. Il ne me donnait pas l'impression qu'il allait s'arrêter brusquement. Plusieurs centaines de lanières de caoutchouc crasseuses le ligotaient néanmoins. Bouger me paraissait difficile. Tout mouvement déclenchait une douleur dans ma tête, tel un tremblement de terre dans un magasin de porcelaine au rabais. La migraine m'inquiétait. À vue de nez, quatorze ou quinze tumeurs prospéraient là-haut et elles se bagarraient dans le pus lubrifiant, comme des boulettes de viande en colère luttant dans de la crème renversée. La pensée du pus et de la crème renversée déclencha un haut-le-cœur. Tout était précaire, délicat, relié par le biais de structures fibreuses et secrètes, et le moindre faux pas déclencherait un effilochement catastrophique.

Des flots irréguliers d'informations sensorielles me parvenaient désormais. Les nouvelles n'étaient pas bonnes. Des systèmes se reconnectaient les uns à la suite des autres, après un traumatisme spectaculaire, pas mortel, mais terriblement handicapant. Avec détachement, je commençai à spéculer sur ce qui clochait chez moi. Migraine, nausée et sensation globale que quelque chose ne fonctionnait pas. Mais dysfonctionnement à une échelle épique, Technicolor à la Ben-Hur. Des commissions d'enquête se constituaient.

Possible que je souffre de gueule de bois. Tout à fait plausible. Cela voulait dire que j'avais bu. Avais-je bu ? Salve de souvenirs. Les détails et les circonstances restaient flous. Oui, les membres de la commission s'accordaient sur ce point : j'avais bu… en compagnie d'autres personnes.

Un nouveau tremblement agita la vaisselle dans le magasin de porcelaine. Avais-je grogné ? Possible… Mon corps n'était que tampons de matière détrempée lancés comme des fouets malhabiles par des nerfs filiformes. Les matériaux les moins nobles entraient dans leur composition : lait périmé, vin tourné au vinaigre, chewing-gum, cire d'oreille, saleté noire accumulée sur les souris d'ordinateur. Tous les nerfs de connexion tiraient et me faisaient mal. Pas beau à voir !

Mon expérience s'ouvrait lentement vers l'extérieur. Elle atteignit enfin les pores béants de ma peau tout suintants de sueur graisseuse et fit surface dans le monde. Mon agitation nocturne avait entortillé la couette du lit d'Oskar comme une corde, et elle s'enroulait à présent autour de mes jambes. Impossible à des chimistes de recréer le goût dans ma bouche sans aller au zoo collecter un plein bocal d'échantillons. Une solution de jus de citron et de patafix avait été déversée dans mes yeux pendant la nuit. Je n'étais ni sec ni humide, emmailloté de sueur évaporée.

La coquille de perception autour de mon corps continuait sa progression. Il faisait clair, c'était le jour, un jour dans la succession des jours, le jour suivant. J'avais besoin d'en savoir plus sur le précédent. Mon nez me transmettait d'autres informations sensorielles. Les nouvelles étaient mauvaises, même si je n'arrivais pas à les décoder.

Absorption d'alcool. J'étais sorti boire avec Michael, l'ami d'Oskar. Nous avions beaucoup bu. Je l'avais accompagné dans une sorte de club. Voilà ce qu'avaient découvert les membres de la commission rassemblés de toute urgence pour déterminer les causes et la nature de l'épreuve qui me frappait. Tous étaient persuadés qu'un supplément d'information était nécessaire. La commission avait de bonnes raisons de croire que j'avais été malade.

Je pris une soudaine inspiration et mes narines se remplirent de l'odeur très identifiable du vomi. Une vraie puanteur. Je sautai du lit. Mon cerveau se pressa contre mon crâne. Je dus inhaler à nouveau… impossible d'échapper à la puanteur.

Pas de vomissure autour du lit près de mon fatras d'habits. Des doigts, j'explorai mon visage sans rien y découvrir. Les draps blancs avaient perdu de leur fraîcheur après quatre nuits passées dedans, mais au moins, ils n'avaient pas servi de réceptacle au vin rouge consommé la veille. La chose avait dû se passer à la salle de bains. Mais celle-ci étincelait et j'y respirai, reconnaissant, son air glacial à qui je confiais le soin d'emporter tous ces trucs qui clochaient à l'intérieur. Si j'y avais vomi, alors j'avais fait très attention. La puanteur qui me parvenait par intermittence de la chambre me donnait des haut-le-cœur. Impossible d'échapper à cette odeur inexplicable : le fusil fumait encore mais il n'y avait pas de cadavre…

Une douche me ferait du bien, pensai-je. Un calme étrange m'envahit et mes idées s'éclaircirent, tandis que l'eau se déversait sur ma tête et que d'autres souvenirs affluaient. Mes vêtements devaient être trempés, car j'avais été surpris par la pluie. Et sous la pluie, j'avais été malade, ce qui voulait dire que j'avais été malade à l'extérieur. Une énorme masse de béton se profila dans mon esprit et disparut tel un ferry traversant la Manche. Je me souvins de jets de vin digéré giclant dans une flaque. Je levai mon visage sous le pommeau de douche et laissai l'eau éclabousser mes yeux. Nouvelle naissance, péchés emportés. Ma migraine se portait mieux.

La puanteur, quant à elle, ne s'était pas dissoute et elle s'amusa de nouveau à me chatouiller les naseaux, tandis que je me séchais et me brossais les dents. De retour dans la chambre, sa prégnance n'avait pas été entamée.

Je vérifiai que mes vêtements de la nuit précédente n'étaient pas tachés et, même si l'odeur me donna l'impression de se renforcer, quand je me penchai pour les ramasser, je ne trouvai rien. N'empêche qu'ils étaient mouillés et avaient laissé une trace d'humidité sur le parquet. Est-ce que ça pourrait l'endommager ? Je me penchai pour inspecter la surface et de nouveau la puanteur me prit à la gorge. Les draps, pensai-je, il était impératif de les laver. L'inhalation de cette pestilence me donna une nouvelle fois envie de vomir : le lavage des draps attendrait que je me sente mieux.

Mes chaussures étaient trempées. Je les ramassai et les sortis sur le balcon, les abandonnant à l'air vif éclatant. Pas de chat dehors. Un petit glissement de mémoire se produisit, changeant le décor mental et déboucha sur... rien du tout. Je ne me souvenais pas de les avoir laissés sortir la nuit précédente. Ils étaient encore dans l'appartement lors de mon départ pour le concert – comme j'espérais être revenu avant dix heures, cela me donnait amplement le temps de les lâcher. À mon retour du club, étais-je en état de leur ouvrir la porte ? Hypothèse très improbable. Mon image mentale se flouta, grossissant et rétrécissant, tel un reflet dans un miroir de fête foraine, quand je pris soudain conscience que je m'étais rendu dans un bar à hôtesses la nuit précédente. En proie aux aiguillons de la culpabilité, mon estime de moi-même en prit un coup. Et je me sentis stupide – pourquoi n'avais-je pas saisi l'occasion et ne m'étais-je pas amusé ? Parce que, pensai-je, j'aurais vomi sur cette pauvre fille. Je me souvins de la fontaine rouge sombre qui s'était déversée en flaque dans l'impassible lumière au sodium. Et de l'état des toilettes du bar, avec son odeur piquante de vieille urine. Aucun doute : j'étais parti toute la journée pour une bonne migraine placée juste derrière les yeux... et elle me prodiguerait de temps à autre un coup de pic à glace derrière la tête. Je gémis à nouveau.

Les chats. Où se cachaient-ils ? S'ils n'étaient pas sortis, ils se trouvaient forcément à l'intérieur. J'enfilai à toute vitesse des vêtements propres et me précipitai au salon.

149

Pendant les derniers jours du récent printemps, Oskar s'était rendu à Londres où l'une de ses compositions, programmée dans un concert au Barbican, devait être jouée par un quartet composé de membres de la Philharmonie. Il m'avait appelé pour me presser d'y assister et j'avais dû lui opposer toute une batterie de mensonges pour y échapper. À l'époque, je pensais que même la meilleure musique classique – Bach, par exemple – manquait d'intérêt pour moi, aussi pour constituer une soirée agréable, une composition d'Oskar devait-elle surpasser Bach, et le pronostic le plus charitable quant aux talents de mon ami m'indiquait qu'une telle probabilité était très faible. Il m'était donc impossible d'y assister, car j'avais déjà pris un engagement auprès d'un cousin imaginaire à la santé très fragile. Quel dommage ! Avant que je puisse moi-même le suggérer, Oskar insistait pour que nous nous rencontrions la veille du concert. J'acceptai bien volontiers et proposai un pub dans le voisinage, endroit miteux sur Whitecross Street où j'étais à peu près sûr qu'il n'y aurait pas un chat.

Mon ami était déjà arrivé quand je fis mon entrée, dix minutes avant l'heure prévue, après avoir mis au point toute une logistique pour être ponctuel. Malgré cela, j'étais certain que ses yeux s'abaisseraient sur sa montre dès qu'il m'apercevrait. J'avais tort. Il regardait fixement sa chope de bière qu'il agrippait nerveusement entre son pouce et son majeur, si bien que la moitié restante de sa bière blonde clapotait contre la mousse grise adhérant aux parois du verre.

J'avais déjà vu Oskar déprimé avant, mais pas depuis l'université. Le souvenir de son inventaire impitoyable de mes défauts lors de ce fameux dîner avait perdu de son acuité, et comme nous nous étions peu vus l'année qui avait suivi, ce dîner mémorable restait l'événement majeur survenu récemment dans notre relation. J'avais sous les yeux l'Oskar angoissé dont je me rappelais pendant les premiers jours où nous avions fait connaissance. À le voir dans cet état, j'oubliai les événements plus récents et fus transporté à l'époque de notre première intimité. Nous étions amis depuis presque dix ans, et je me rendis compte que mon affection pour lui avait survécu à l'horreur de ce dîner.

– Tu vas bien ?

Sa dépression était si démonstrative qu'il était impossible de ne pas la remarquer. Et d'ailleurs, tel était son désir. En réponse à ma question, il haussa les épaules, paumes orientées vers le haut.

– La répétition s'est bien passée. Ils connaissent le morceau. Ils sont parfaits. Et pourtant… Je ne sais pas. Ils le connaissent peut-être trop bien. Mais…

Il marqua un temps d'arrêt. Non pas l'une de ces pauses typiques et laconiques destinées à faire de l'effet, mais l'une de ces coupures provoquées par une incapacité véritable à trouver les mots pour formuler sa pensée dans l'une des langues qu'il maîtrisait, et la lueur de panique surgie dans ses yeux trahit le vide qu'il ressentait. Il ouvrit la bouche, mais rien n'en sortit. L'un des piliers de bar notoires toussa et Oskar tourna la tête dans sa direction, tout en refermant les mâchoires. Puis il dit avec fermeté :

– Je n'écris pas de *jazz* !

Sa phrase, sibylline, me désarçonna momentanément.

– Mais je suis sûr que tout va s'arranger, répondis-je encourageant.

Il me regarda les yeux humides : ou il avait bu ou il avait pleuré. Peut-être les deux.

– Et ton travail, comment ça va ? me demanda-t-il.

– Pas mal. Même si j'avance très lentement. On ne peut pas dire que je déborde d'activité.

En vérité, mon ennui professionnel commençait à se manifester par un manque de dynamisme à trouver de nouvelles missions.

– Dans ton travail, se risqua-t-il en hochant la tête, est-ce que tu as des vacances ?

– En tant qu'indépendant, il m'est facile de prendre des congés, même s'ils ne sont pas payés. En fin de compte, quand je ne travaille pas, c'est parce qu'on ne m'a rien confié de nouveau.

Il hocha la tête une nouvelle fois :

– Est-ce que tu as prévu des vacances cet été ?

– Non.

Anticipant de partir seul, j'envisageais sans grand enthousiasme de lire des livres intelligents dans une ville quelconque d'Europe du Nord, boire des cafés et des bières hors de prix dans des bars tout aussi hors de prix, dans le but de m'extraire de ma chambre d'hôtel également hors de prix. Visites obligatoires aux cathédrales.

– Pas encore.

Oskar étendit les mains sur la table crasseuse et plongea ses yeux dans les miens : le sérieux y avait chassé la vulnérabilité que j'avais entraperçue auparavant.

– J'ai besoin de quelqu'un pour surveiller mon appartement pendant deux semaines, peut-être trois, peut-être un mois. Cet été. Les vols sont bon marché en ce moment. Est-ce que cela t'intéresse ?

Cela m'intéressait.

Des miasmes de spiritueux évaporé flottaient dans le salon, brume d'émanations dilatées, souvenirs agités d'alcool déjà converti en sucre. Le salon puait le vin éventé. Rien à voir avec les traces de sueur laissées par la beuverie de la nuit précédente : j'inhalais quelque chose d'autre exposé directement à l'atmosphère, sans aucun médiateur humain. Je me déplaçai à toute vitesse, comme prisonnier d'un rêve, me sentant à nouveau rétrécir, réduit au rôle de spectateur, tandis que mon corps se lançait en quête de l'origine du problème. Ni chaos ni mystère : quand je découvris le désastre dans la cuisine, le déroulement des événements m'apparut aussitôt. C'était comme voir la scène après sa reconstitution minutieuse par la police scientifique, voir la ficelle colorée reliant les impacts de balle à la position du tireur, fil de récit rattachant mes trouvailles à une explication instantanément évidente des causes et des significations.

Une flaque de vin rouge de trente sur soixante centimètres maximum défigurait le parquet de la cuisine : des filets sombres coulaient jusqu'au pied des placards et le long des lignes de raccord entre les lattes. De loin, j'associai la forme à celle d'une méduse – corps enflé déformé composé d'un amas hostile de morceaux – étirant ses longues vrilles pour s'attaquer aux endroits mal défendus. De cette forme, de cette flaque, de ce réservoir catastrophique divergeaient des empreintes de pattes violettes si nombreuses qu'il semblait impossible qu'elles soient seulement la signature de deux chats.

La scène était statique. Le goulot sans bouchon de la bouteille reposant sur son flanc dans le casier ne gouttait pas. Le lac de vin avait déjà à moitié séché, Aral de couleur rose rétréci, bien en retrait de la découpe de rivages bordeaux qui signalait jusqu'où il avait poussé. L'odeur entêtante d'alcool prouvait qu'une bonne partie du liquide s'était déjà évaporée, laissant juste le pigment dans son sillage. L'accident avait dû survenir des heures auparavant.

Facile d'imaginer le déroulé des événements. Après que j'ai quitté l'appartement la veille au soir – dans mon imagination, juste après avoir fermé la porte –, les chats avaient décidé de reprendre le jeu avec le bouchon qui les avait tant amusés le jour précédent. L'un d'eux (ou tous les deux) – dans mon imagination à nouveau, je les voyais tous deux se liguer contre moi – avait mâchonné ou attrapé le bouchon entre ses griffes. Il n'avait pas dû être si bien poussé que cela : la faute à la femme de ménage ! Puis une goutte de vin, *glouglou*, un torrent gargouillant s'en était échappé… et la bouteille avait déversé la moitié de son contenu. Rien qu'à penser au flot de vin, une nausée remonta et descendit le long de mon œsophage. La suite de la scène parlait d'elle-même : alarmés, les chats s'étaient enfuis comme des flèches, peut-être éclaboussés ; ils s'étaient nettoyés en dessinant des cercles sur le parquet, s'étaient reculés tout vacillants et s'étaient rapprochés à pas feutrés du lac rouge nouveau-né, où le ruissellement de vin s'était réduit à un *flop flop flop*.

Où me trouvais-je au moment crucial, quand le bouchon avait cessé d'adhérer aux parois du goulot, au point de se laisser emporter par le poids du liquide stocké derrière ? Dans la salle de concert ? Après, au bar, à me rafraîchir moi-même le gosier d'un verre de vin ? Après encore, dans le bar à hôtesses, ou quand moi-même je vomissais du vin dans la rue ? Envisageable aussi que tout ait été encore parfaitement en ordre à mon retour dans l'appartement et que l'inondation ait eu lieu pendant mon sommeil. Hypothèse qui me paraissait encore plus terrible, car ce dernier scénario suggérait que j'aurais pu agir pour prévenir le désastre. Même si j'en doutais. Je ne serais allé chercher cette bouteille que si j'avais voulu boire un coup, chose improbable, aussi n'aurais-je pu en rien changer le cours des événements.

Je fixai le parquet saccagé. Impossible de proposer un autre diagnostic. Le vin avait eu largement le temps de péné-trer le bois, de sécher à l'intérieur, de le travailler. Le grand lac était entouré d'empreintes de pattes. Mais qu'avaient donc fait les chats? Ils avaient barboté dedans? Une image s'imposa à mon esprit: la boue piétinée autour du point d'eau dans la brousse desséchée. Les chats avaient-ils étanché leur soif? Buvaient-ils du vin au premier chef? Ou un quelconque alcool? La consommation de vin ne m'avait pas frappé comme une activité de chat, même si je ne voyais pas pourquoi ils n'en boiraient pas. Je visualisai deux chats éméchés, s'amusant à déraper dans la flaque de vin avec force miaulements de joie en se lançant le bouchon mutilé. Rustres avinés dérapant sur le sol humide et lavé d'une gare déserte à Londres aux premières lueurs de l'aube. Le scénario en son entier commença à prendre l'allure d'une farce d'étudiants, avec son lot de vandalisme et de vols couronnés par une débauche d'alcool. Ils devaient probablement être en train de cuver leur vin quelque part. Je souhaitais ardemment que tous deux souffrent d'une terrible gueule de bois pour chats!

Je rejoignis le salon, où un chat, bien sûr, était en train de se prélasser dans un fauteuil. Je le réveillai brutalement. Il me dévisagea d'un œil paresseux. Je m'attendais à moitié à découvrir une tache pourpre éloquente sur ses pattes et autour de sa gueule, mais rien de tout cela! La fourrure autour de ses pattes était noire de toute façon. Aucune séquelle de beuverie, aucun regard alarmé, pas de secousse ni de haut-le-cœur, ni de flaque où surnageraient des aliments pour chat vomis.

Des aliments pour chat vomis. Rien qu'à y penser, rien qu'à en imaginer la consistance et l'odeur, cela me donna la nausée. L'odeur, parlons-en. Pour la connaître, je la connaissais exactement.

C'était celle de la chambre. Elle semblait même s'être encore renforcée derrière la porte fermée, tapie dans l'attente de mon retour. Un chat y avait été malade, pensai-je. Mais où? Son vomi n'était pas visible.

Complètement paranoïaque au sujet de la malice apparente des chats à mon encontre, je m'empressai de vérifier mes chaussures. Mais je les avais mises dehors pour les aérer et il ne m'aurait pas échappé si elles avaient été remplies de vomissures. L'armoire m'apparut brièvement comme une possibilité – possible que le souvenir de la botte en caoutchouc remplie de pisse m'ait poussé à vérifier –, mais même dans l'hypothèse fort improbable où l'animal aurait réussi à en ouvrir la porte pour y pénétrer, je doutais de sa capacité à la refermer quand il en était ressorti. En plus, la puanteur n'assaillirait pas autant ma gorge si elle provenait de là.

Non, je connaissais sa provenance et tombai sur les genoux pour vérifier sous le lit. Au moment où je descendais la tête, l'afflux de sang déclencha une forte douleur, sac de sable humide lâché sur mon cerveau. Le dessous du lit n'était pas assez éclairé pour que j'y voie quoi que ce soit – je n'y distinguai que des tas de journaux, rien de plus –, mais la puanteur qui pénétra avec force mes narines valida mes doutes. L'un des chats s'était trouvé malade là-dessous.

Au moment de me relever, un vertige couvrit d'étoiles mon champ de vision. Sourdait de mon corps une tension raidissant mes muscles et m'enserrant le torse dans un étau. J'avais passé les dernières minutes – minuscule quantité de temps qui semblait désormais s'étendre pour englober des semaines et des mois, tant était éloignée l'époque antérieure à ce matin – dans un état de paix totale, irréelle. S'il m'était impossible de détricoter l'enchaînement des événements, l'action s'imposait. Avec une réaction adéquate. La réalité me frappait de plein fouet.

La cuisine d'abord. La tache allait peut-être pouvoir partir facilement, m'encourageai-je. La chambre pouvait attendre ; au moins le désastre n'y était pas visible.

Le désarroi s'abattit instantanément sur moi à la vue du lac de vin. Comment avais-je pu le considérer avec autant de calme ? Un lac ? Que dis-je ? Un océan ! L'époque d'avant la bouteille renversée – ère antérieure au déluge – était si récente, et pourtant, elle était déjà révolue, âge d'or que j'avais connu sans réaliser que c'en était un.

Avec l'économie de gestes qui semble s'imposer naturellement à celui qui souffre de gueule de bois – tout mouvement lui coûte –, je relevai le goulot de la bouteille ouverte afin d'éviter tout nouvel écoulement, et la sortis du casier pour la poser sur le plan de travail. Ma première idée fut de mettre la main sur le bouchon pour l'y enfoncer, mais la mauvaise humeur et le regret fondirent sur moi et je versai le reliquat dans l'évier.

Je passai un essuie-mains sous le robinet, l'essorai et m'en servis pour éponger la flaque centrale encore humide. Une grande partie du vin séché disparut. Mais malgré cette bonne nouvelle, je savais qu'il n'y aurait pas de miracles : la tache était là pour rester ! Je rinçai le chiffon, le tordis et m'en revins à mon nettoyage. La seconde phase marqua la différence. J'essuyai les longues traces grêles laissées sur les lattes par la gravité en d'imperceptibles gradients, fis la chasse à d'invisibles vallées définies par des changements incroyablement subtils d'élévation, jouai du coude, donnai de petits coups et me concentrai sur des endroits créés par les caprices secrets de la tension de surface. Tout ce qu'un chiffon mouillé pouvait retirer de vin avait dorénavant été essuyé. Restait le substrat : la tache. Car *elle* n'avait pas disparu, manifestation physique d'un événement auréolé désormais d'un retentissement pratiquement métaphysique, dessin à la craie tracé autour du cadavre de mon amitié pour Oskar, ombre portée sur aujourd'hui par la confrontation qui, dorénavant, se profilait dans le futur.

Et cependant la tache en soi – ses proportions et son intensité encore assombries par la surface humide en train de sécher tout autour – ne me donnait pas l'impression de me renvoyer de la malveillance. Au contraire, c'étaient les lattes qui irradiaient d'hostilité envers moi, et cette dernière remontait en suintant, comme du radon ou de la moisissure. C'étaient elles, pas la tache, qui me donnaient du fil à retordre ! Elles qui aspiraient de plus en plus profondément du rouge dans leur substance, comme des martyrs passifs-agressifs. Si à la place il y avait eu du lino, ou même du bois verni, cette catastrophe ne serait jamais arrivée. C'était Oskar qui voulait que ce soit ainsi, car tout devait être parfait avec lui. C'était lui qui voulait ce type de bois, car toute autre essence se serait avérée aussi catastrophique qu'une fausse note. Il fallait l'équilibre parfait, toujours, sur la corde raide, sans s'octroyer la moindre petite marge d'erreur. Une telle calamité n'était-elle pas inévitable, si on lui en laissait le temps ? Ne le savait-il pas ? Ses précieuses lattes si délicates avaient leur destin écrit dans leurs fibres absorbantes.

Au moins, la situation n'empirait pas. J'avais épongé la flaque encore liquide, dont rien ne pouvait, de façon irrémédiable, aller encore se mélanger au bois. Restait à m'attaquer au problème de la chambre, cependant, avec son dépôt sous le lit. Beuverie de chat, purge de chat. Même si je me trouvais dans l'impossibilité de rassembler en moi le courage de m'y attaquer. Les jambes lourdes, je me traînai jusqu'au sofa où je m'assis.

La migraine s'agitait en moi et la nausée bougeait comme de la crème renversée sous un film alimentaire.

J'étais fatigué! Je voulais dormir. Sauf que pour cela, il me faudrait me confronter au problème sous le lit. J'étais exilé. Ma tête s'affaissa et roula entre mes mains. J'avais une longue liste de tâches à accomplir, liste qui semblait ne jamais devoir se raccourcir, inventaire d'actions requises pour commencer à redresser légèrement la situation. Cependant, l'énergie me manquait. Il y avait autre chose encore, barrière psychologique qui m'empêchait d'agir, telle une cloison rendue étanche par la pression accumulée derrière elle. Je ne voulais rien faire de plus. N'étant pas responsable des dégâts, je ne voulais pas être celui qui les réparerait. Même si j'essayais, même si je m'y investissais de mon mieux, je savais que je ne pourrais y réussir complètement. On avait commis des dégâts, brûlé le pont. J'étais exilé : du lit, d'Oskar, de l'état de grâce de l'appartement.

Je pourrais l'appeler. Oui, j'avais encore ce recours. Je pourrais l'appeler et lui expliquer ce qui était arrivé. *Oskar, il y a eu un accident...*

– Merci beaucoup pour ton aide. Tu es un véritable ami.

Le soulagement d'Oskar quand j'avais accepté de m'occuper de son appartement avait été palpable, effervescence transperçant son humeur morose.

– Je ne me sens pas à l'aise de laisser l'appartement si longtemps, surtout avec les chats...

L'évocation des chats le transporta momentanément ailleurs ; je me demandai s'ils seraient difficiles à garder.

Un sourire modeste m'échappa, tout à la joie de la flatterie que je venais de recevoir pour ce qui m'apparaissait comme une vraiment bonne affaire.

– Je suis heureux de t'être utile. Est-ce que tu vas voir Laura?

Instantanément, la lumière disparut de son visage comme une ampoule qui éclaterait.

– Oui, répondit-il avec brusquerie.

Son retour soudain à la mélancolie m'alarma. J'avais raté quelque chose et tout foiré, pensai-je. Une parole déplacée peut-être…

– Excuse-moi… commençai-je automatiquement sans savoir vraiment ce pour quoi je m'excusais.

– Non, non, protesta Oskar en agitant les mains et en m'adressant un pâle sourire. C'est moi qui suis désolé. Je vais t'expliquer. Je vais à Los Angeles pour divorcer. Nous divorçons.

Silence. Long. Et puis :

– Oskar, mais c'est terrible. Je suis vraiment désolé.

En réalité, j'étais empêtré dans mes émotions. Ce n'était pas que j'étais heureux de voir Laura sortir de la vie d'Oskar. Non, je ressentais un mélange de sympathie pour mon ami et d'une espèce d'intérêt sauvage et euphorique que nous ressentons tous quand un sale coup frappe un proche – joie folle devant l'occasion qui nous est donnée de nous lancer dans un safari émotionnel, pendant la durée de la conversation, et puis de nous retirer sous des cieux plus cléments sans implication durable. Ces sentiments s'accompagnaient de la peur aiguë de ne pas manifester la réaction appropriée, et de l'horreur, typiquement britannique, devant l'éventualité que quelqu'un se mette à pleurer.

– Je ne sais pas si c'est terrible, répondit Oskar. C'est très triste pour moi. Bien sûr. Mais c'était trop compliqué. Elle, dans un pays, moi, dans un autre. Et la distance rendait les choses difficiles quand nous nous retrouvions. Nous nous disputions. Je n'aime pas Los Angeles. C'est le chaos. Et elle déteste mon appartement. C'est un mystère pour moi, car tu vas voir comme il est joli. Et grand ! Trop grand pour moi, raison pour laquelle j'ai les chats. Et maintenant, je découvre qu'il est trop grand pour moi, mais trop petit pour nous deux. Tout seul, j'y souffre de solitude, mais j'étouffe quand nous y habitons à deux. Peut-être est-ce comme la vie.

– Je n'ai jamais eu de relation avec quelqu'un qui habite loin, dis-je, mais je sais que vivre ensemble peut être difficile.

– Difficile ! s'exclama Oskar qui entra dans une rage folle après que j'eus prononcé le mot. Oui, c'est ce qu'on dit. Et pourquoi ça devrait être difficile ? Ceci est difficile, cela est difficile. C'est un alibi pour tout rater, pour mal se comporter. Ce n'est pas difficile, cela ne devrait pas l'être ! Tant qu'il y a des règles, que les gens passent des accords et savent comment se comporter, tout devrait être facile.

Au bar, un ivrogne sorti d'un roman de Dickens se mit à tousser et à se racler la gorge. Oskar avait terminé sa bière et ce qui restait de la mienne était tiède. Je lui proposai de lui en offrir une autre. Il accepta.

– Oskar, il y a eu un accident, dis-je tout fort.

Le chat sur le siège en face de moi leva la tête, comme pour demander : Ah bon, et qu'est-ce qui est arrivé ?

– Oskar, il y a eu un accident, répétai-je. Du vin… en assez grande quantité… a été répandu…

Non, pas bon. Éviter la forme passive : il allait automatiquement jeter le blâme sur moi ! Ce qui n'était pas juste, car je n'y étais pour rien.

– Oskar, il y a eu un accident. Les chats ont renversé du vin sur le parquet.

Pas bon non plus. Cela avait l'air absurde. Je le voyais hausser un sourcil, charger de tension sa lèvre supérieure, j'imaginais le son que ces micromouvements produiraient sur la ligne téléphonique au départ de Los Angeles. J'entendais son « oh » sceptique, syllabe chargée de tant d'acide qu'il rongerait le plastique isolant des câbles de communication en cuivre. Il penserait à un mensonge. Il me faudrait entrer dans les détails – la femme de ménage qui avait oublié de pousser le bouchon à fond, ma sortie tardive. Je devrais blâmer tout le monde, sauf moi, comme un adolescent incapable d'accepter la responsabilité de ses actes. Mais c'était de leur faute, je n'étais pas responsable !

Quelle injustice !

Je raidis le dos et ployai les épaules. Peu importait la personne à blâmer dans cette affaire, dorénavant la responsabilité de la régler m'incombait. Ici, c'était moi l'adulte. Ce n'étaient pas les chats qui allaient enfiler les gants de vaisselle. D'ailleurs, si le bazar sous le lit rivalisait avec celui de la cuisine, j'allais vite atteindre mes limites.

Quand je me levai, le chat dans le fauteuil m'imita et s'étira. Devant la petite pirouette dont il me gratifia, la colère reflua en moi et je passai la main le long de son échine.

– Allez, tu es encore mignon ! (L'animal me jeta un coup d'œil et se tortilla de plaisir.) Où est passé ton petit copain ?

Il ne réagit pas et frétilla, ravi, sous ma caresse.

J'allai chercher des feuilles de papier journal, des gants en caoutchouc, l'essuie-mains humide et une jatte d'eau chaude mélangée à une giclée de liquide vaisselle. L'odeur m'attendait, tapie derrière la porte de la chambre tel un agresseur. Je traversai la pièce jusqu'aux portes-fenêtres et les ouvris tout grand, regrettant de ne pas y avoir pensé plus tôt. Mais avant j'étais en train de mourir, pas de penser. Frais et revigorant, l'air urbain s'engouffra, chargé de gaz d'échappement délavés par la pluie aussi doux que du Chanel N°5. J'enfilai les gants et me saisis du pied de lit. Il se détacha du mur sans problème, modérément lourd, et glissa sur le parquet sans l'érafler. Une fois les tables de chevet hors de danger, je le poussai jusqu'au mur opposé.

En dessous, à ma surprise, je découvris une mare éclatante aux couleurs gaies et innocentes – bleu, jaune, rouge, pourpre et beaucoup de rose. Le souffle du vent de la rue souleva les magazines, brise-vent enjoués disposés sur une plage festive et polychrome. Sous mes yeux s'étalait un tas désordonné de, peut-être, quatre ou cinq douzaines de revues pornographiques.

Au milieu des tons couleur chair, de la mise en page médiocre et des empreintes de doigts fureteurs, des sourires idiots nouèrent une complicité avec moi. Bouche bée, je tremblais d'une peur inattendue que je n'avais pas connue depuis l'adolescence, mais qui était vite revenue, avec la même fraîcheur qu'auparavant : la peur de voir mes parents entrer. Puis je laissai une autre sensation plus familière et banale, mais tout aussi inattendue, me submerger : l'hilarité. Je me mis à rire. J'éclatai de rire.

– Vieux dégueulasse ! gloussai-je.

Des sourires complices partagèrent la plaisanterie sans la comprendre.

Le vomi – jolie flaque discrète de couleur pourpre tirant vers le gris – n'avait endommagé que quatre ou cinq des magazines. Ce que l'on pourrait appeler une critique journalistique sans détour ! Très concentré, je réussis à envelopper les déjections dans les magazines affectés, avec l'idée de jeter le tout dans la poubelle de la cuisine. Tout en marchant avec, cependant, les bras tendus au maximum, je fus la cible d'une nouvelle attaque de la puanteur qui se dégageait de ces langes d'exhibition sexuelle. J'ensevelis le tout au plus profond de la poubelle, impuissant à prévenir un accès de toux nauséeux. Puis, craignant que l'odeur n'imprègne la pièce, je sortis le sac-poubelle noir, lui tordis le cou et l'attachai solidement.

Tout en contemplant le nœud du sac et la fleur noire écrasée qui s'ouvrait lentement au-dessus, je continuais d'inhaler les miasmes en suspension dans l'air. Était-ce à dire que le nœud n'avait pas encore été serré assez fort et que des molécules intestinales continuaient de grouiller et de remonter, prenant résolument d'assaut l'air embaumant le café dans la cuisine design de moins en moins parfaite d'Oskar? D'un seul coup, je me remémorai le vide-ordures.

Le palier était plus frais que l'appartement et l'ouverture de la porte d'entrée créa une sorte de sensation de décompression. Je m'attendais à moitié à ce que la porte siffle comme un Tupperware. L'air à l'intérieur et à l'extérieur, les tons gris océan des murs peints, la dureté de l'écho généré par le carrelage au sol et les marches en pierre me rappelèrent l'école, époque antérieure aux panneaux de fibres composites high-tech et aux stratifiés de couleurs vives. Le fait est que ce vide-ordures infantilisait dans sa façon d'avoir été conçu pour des utilisateurs plus grands et plus forts, avec son grincement qui évoquait la plainte d'un vieillard et son claquement brutal qui me poussa à vérifier mes doigts. Le type de truc que les parents interdisent à leurs enfants. Et, comme pour tous ces trucs interdits, le fait qu'il aidait aux disparitions accroissait encore sa magie. Même le bruit de chute du sac, en admettant qu'il y en ait eu un, fut étouffé par le grincement et le claquement du vidoir.

Mais ce couloir tranquille résonna d'un autre son pendant que je retournais à l'appartement de mon ami. À l'étage inférieur, une poignée se tourna avec la plus extrême prudence et une porte s'ouvrit. Je m'immobilisai, en attente de pas, de voix, d'un cliquetis de clés: des bruits de voisinage quoi! Mais rien de tout cela n'arriva! Et moi d'arrêter de respirer.

Puis j'entendis vaguement une charnière grincer et la porte se refermer tout doucement. Je claquai celle d'Oskar dans mon dos, claquement équivalant à un coup de semonce.

De retour à l'intérieur, l'air s'était allégé. Dans la chambre, le lit était encore poussé de côté et la pile basse des magazines pornographiques s'étalait, dans le plus simple appareil, au milieu de la pièce. Quel coquin, cet Oskar! Qu'est-ce que j'étais content, vraiment très content, d'être tombé par hasard sur ce tas! D'habitude, la découverte d'une collection de ce type chez un ami m'aurait embarrassé et donné envie de tout ranger et de dissimuler les indices de mon passage. Mais cette fois-ci, pas le moindre embarras, pas pour Oskar. J'étais ravi: il était humain après tout! Si j'interprétais ses sorties nocturnes avec Michael comme la conséquence de la pression exercée par ses pairs, il ne faisait aucun doute que ce que je découvrais ici ressortissait du désir privé. Si privé, en réalité, que je n'avais pas l'impression d'avoir affaire à Oskar. La situation dans son ensemble lui ressemblait tellement peu! Étrange tout de même qu'il garde ce type de magazines, alors qu'Internet offrait un choix pixelisé et pour tous les goûts de ce genre de trucs. Même si je n'avais pas vu d'ordinateur dans l'appartement, j'étais sûr qu'il avait un portable discret quelque part. Mais ces considérations mises à part, sa collection était aussi très mal rangée... Les numéros s'étalaient en désordre sur le parquet et chacun pris individuellement présentait un ramassis de camelote lamentable – bon marché, tapageuse, sans attrait. La pornographie d'Oskar n'avait jamais figuré dans mon inventaire imaginaire de ses possessions, mais je pouvais me figurer très exactement ce à quoi elle devait ressembler – de délicieux modèles allongés de façon convenable sur des meubles de designers choisis avec soin, photographiés en noir et blanc par des artistes (hommes et femmes) traitant leur sujet avec le même détachement professionnel que pour aborder la tour Eiffel ou un arrangement floral. En suivant la pente de mon imagination, avec un bond créatif, je pouvais me figurer Oskar concentré sur des photos publiées dans des magazines de luxe qui auraient reproduit les mises en scène pornographiques des moments les plus torrides des grands opéras.

Mais pas ces cochonneries explicites. Je m'accroupis pour mieux regarder et me saisis du titre le plus proche avec le soin bienveillant d'un naturaliste choisissant le spécimen d'une nouvelle espèce étonnamment laide et peut-être venimeuse. Le papier fin et brillant me collait un peu aux doigts, tout en étant impatient d'échapper à mon emprise. Je comprenais pourquoi on accusait ce type de publication de traiter les femmes comme des morceaux de viande. Loin d'être une figure de style, il fallait prendre l'expression au pied de la lettre. Les femmes représentées constituaient le trajet le plus court entre deux points, tentative pour rendre la chair instantanée, dépouillée de son habillage social et réduite à sa plus simple expression. Et ce n'était pas n'importe quelle chair : seulement les morceaux de choix ! Ceux-ci étaient immanquablement présentés à l'appareil photo sous l'angle le plus direct dans un vocabulaire d'étalage sexuel simplifié. Les visages arboraient deux expressions pratiquement universelles : le sourire et l'ennui. Quand d'autres réussissaient à passer le filtre du directeur du service photo, c'était une surprise rare – éclair de sincérité bien plus révélateur que n'importe quelle nudité. Expression interrogative, timide, pleine de doutes, d'intérêt.

Quand les yeux des filles croisaient ceux de leurs voyeurs avec quelque chose à communiquer, il devenait difficile de soutenir leur regard. Même celles qui étaient dénuées d'expression, je n'avais pas envie de les fixer. La répétition monotone des mêmes poses roses les rendait invisibles. L'œil glissait de côté et des détails de l'arrière-plan sautaient au premier plan. Et ce que l'on y découvrait était bien pire.

Ces beautés effrontées batifolaient dans le temple du mauvais goût. Dans les décors où elles se prélassaient s'entassaient rotin, velours, têtes de lit rembourrées, empreintes d'animaux, fausse fourrure, plantes artificielles et skaï. Une mise en page bâclée enserrait les photos. Avec mon expérience des publications dans les conseils municipaux, je pensais avoir assisté au pire quand des outils informatiques puissants appliqués à l'édition de documents tombaient entre des mains inexpérimentées. J'avais vécu, semblait-il, au paradis des imbéciles. Ici se succédaient de frêles caractères bâton insipides pollués d'espacements fautifs et de formats automatiques, par endroits si serrés que les lettres, les mots et les phrases s'assemblaient dans des filaments uniques de texte, et ailleurs justifiés de façon tellement aberrante qu'un seul petit mot s'étalait sur toute une colonne. Les gros titres apparaissaient en cursive rose saumon des plus kitsch, le comble de la laideur sur fond blanc, et complètement impossible à lire dans les photos. Ces éléments typographiques s'entassaient dans des encadrés tapageurs de traviole. La négation de tout graphisme commandait une sorte de respect pervers, et il était difficile de saisir l'espèce de génie inversé auquel il fallait recourir pour que chaque élément de la composition soit parfaitement bousillé de la dernière marge perdue à la dernière ligature. Peut-être, pour Oskar, là se trouvait la partie vraiment pornographique : le côté adorable de ces jolies filles dévêtues mis au diapason de la laideur accablante qui les entourait. Peut-être était-ce ça, son truc : la tache de transpiration qui souille un sofa en vinyle couleur vert avocat.

Une pensée troublante me traversa. Allait-il regretter les magazines que j'avais été forcé de jeter ? Tenait-il un compte précis de sa petite bibliothèque ? Cela lui ressemblerait assez de garder des archives mentales exactes des titres en sa possession, mais alors pourquoi ne pas classer les magazines par ordre chronologique dans une série de coffrets, au lieu de les entasser sans système évident ni soin ? Allait-il remarquer que j'en avais « subtilisé » quatre ? Si c'était le cas, un choix de réactions limité s'offrait à lui, car il ne pourrait en reconnaître la perte sans admettre en premier lieu qu'il en était le propriétaire. Et d'ailleurs, la disparition de ces magazines n'était rien, comparé à la destruction du parquet.

D'une certaine façon, j'étais libre d'agir à ma guise avec la pornographie. Si le glas de notre amitié était en train de sonner, si nous étions simplement en train de compter les heures qui restaient avant qu'Oskar ne m'accable de son mépris pour mes agissements – ou plutôt pour les événements qui avaient eu lieu pendant que je gardais son appartement –, il serait intelligent de vider les lieux en sachant que j'avais laissé des signes qui montraient que j'avais découvert sa collection. Je laisserais des preuves comme quoi j'avais trouvé le défaut dans sa cuirasse. Je rapprochai donc les magazines de moi et commençai à les ranger par ordre chronologique.

Un morceau de papier apparut immédiatement, coincé dans le tas sur son côté de lit. Avec son écriture :

Tu devrais respecter mon intimité. Mais je m'attendais à ce que tu fourres ton nez un peu partout. Comme tu peux le constater, nous sommes tous humains...

N'oublie pas de nettoyer tes pollutions.
Oskar

Je dus relâcher la tension avec laquelle je tenais la note, car elle s'échappa de mes doigts pour aller sur le sol taquiner des moutons paresseux.

Je voulus déglutir, mais ma bouche s'était à nouveau transformée en désert acide. À cause de la déshydratation, conséquence de la gueule de bois et, aussi, des battements assourdis qui cognaient dans ma tête. J'avais besoin d'un verre d'eau. Je me levai, mais vacillai sur mes genoux en coton.

Avec plus d'efforts que nécessaire, je réussis à gagner la cuisine. Quand le chat sur le siège m'entendit entrer, il sauta et commença à pousser des miaulements sonores, tout en assénant des coups de tête à mes jambes soudainement affaiblies. Je pris conscience que l'après-midi était déjà bien entamé et que je ne les avais pas nourris. Qu'ils aillent se faire foutre, pensai-je, ils peuvent attendre, un peu de retard ne va pas les tuer.

J'ouvris le robinet avec force et le jet d'eau remplit rapidement mon verre, éclaboussant au passage ma chemise et le parquet. Après avoir refermé, je restai près de l'évier, jambes tremblantes, souffle lourd.

Il n'y avait pas que la déshydratation. J'étais en colère, plus qu'en colère, furieux, tremblant de rage.

Mais comment osait-il? Comment osait-il supposer que je regarderais? Ce ton – cet air affecté de tolérance lasse, un adulte s'adressant à un enfant. Quant au côté vexant de «N'oublie pas de nettoyer tes pollutions», je n'oubliais pas que la seule raison pour laquelle il m'avait fait venir ici était pour nettoyer les déjections de ses animaux. C'étaient *eux* les incontinents, c'était *lui* qui se tapait du porno, et cependant, j'étais celui dont on attendait qu'il se sente coupable!

Le chat continuait de me donner de petits coups de tête dans les jambes. Je baissai les yeux sur lui et il me renvoya un regard implorant. Pendant un moment, je le détestai et méprisai sa dépendance envers moi. Mais même s'il avait tort de se manifester, il restait mignon. Je me penchai pour le caresser et il se dressa sur ses pattes arrière pour se rapprocher de ma main.

– C'est toi qui as dégueulé sous le lit? (Il feignit de ne pas avoir entendu ma question.) Je te donnerai ta pâtée quand j'aurai nettoyé la chambre.

N'oublie pas de nettoyer tes pollutions. C'était ce à quoi je n'allais pas manquer de m'employer. Ce que je détestais par-dessus tout dans sa note, c'était qu'il ne savait pas si je fouinais ou pas. Il avait été content de m'accuser par écrit d'envahir son intimité, certain que je ne mettrais pas à nu le mépris qu'il me vouait si je ne découvrais pas sa réserve de porno et, apparemment, sans même considérer que je pourrais tomber sur le tas sans intention de fouiner. Eh bien, j'étais tombé dans son petit piège sans avoir eu l'intention d'être indiscret, chose qui lui semblait apparemment impossible. J'avais en plus jeté les magazines endommagés, aussi ne m'était-il plus possible de prouver comment j'étais tombé sur sa collection; et, pensai-je, je ferais aussi bien d'éradiquer tout doute qu'il pourrait avoir sur le fait que je l'avais découverte ou pas. Je voulais m'assurer qu'il saurait que je savais.

Je revins à la chambre et entrepris de ranger méthodiquement les magazines par titre et date… et aboutis à six jolis petits tas. D'abord, j'avais envisagé de les laisser bien rangés sous le lit, mais désireux qu'Oskar apprécie mon effort à sa juste valeur, je me mis en quête de dossiers et de chemises. J'étais pratiquement certain d'en trouver dans son bureau.

La porte de la pièce où Oskar composait sa musique était entrouverte et l'action de la pousser dérangea l'air immobile. Une nouvelle fois, je fus frappé par la paix et le calme concentré qui y régnaient, et l'illusion qu'elle entretenait de se tenir à l'écart du reste de l'appartement. Elle n'avait pas été contaminée par l'énergie bruyante de mon débordement d'activités dans les autres pièces ; le brouhaha de la rue y parvenait étouffé. Même la lumière y était différente, oblique de façon plus attrayante, mise en italique pour se faire remarquer, douce et pâle comme le vélin, animée par les volutes de poussière s'élevant des rames de papier. La pièce était reposante, tout en étant pleinement éveillée.

Néanmoins, à mon entrée, un détail inexplicable m'interpella. J'avais oublié… Cela m'avait échappé. Mon pouls s'emballa. M'étais-je rendu dans cette pièce la nuit précédente ? Je reniflai l'air… où flottait… quelque chose. Mes yeux se concentrèrent et entreprirent de passer en revue tous les détails. Et je m'arrêtai. J'y étais venu. Je devais être très saoul, car selon toute apparence, j'avais retiré mes chaussettes que j'avais suspendues au bord du piano. J'avançai pour les récupérer.

Ce n'étaient pas mes chaussettes. C'étaient des pieds. Des pieds avec des pattes et une queue. Le couvercle du piano béait sur quelques centimètres… et c'était le corps de l'un des chats qui le maintenait ouvert, avec son arrière-train poilu suspendu à l'extérieur. Le reste était caché à la vue, mais les pattes relâchées, la lourde queue droite et l'angle dévoyé de son échine, là où s'était abattu le couvercle du piano, ne laissaient pas de place au doute : il était mort.

Je m'avançai lentement et passai le revers de mes doigts sur l'une des pattes ballantes. Sa fourrure était encore douce, mais froide, malgré le soleil. Moi aussi, j'avais froid et frissonnais devant l'énormité des responsabilités qui m'incombaient.

Rien n'arriva pendant un court moment ; je le sais, parce que je me tenais là, observant que rien n'arrivait.

Pas de redressement soudain de pattes, ni d'enroulement de queue, ni d'afflux de chaleur dans ces flancs tristes. Le chat resta mort. Toute possibilité de changer cette fatalité s'était évanouie, chaîne de bulles explosant dans le sillage d'un transatlantique au départ, et l'extrémité blanche de la queue pointait, droite, vers le bas, poids arrêté d'une horloge arrêtée.

Le couvercle du piano s'était abattu sur le chat et lui avait brisé l'échine. C'est qu'on l'avait laissé ouvert – *je* l'avais laissé ouvert. Le chat avait dû faire un bond qui avait bougé la béquille maintenant le couvercle ; peut-être s'était-il frotté contre elle. Caricature d'ivrogne se soutenant à un lampadaire. Bang. Et en combien de temps tout cela ? Pas de sang à l'extérieur, pas d'égratignures. Eh bien, restait à déplacer le cadavre. Une révision mentale s'avéra nécessaire : il *me* fallait déplacer le cadavre. Impossible de le laisser ainsi. Pour le mettre où ?

Et Oskar dans tout cela ? C'est sûr qu'il ne serait pas content que j'aie… que le chat soit mort. Dire qu'il avait tout prévu depuis le début ! Je n'aurais pas dû jouer avec le piano. Puis le souvenir me revint que j'avais laissé la béquille parce qu'il m'avait appelé. S'il ne s'était pas montré pressant pour m'envoyer au concert, tout cela ne serait peut-être pas arrivé. Et si le chat était éméché au moment de l'accident, alors la femme de ménage devait aussi prendre sur elle une partie du blâme, car elle n'avait pas vérifié si le bouchon était bien enfoncé avant de coucher la bouteille dans le casier. Et c'était avant que nous en arrivions aux chats eux-mêmes, cette paire de saboteurs à moustaches. Si vous voulez partager votre univers avec des animaux stupides, il faut accepter l'idée qu'ils vont agir avec stupidité.

Or l'animal stupide était désormais mort. J'écartai la question de savoir ce qu'Oskar voudrait me faire à moi, et me demandai à la place ce qu'il voudrait faire du corps. L'enterrer? Où? Question absurde, il n'y avait pas de jardin et je n'allais pas m'aventurer dans un parc avec un chat mort et une pelle. Mais fallait-il que ce soit *moi*? Peut-être Oskar voudrait-il lui-même s'occuper des obsèques. Auquel cas Minou irait directement au congélateur. Sans exposition solennelle sur le plan de travail de la cuisine. Et imaginez son retour au bercail, après que j'ai moi aussi laissé des notes – *un accident... pas sûr de ce qu'il fallait faire... vol à prendre...* Avec, peut-être, une note sur le sac contenant la carcasse, comme une étiquette pour identifier un reste de ragoût. Étiquettes qui, par ailleurs, se décollaient tout le temps. En outre, je n'appréciais pas l'idée de côtoyer le corps enfermé là-dedans pendant mon séjour ici. Était-ce hygiénique de garder un chat mort dans le congélateur? Bien sûr, je pourrais l'emballer dans un sac-poubelle, mais était-ce hygiénique d'y conserver un sac-poubelle?

Bien sûr que ça l'était. Je me secouai pour interrompre le cours de plus en plus fou de mes pensées et marchai jusqu'à la fenêtre, histoire de détourner les yeux des petites pattes poilues. Bien sûr que c'était hygiénique de mettre un sac-poubelle dans le congélateur, on ne les achetait pas dégoulinant de saleté. C'était parfaitement hygiénique, même si après utilisation, cela ne l'était plus. C'était bien l'avantage de vivre dans un immeuble comme celui-ci, pensai-je, de ne pas avoir à sortir les poubelles.

Je pourrais jeter le chat dans le vide-ordures. De cette façon, il se contenterait de disparaître. Oskar n'aurait pas à savoir comment il était mort – et moi non plus d'ailleurs. Il n'était pas rentré un matin. Bien triste. Peut-être avait-il été écrasé par une voiture? Même pas besoin de le glisser dans un sac-poubelle. Ce serait d'ailleurs mieux – si on le découvrait dans la benne à ordures, cela ne semblerait pas louche. Ce serait comme s'il était tombé de quelque part ou que quelqu'un l'avait trouvé pour l'y jeter. Vraiment, prendrait-on la peine de dépêcher la police scientifique ? En outre, je n'avais rien à me reprocher. Ce n'était pas comme si c'était moi le tueur.

Ce serait donc le vide-ordures. Sauf, bien sûr, s'il avait laissé des traces à l'intérieur du piano. Des scènes de crimes épouvantables dégoulinantes de sang et de vomi traversèrent mon esprit. Avec des traces, la messe était dite.

Je glissai le doigt sous le couvercle du piano, me servant de l'interstice créé par le corps coincé. Puis je soulevai le couvercle.

Le chat bougea. Je le vis soulever ses pattes de devant et commencer rapidement à glisser hors du piano. Sa tête se redressa. La panique m'assaillit et je refermai brutalement le couvercle sur le cou et les pattes de devant de la bête et… la partie charnue de mon pouce. Les cordes et les marteaux ébranlés de l'instrument de musique produisirent un accord grinçant infernal et une douleur atroce remonta dans mon bras, telle une décharge électrique. Le sang résonna dans mes oreilles, de la même façon que l'écho du claquement retentit dans la petite pièce, et mes genoux vacillèrent. J'ai dû crier. Une giclée d'acide me monta à la gorge.

Le poids du couvercle avait retenu le chat, l'empêchant de tomber sur le parquet. Désormais, le couvercle le maintenait à nouveau, cette fois parce que je faisais pression dessus, mon pouce souffrant abominablement en dessous. Soulever le couvercle, ou même relâcher la pression au-dessus, aurait précipité le chat au sol, acte insupportablement profane. Or il me fallait libérer mon pouce. La seule possibilité qui me restait était d'agripper l'animal, ce à quoi tout mon corps s'opposait. Mais mon doigt écrasé ouille aïe ouille…

J'attrapai de ma main libre l'une de ses pattes arrière. Sa fourrure me donnait la sensation d'être fausse, son membre froid et fin. Sans raison précise, je craignais que le corps ne se désagrège, me laissant entre les mains des intestins et des lambeaux de muscles. Je libérai mon doigt et le corps glissa hors du piano, tirant violemment sur mon bras.

Avec un cran inattendu, je soulevai le chat au-dessus de ma tête afin d'inspecter son museau. Une perle de sang noir avait séché sous son nez et des striures violettes coloraient la courte fourrure blanche près de sa gueule. Sa première boisson… et la mort au tournant !

Les oreilles aux aguets, j'entrouvris la porte de l'appartement, feu Minou dans le dos. La cage d'escalier fraîche dans l'air immobile. Si mes voisins étaient chez eux, quel calme : ni crépitement de télévision, ni musique, ni tintement de vaisselle, ni cris d'enfants. Il me traversa l'esprit que je n'avais vu ni entendu personne dans l'immeuble depuis mon arrivée. Comme s'il avait été abandonné. À l'exception de la femme de ménage.

Où était-elle ? Pas un bruit, pas un mouvement. J'avais le vide-ordures en point de mire, avec sa trappe d'évacuation en métal usé dont la peinture s'écaillait sur le pourtour : comme une porte de prison ou une machine à laver de laverie automatique. Ce qui me remémora celles de l'université au sous-sol, mornes, quelque peu militaires ; la puanteur chimique qu'elles dégageaient ; le tonnerre, ainsi que la chaleur torride qu'elles produisaient dans les entrailles de l'immeuble, métamorphosant ce petit local mal ventilé en sauna. De l'eau gouttait du plafond, recouvert d'une couche brillante de peinture jaune et blanche au début de chaque année, et d'une éruption croissante de moisissure noire à la fin. Pas de sèche-linge : on séchait sa lessive comme on pouvait dans sa chambre, l'infectant d'humidité. Quant à la mienne, elle restait le plus souvent entortillée dans son sac en plastique humide, terreau propice pour les champignons. De quel regard Oskar fusillait le cube rose et blanc de ce sac! Et aussitôt son nez se plissait pour sentir si l'air contenait de la moisissure.

Pourquoi ces souvenirs maintenant? Procrastination proustienne. Je calais. Pas un chat dans le couloir, sauf Minou dans le dos. Le moment propice pour me débarrasser de son cadavre dont ma main avait désormais réchauffé la fourrure et la chair de la patte. On aurait dit un os acheté chez le boucher.

Le moment propice. Si j'attendais encore, la chance allait tourner. Sur-le-champ.

Non.

J'avais en point de mire le vide-ordures sur le palier entre les étages. Je savais exactement le temps qu'il me fallait pour l'atteindre et y accomplir mes petites affaires. Peu de temps en vérité. Je pouvais le décomposer en un nombre d'actions restreint, chacune une peccadille: pousser la porte d'entrée, me propulser en une vingtaine de pas rapides, baisser le vidoir d'un bras, hisser le chat de l'autre, relâcher l'un, puis l'autre. Ou je pouvais faire le poireau au même endroit toute la journée, un cadavre au bout du bras.

Sur-le-champ sur-le-champ sur-le-champ.

Un poids de plomb se balançant dans le creux de ma poitrine marquait le rythme, tandis que je franchissais le seuil de l'appartement et descendais les escaliers, le cadavre se balançant par contamination lui aussi contre moi. Je ne voulais pas le regarder, pas pendant ces dernières secondes ensemble, et surtout ne pas voir sa petite gueule triste, au moment où je la jetterais avec les autres ordures. En couinant, le vidoir en métal s'ouvrit plus facilement que je ne m'y attendais. Au moment de soulever le chat, je ne pus m'empêcher de lui accorder un dernier regard. Ne serait-ce pas la politesse élémentaire que de lui rendre les derniers hommages ? Je poussai partiellement la trappe d'évacuation pour soulager mon autre bras qui luttait contre le ressort puissant dont l'obsession était de refermer le vide-ordures, et examinai le cadavre tout maigre. Décollée par endroits, sa fourrure révélait des plaques de chair pâle gris-rose. Il avait presque fermé les yeux. Son côté mignon avait disparu.

Je n'avais ouvert le vidoir que de cinq centimètres, car je voulais l'empêcher de se refermer avec son claquement habituel. Avec prudence, je fis passer les pattes de devant dans l'ouverture et y enfournai la tête bringuebalante.

Quelques poils s'étant collés à mes paumes, je les frottais pour les enlever, tout en me retournant pour rentrer dans l'appartement d'Oskar... quand j'aperçus la femme de ménage, bouche bée, au pied des escaliers. Elle levait des yeux atterrés sur moi.

Nous nous figeâmes tous deux. Qu'avait-elle vu ? Si je me fiais à son expression, elle croyait avoir vu quelque chose de répréhensible. Mais avait-elle eu le temps d'apercevoir quoi que ce soit avec certitude ? M'était-il possible de tout nier en bloc ? Deux petites secondes s'étaient écoulées et tout s'était déroulé avec une telle rapidité... Je mettais ma main au feu qu'elle n'était pas là quand j'étais sorti de l'appartement, et de là où elle se tenait, elle ne pouvait guère voir plus que mon dos. Impossible qu'elle ait vu *plus*, et il me serait facile de prétendre (à qui ?) qu'elle n'avait vu qu'un sac en plastique, et non pas... ce qu'elle prétendait... à qui ? À la police ? C'est... Ce n'était qu'un chat et il était mort dans un accident... elle n'avait rien vu, quel scandale ! Surtout qu'elle n'était en position ni d'accuser ni de juger...

Elle ne me quittait pas des yeux et sa bouche s'ouvrait et se refermait comme celle d'une carpe. Puis elle avança d'un pas vers moi et je tressaillis instinctivement. Elle leva une main accusatrice, yeux ébahis et fous, tout en montant les escaliers. Sa bouche se rouvrit et se referma, dit quelque chose, tandis qu'elle continuait de pointer le doigt sur moi ou à côté, paralysée dans une sorte de mouvement viscéral et musculaire d'accusation et de condamnation. Elle m'évoquait Donald Sutherland, dans la dernière scène du remake du film des années 1970 *L'Invasion des profanateurs de sépultures*, bras levé comme un fusil, visage contorsionné de haine, extraterrestre et dégoûtant. Je pensai au spectre marchant sur Don Juan à la fin de l'opéra. Elle s'approchait.

– Qu'est-ce qu'il y a ? bégayai-je en essayant de feindre la nonchalance.

Quant à moi, pétrifié jusqu'aux os, aucune partie de mon corps ne pouvait bouger sans admettre une espèce de culpabilité. Et cependant, rester planté là prisonnier du sortilège semblait la réaction la plus coupable qui existe. À quoi ressemblait une action innocente ? Comment sonnait un mot innocent ? Je ne savais plus.

– Est-ce qu'il y a un problème ?

Elle avait désormais atteint le haut de l'escalier et se trouvait presque sur le palier, au même niveau que moi. Yeux écarquillés, elle continuait de tenir le doigt pointé, tout en baragouinant je ne sais trop quoi. Qu'est-ce qu'elle m'intimidait, enveloppée dans son armure protectrice de nerfs, de peau et de vieilles fibres artificielles, monstre blindé enfoulardé, surtout avec ce bras courtaud et charnu pointé dans ma direction ! Sauf que ce n'était pas moi qu'il indiquait ! Au fur et à mesure qu'elle se rapprochait, il me sauta aux yeux qu'elle montrait un point dans mon dos, en direction du vide-ordures.

À contrecœur, je jetai un œil par-dessus mon épaule et… pris en tenaille par les mâchoires métalliques du vidoir fermé pendaient douze centimètres de queue à l'extrémité blanche. Je supposais que le reste du chat pendait de l'autre côté, planant au-dessus des limbes sans avoir achevé sa descente finale. Avec le reste du corps invisible, ce petit cigare de fourrure arborait une allure comique, accessoire pour dessin animé violent, gadget pour antenne de voiture. Surgit le souvenir de ces terribles doigts en plastique que l'on faisait sortir du coffre de sa voiture, pour créer l'illusion d'y avoir enfermé quelqu'un : gadget un temps très populaire dans les années 1980.

Rapidement, surpris moi-même par mon propre esprit de décision, je tirai sur la poignée du vidoir, l'ouvris un peu plus et la «saucisse blanche et noire» disparut tel un rongeur effarouché, accompagné du bruit de chute du cadavre dans le conduit.

Arrêtée seulement deux marches avant le sommet des escaliers, la femme de ménage prononça des paroles d'une voix forte et accusatrice, avant de répéter la même phrase, cette fois en détachant les syllabes. Il m'était bien sûr impossible de la comprendre, mais si j'en croyais son langage corporel, elle était de toute évidence en colère et ne me tenait pas en haute estime. Elle s'était raidie et son visage s'était recouvert d'un rouge maladif où vibraient les narines de son nez écrasé de chauve-souris.

– Il est mort, assurai-je en faisant de mon mieux pour paraître calme et sérieux.

Le sens de mes paroles n'avait aucune espèce d'importance, par contre, mon allure et le ton employé étaient loin d'être quantité négligeable. Mais au diable ma plaidoirie, elle s'était évidemment déjà forgé sa version des faits et savait à qui faire porter le chapeau.

– C'était un accident. J'étais sorti, il y a eu un accident et il est mort. Je n'ai…

Je ne savais pas quoi faire. Je ne l'avais pas tué.

Au moins, elle avait refermé la bouche et me fixait, mâchoires serrées, comme si elle luttait contre une forte envie de vomir. Ses yeux ressortaient comme des balles de ping-pong.

Puis brutalement, elle agita les deux mains avec dédain et se retourna, furieuse, avant de descendre lourdement les escaliers en grommelant.

Je restai figé sur place pendant quelques instants. Comme il me semblait avoir oublié de respirer pendant plusieurs minutes, je pris une profonde inspiration, soudain froid et tremblant. Un fluide glacial se répandit dans mon ventre. Je rejoignis à vive allure l'appartement d'Oskar et claquai la porte derrière moi.

Un tram gronda dans la rue, tandis que je m'appuyais contre le bois, en quête d'air et à l'écoute des bruits de l'autre côté. Rien. Le mot « dénégation » jaillit dans ma tête, puis gonfla sans que je l'associe à un quelconque contenu… jusqu'à remplir l'espace entre mes deux oreilles, chassant tout le reste. Dénégation. Voilà le processus qui allait me sauver. Le mot vrombit et prit de l'ampleur. Que voulait-il dire en vérité ? Je l'avais entendu dans un contexte politique pour qualifier une controverse quelconque. Même si sa définition précise m'échappait, j'en saisissais le sens de base. Il avait partie liée à la vérité et signifiait que personne n'embrasse jamais complètement la réalité objective, qui nous sert de tremplin pour tisser nos histoires subjectives et fausses. Il ne fallait pas s'attarder aux faits réels qu'il était dans tous les cas impossible de connaître – en revanche l'important était de construire une histoire irréfutable qui écarterait toutes les versions concurrentes. Après tout, je pouvais mettre ma main au feu que la femme de ménage avait d'ores et déjà concocté un enchaînement des événements complètement faux : que j'avais tué le chat et que je m'en étais débarrassé de façon irrespectueuse. Tissu de mensonges ! Alors quelle importance si, moi aussi, j'assaisonnais l'histoire à ma propre sauce ? Je me mettrais au service d'une vérité plus grande, même s'il apparaîtrait aux yeux de certains que j'œuvrais pour brouiller la compréhension authentique des événements. J'étais sûr que je pouvais me blanchir complètement dans cette succession d'incidents malheureux et je n'allais pas me gêner.

J'inhalai une nouvelle fois profondément et revins à ma réflexion antérieure. J'étais en pleine panique. Au stade où j'en étais, point n'était besoin de refuser d'admettre quoi que ce soit, ou de prendre part comme tierce personne aux ébats torrides entre la réalité et la fiction. À ce stade-là, j'avais besoin de boire un coup et de m'asseoir.

De retour à la cuisine, je me versai un verre d'eau que je descendis en deux goulées. Pas très rafraîchissante, à la température ambiante, et, curieusement, pas aqueuse pour un sou. Juste du liquide, rien d'autre, dépourvu des propriétés revitalisantes et purifiantes de l'eau... ce qui coupait toute identification à ces mannequins impeccables dans les pubs, qui recevaient béatement un seau de rafraîchissement cristallin directement dans les mâchoires.

Peut-être n'était-ce pas d'eau que j'avais besoin, mais d'un verre de vin. Cette pensée agita mon ventre d'une nausée menaçante et causa un élancement dans le liquide pollué où baignait mon cerveau, mais sans s'y opposer farouchement. J'ouvris donc une bouteille et me préparai un verre. Ce faisant, l'un des chats – c'est-à-dire *le* chat, celui qui restait – donna des coups de tête dans mes jambes, tout en se frottant contre mon mollet avec des miaulements insistants.

– Tu as encore faim, pas vrai ? Excuse-moi, je vais te préparer à manger.

Je posai le verre sur le plan de travail – loin du bord, tout près du mur – et allai dans la pièce attenante chercher sa pâtée.

Le cagibi exhalait une odeur saine et réconfortante. Impossible de mettre un nom sur la fragrance prédominant dans cet arôme subtil, mais j'avais tant de plaisir à l'inhaler que je fis une pause pour vérifier si je pouvais le décomposer. Les aliments lyophilisés y jouaient une large part, ainsi que les produits ménagers, conspirateurs improbables, qui, pourtant ici, se mélangeaient avec bonheur. Ils partageaient des similitudes sur le spectre olfactif : flottait un certain arôme qui convenait parfaitement, naturel et suave, avec son soupçon d'astringence purifiante. Même si tout cela respirait la maison et la sécurité, le local contenait, néanmoins, quelque chose qui titillait mes angoisses. Il évoquait sans ambages une maison bien tenue – produits toujours disponibles et renouvelés, pas d'oublis, besoins anticipés et satisfaits. Comme les missives d'Oskar me l'avaient démontré, pratiquement toutes les contingences y figuraient. Je ne doutais pas que s'il y avait une coupure d'électricité, je trouverais ici des bougies et des allumettes. L'air embaumait de qualités admirables, diligence, autodiscipline, organisation, planification – en bref, le type de qualités qui me manquaient. Jusqu'ici, je ne pouvais pas me targuer d'avoir mené une quelconque carrière, m'étant contenté d'enchaîner des missions en free-lance. J'étais célibataire. J'avais négligé d'acheter un appartement ou d'épargner. Et je me retrouvais propulsé dans le royaume de tous ces animaux ennuyeux et satisfaits de soi qui caracolaient en tête dans les fables : fourmis industrieuses, écureuils travailleurs, tortues tenaces.

Mais… je n'arrivais pas à détacher mon esprit des notes d'Oskar. Il avait anticipé un grand nombre de mes mésaventures. Parmi tout ce qui était allé de travers ces derniers jours, seule la mort du chat pourrait le surprendre. Car il avait, de toute évidence, anticipé le désastre lié au parquet. N'avait-il pas en sa possession des produits ménagers adaptés à son parquet ? Une police d'assurance, un filet de sauvetage, peut-être même quelque chose d'assez puissant pour réparer les dégâts épiques que j'avais causés ?

Oui. Voilà qui lui ressemblait. Qui lui ressemblait parfaitement. C'était précisément le type de précaution qu'Oskar se serait assuré de prendre.

J'inspectai sous les étagères de chaque côté du cagibi et découvris, avec une bouffée d'espoir, un coin de toile jaune poussiéreuse suspendue à un panier en plastique beige, inséré entre une boîte d'ampoules, un cube emballé sous film plastique d'éponges à vaisselle empilées et un bocal de white spirit. Le panier libéra des senteurs âcres et épicées mélangées à des arômes délicieux, l'odeur compliquée de dissolvants et autres produits chimiques. À la fois suave et plaisante, une forte fragrance naturelle l'emportait dans le bouquet, écrasant les fumets artificiels plus pressants des produits ménagers modernes, certaine d'avoir le dessus grâce à son droit d'aînesse. Car elle était ancienne, plus ancienne que la plupart des produits chimiques ici présents, et, de façon curieuse, partageait un air de similitude avec la vieille odeur indescriptible qui suit un éternuement. Embaumant le miel naturel et non raffiné de la ruche, elle émanait d'un morceau aux bords arrondis qui ne payait pas de mine, avec sa forme de lingot d'or pour film de gangsters. Un mot en relief y était moulé : *Bienenwachs*. C'était un gros pain de cire d'abeille, censée réparer les rayures sur les meubles et les parquets en bois. Une note y était arrimée.

PRODUITS MÉNAGERS. Voici les produits ménagers destinés au nettoyage de l'appartement et du parquet. En cas de chute ou de dégâts sur ce dernier, la rapidité de réaction est essentielle. Il existe un livre, Prendre soin de son Parquet, *sur l'étagère dédiée à l'architecture. Il contient des directives pour réparer les dégâts mineurs. Si le parquet est endommagé, appelle-moi aussitôt. À n'importe quelle heure ! Il faut que je le sache ! Oskar*

Il voudrait le savoir, bien sûr. Il voudrait connaître tous les détails – le parquet fortement endommagé, le sofa déchiré, le chat mort. Il s'intéresserait également au bien-être du survivant. Je pris une boîte de nourriture pour chat et revins à la cuisine.

L'animal mourait littéralement de faim. Il se faufilait entre mes jambes, se dressait sur ses pattes arrière et miaulait avec insistance. Quand je posai la boîte sur le plan de travail afin de saisir l'ouvre-boîtes dans le tiroir, il comprit que j'étais sur le point de lui donner sa pâtée et sauta sur la surface plane. Je l'en chassai avec moult précautions. Du temps des deux chats, ils s'étaient révélés copains comme cochons. Désormais, la fragilité du survivant me sautait aux yeux. Quand l'ouvre-boîtes eut achevé son circuit sur le couvercle de la boîte, il se souleva pour révéler une gelée luisante. L'une de ces boîtes avait nourri les deux animaux – comment procéder ? En extraire seulement la moitié et jeter le reste ? Ou la conserver dans le réfrigérateur sous un film fraîcheur ? Si je lui donnais tout, risquait-il l'indigestion ? Je l'aurais pensé naturellement incapable d'excès, mais au vu de ce qui était arrivé à son compagnon… Était-il conscient du changement dans son environnement ? Était-il triste ? Et si je prenais pour de la faim ce qui n'était que choc et incrédulité devant la perte d'un proche ? Souffrirait-il de la solitude ?

184

Alors que je poussais avec la fourchette tout le contenu de la boîte sur l'assiette, ma vision se flouta et je réalisai que j'étais en train de pleurer.

Quand je retournai à notre table avec deux nouvelles bières, je me demandai de nouveau s'il était possible qu'Oskar pleure. Plutôt que perdu dans la contemplation ou la colère, il semblait dorénavant complètement anéanti. Je courais un risque à lui proposer une nouvelle boisson : il pouvait basculer d'un côté ou de l'autre. Ce qui m'inquiétait surtout, c'était qu'il puisse souffrir de solitude. Quel soutien, combien d'amis avait-il ?

– Où envisages-tu de loger à L.A. ? Tu connais des gens là-bas ?

– À l'hôtel. Laura a une très grande maison, mais ce ne serait pas convenable. Et les gens que je connais là-bas sont ses amis. Mais cela ne fait rien, j'aime les hôtels. Il y en a de très bons à L.A.

– D'ailleurs, ajoutai-je d'une voix qui se voulait encourageante, si tu ressens le besoin de te confier pendant que tu es là-bas, tu m'appelles. À n'importe quelle heure. Je veux t'aider.

– Mais tu m'aides déjà en gardant l'appartement, répondit-il avec un sourire forcé. Laura et moi nous sommes dit tout ce que nous pouvions nous dire, je pense. Comme la relation ne fonctionne pas, il faut y mettre un terme. Place à la procédure légale maintenant ! Tu ne l'appréciais pas, pas vrai ?

Je fis une pause. La route devant moi était jonchée de mines. J'avançais sur des œufs.

– Elle était si différente de toi. J'avoue que votre relation m'a surpris, et j'ai été encore plus surpris quand vous vous êtes mariés. Parfois cela fonctionne, parfois non.

– Mais tu ne l'aimais pas.

J'avançais avec la plus grande prudence.

– Je pense qu'elle ne s'est pas bien comportée envers moi.

– C'est vrai. Je suis bien forcé de l'admettre maintenant. Elle ne se préoccupait guère de ce que les autres pensaient.

La remarque me fit glousser.

– Eh bien, Oskar, toi non plus, tu n'y vas pas avec le dos de la cuillère. Parfois tu te fiches des sentiments des gens.

Il fixa sa chope. Il n'avait pas l'air en colère.

– Je sais. J'aime me montrer honnête. Il y a assez de conneries comme ça. Peut-être suis-je hypocrite. Je mets la barre très haut dans ma vie, dans mon travail et j'agis de même avec les autres. Tout en espérant éviter de pousser le curseur trop haut.

– C'est vrai que tu mets la barre très haut, Oskar. Pour tes amis, dans ta vie. Ce n'est pas que cela soit une mauvaise chose en soi, je suppose, mais cela semble te rendre si malheureux. Tu devrais peut-être essayer d'être moins exigeant.

Je fis une pause pour boire une gorgée. Mon compagnon ne me regardait pas.

– Peu importe, mon offre tient toujours. Si tu veux parler, appelle-moi. Tu sais où me trouver.

Une bouffée de tristesse traversa son visage. J'eus l'impression que ses traits s'estompaient. Il était si pâle. À nouveau, mon estomac se serra et je lui adressai une prière silencieuse : *s'il te plaît, ne pleure pas.*

Je pleurais. Pourquoi pleurer ? Eh bien, quoi faire d'autre ? Le chat était mort et je ne pouvais plus entrer en contact avec la chose mystérieuse réduite à de la peau et à de la fourrure que j'avais jetée dans le vide-ordures. Yeux brillants, l'autre me regardait pensif et inquisiteur. L'idée qu'il pourrait se sentir seul me frappa comme une tragédie insupportable. Mes yeux brûlèrent et ma gorge se serra. Les larmes amenèrent avec elles la tentation délicieuse et terrifiante de laisser simplement filer pour voir où l'émotion me mènerait. Mais je repris le contrôle et revins à la raison.

Le chat dont le chagrin n'avait pas encore entamé l'appétit avalait les morceaux sans les laisser tomber sur le parquet. Encore tout chancelant, je me versai un verre de vin et allai m'asseoir sur le sofa. En chemin, je vis que le parquet avait séché, mais que la tache se voyait toujours aussi distinctement.

Par la fenêtre, j'apercevais les immeubles de l'autre côté de la rue enveloppés dans la riche lumière latérale de la fin d'après-midi. Des fenêtres me renvoyaient mon regard, leurs rideaux grisâtres suspendus pendant la Préhistoire par un peuple obscur parti depuis longtemps. J'essayai d'imaginer les environs de la ville – plaines unies comme du daim, montagnes fixées par des télésièges rouillés, forêts bruissantes ? –, mais je ne vis rien. Ce devait être le matin sur la côte Ouest. Qu'était-il en train de faire ? Envisageait-il de m'appeler ? Je perçus vite le téléphone de l'appartement comme un piège explosif et perfide. J'imaginais Oskar en train de boire (sans l'apprécier) un café noir accompagné de fruits au buffet de petit déjeuner de son hôtel, tout en respirant l'odeur épaisse, suave et insistante des pancakes et des gaufres et du sirop d'érable… Je tentai de me remémorer cet arôme et me surpris à rêver à la cire d'abeille – fracas de ce seau de produits ménagers – et à sa promesse.

Tant qu'Oskar ignorerait tout du chat et du vin, je gardais une longueur d'avance. En réalité, l'animal n'était pas mort… tant qu'il ne l'avait pas appris, et je pouvais repousser ce moment jusqu'à ce que j'aie accompli tout ce qui était

187

en mon pouvoir pour réparer le parquet. Si je réussissais, je pourrais alors concentrer tous mes efforts pour faire amende honorable (en admettant que cela soit nécessaire) et la mort du chat apparaîtrait alors plus comme une tragédie isolée que comme un acte de vandalisme. Pour réparer le parquet, il me fallait essayer des produits, adopter des stratégies. Parler à Oskar du chat maintenant nécessiterait de lui parler également du piano, et peut-être même du vin. Et je ne voyais pas comment aborder le sujet… sans révéler que j'ignorais de quel chat il s'agissait – j'aurais pu poser la question sans risque, quelques jours auparavant, or j'avais laissé passer l'occasion. Si j'attendais, il me serait plus facile de confier à Oskar que l'animal s'était contenté de disparaître. Bien sûr, il y avait le problème de la femme de ménage. Si elle lui racontait ce qu'elle avait vu – ce qu'*elle pensait avoir vu* –, alors les choses se compliqueraient. Sauf qu'elle ne détenait aucune preuve, moi aussi j'avais des éléments de vérité à ma disposition : le plus important était de ne pas paraître coupable. En d'autres termes, il me fallait essayer de ne pas la devancer et de donner l'impression d'être calme et surpris à l'écoute de ses allégations. Après tout, je n'avais rien fait. Je n'étais coupable de rien. C'était par mesure d'hygiène que je m'étais débarrassé du cadavre, argument qu'Oskar comprendrait à coup sûr. J'avais les mains propres.

Mais le fait est que mon innocence n'arrêtait pas de me glisser des mains. Je la regardais et *pschitt !*, elle se volatilisait. Les faits étaient si élastiques.

Un son attira mon attention, distinct, répétitif. C'était le doux *crunch crunch crunch* du chat qui mangeait à la cuisine. Tout seul.

SIXIÈME JOUR

Claquement de porte. La porte d'entrée. La porte d'entrée à coup sûr, avec le tintement de sa chaîne de sécurité. Mes sens revinrent à la réalité, retour grésillant à la vraie couleur, après l'explosion d'une lampe flash au magnésium. Soleil blanc orange en train de mourir... Pas vraiment, puisque c'était le matin, éclatant et moralisateur.

Le chat et moi levâmes les yeux, puis je fixai l'animal. Sphinx allongé au pied du lit, il veillait. La nuit précédente, je lui avais proposé de sortir et, au lieu de sauter sur l'occasion, il avait pris son temps d'une façon qui m'avait laissé profondément mal à l'aise. Ivre et fatigué, j'avais décidé de le laisser dans l'appartement... où nous nous retrouvions tous les deux.

Avec quelqu'un d'autre. Il y avait quelqu'un d'autre dans l'appartement. La femme de ménage de toute évidence. Cette pensée me terrifia. Nous était-il déjà arrivé d'entretenir des relations normales? Non – chaque fois que je l'avais vue, j'avais craint le pire. Figé sur place, j'attendais un autre bruit... qui n'arriva pas. Par-delà la porte de la chambre entrouverte, j'apercevais une portion de couloir silencieux.

Je repoussai la couette, traversai doucement la pièce pieds nus et tendis l'oreille. Le silence éclata à mes oreilles. Pas un silence parfait, car la ville poursuivait son brouhaha. Mais aucun bruit en provenance de l'appartement. Le calme

189

enveloppait la chambre comme si elle était prise dans les glaces.

Sur le lit, le chat méditait yeux clos. Puis il les rouvrit, se leva, descendit d'un bond et courut jusqu'aux portes-fenêtres qui donnaient sur le petit balcon. Là, il s'enroula sur lui-même, tout contre le cadre du bois.

Pieds froids sur les lattes, je le rejoignis sur la pointe des pieds.

– Tu ne veux pas petit-déjeuner? Tu sais, ces bons petits trucs en boîte?

Il leva vers moi des yeux insolents. Je tournai la poignée en fer forgé. Le chat bondit sur le rebord du balcon et sauta par-dessus – je pensai d'abord à un plongeon d'une hauteur de deux étages. Penché par la fenêtre, je constatai qu'il s'était contenté d'atterrir sur une généreuse saillie en béton entre les étages. Sans s'arrêter, il rebondit sur le balcon juste en dessous. De là, il lui était facile de rejoindre la rue en passant par la saillie de l'entrée de l'immeuble un peu plus loin.

L'air frais sur mes jambes nues me fit réaliser que je ne portais qu'un boxer short et que la seule courbure du balcon protégeait ma décence. Dans mon imagination retentirent des cris de femmes, des sirènes. J'avisai une paire de chaussures, celles qui avaient été trempées par la pluie. Je me glissai dans la chambre et enfilai le pantalon en vrac sur le parquet, puis passai les chaussettes qui s'étaient échappées de ses jambes. Je me saisis des chaussures et les mis: elles étaient sèches.

Un souvenir clair du soir précédent se dessinait. J'avais bu, oui, mais modérément comparé aux excès des nuits récentes. Assis sur le sofa, j'avais regardé CNN, tout en sirotant mon vin et en mangeant des restes. Le chat couché à mes côtés souriait de son sourire de chat. Les événements du passé se réorganisaient dorénavant pour constituer un récit lisible. Il y avait eu deux chats. La queue de l'un avait l'extrémité blanche, ce qui n'était pas le cas pour l'autre. L'un, hyperactif et curieux, aimait jouer avec les bouchons et boire, tandis que l'autre, docile, se montrait paresseux. C'était seulement depuis la mort de l'un que je prenais conscience des différences dans leurs personnalités. C'était seulement maintenant, vraiment, que je constatais qu'ils en possédaient une, sans être des humains, tout en étant plus que des automates. La façon dont le survivant venait de sortir – d'un seul coup, dans l'urgence, déterminé, au mauvais moment de la journée – était bizarre. C'était là une incontestable manifestation de sa personnalité.

Hier, après le coucher du soleil, la fatigue m'avait assailli. Avant l'extinction complète des feux, cependant, je m'étais remémoré les magazines pornographiques et le désordre de la chambre. J'avais donc passé un moment cathartique en compagnie de l'un d'eux. Au moment de remettre le lit en place – guidé en cela par les marques que ses pieds avaient laissées sur les lattes –, j'étais si fatigué que j'avais immédiatement voulu m'y glisser pour me réfugier dans le sommeil. Mais le chat avait besoin de sortir, et je l'y avais invité. Il m'avait accompagné jusqu'à la porte, mais une fois arrivé là, il n'avait rien voulu entendre. Dépourvu du désir de lutter et vidé d'énergie pour le cajoler, je n'avais pas forcé la bête qui s'était faufilée entre mes jambes, taquine et flatteuse, et je l'avais laissée à l'intérieur.

J'étais encore fatigué. J'en prenais conscience, maintenant que la giclée d'adrénaline reçue sous le coup de la surprise d'avoir entendu la porte claquer s'était estompée. Mes articulations et mes muscles étaient aussi mous que des pailles en papier usagées. Aucun bruit en provenance de la cuisine ou du salon. Soit la femme de ménage était repartie, et c'était le claquement de la porte à son départ que j'avais

entendu ; soit elle était encore dans l'appartement, délibérément silencieuse, à l'affût.

J'ouvris la porte de la chambre et sortis dans le couloir.
L'appartement était vide, j'en étais sûr. Je me dirigeai vers
le salon. Était-elle vraiment venue ? Aucune preuve de
nettoyage – mon verre de vin vide était encore posé sur la
table basse en face du sofa, près d'une assiette contenant
des croûtes de fromage et de petits rubans de plastique rose
enlevés des tranches de salami, reliefs de mon souper de la
nuit précédente.

Pourtant quelque chose avait changé – j'étais passé
devant, de l'autre côté de la cloison de verre dans la cuisine. D'abord, je remarquai des pages de journal sales qui
dépassaient du plan de travail en acier d'Oskar. La chose en
question possédait un profil si effilé que je faillis ne pas la
voir : le cadavre du chat ! Ressuscité, si ce n'était de la tombe,
du moins du vide-ordures.

En une sorte de transe, je me rapprochai du plan de
travail. Sa mort remontait à au moins vingt-quatre heures et
je craignais que par sa présence, il ne contamine l'air tout
autour. Quel était son degré de décomposition ? De toute
évidence, il n'était pas encore sur le point de se désagréger, mais puait-il ? Je reniflai prudemment. Faible odeur de
détritus.

Cependant, s'il ne pourrissait pas, le temps où il aurait pu
se réveiller en sursaut était révolu. Une tache brune maculait
toute la partie blanche de son flanc, avec du marc de café
disséminé ici et là. Sa fourrure, qui n'était plus l'objet de lis-
sage et d'ajustements continuels, était tout embroussaillée,
et la peau en dessous avait pris une teinte grise. L'une de ses
pattes avant était inconfortablement repliée sous son ventre.
Yeux et gueule légèrement entrouverts. Poils de la queue
emmêlés. On aurait dit qu'il avait rétréci, comme s'il s'était

dégonflé. La fine peau de son épaule laissait deviner les os en dessous et la cassure de son échine s'était accentuée, géométrie exacerbée dénuée de naturel. Le sang autour du nez et de la gueule avait séché et éclaté en minuscules cristaux noirs retenus par les poils froids.

– Jésus !

Affluèrent à mon esprit des peintures dévotionnelles, avec l'attention pornographique qu'elles portaient à l'anatomie du corps supplicié du Christ ; ou au corps déformé d'un martyr ; ou aux contorsions des habitants de l'enfer. Avec ce truc mort sous les yeux, je saisissais l'ampleur de leur complaisance sadique.

La femme de ménage avait dû descendre dans le local à poubelles où se déversait le vide-ordures – mon imagination se refusa à me livrer une image mentale de cette phase – et y avait cherché le chat. Puis elle l'avait enveloppé dans du papier journal et l'avait apporté ici. Pourquoi ? Pour me défier ? Ou parce qu'il était interdit de jeter ce type de déchets dans le vide-ordures ? Si son but avait été de me défier, pourquoi tardait-elle tant à exploser et faire une vraie scène ? Au lieu de cela, elle s'était contentée de déposer le corps et de s'enfuir. Normalement, c'étaient les chats qui offraient des cadavres aux humains pour les étonner. Comment un chat ressentait-il cette façon d'être traité ? Peut-être cela correspondait-il exactement à ce qu'il aurait voulu.

Impossible de balayer d'un revers de main ce « cadeau » de la part de la femme de ménage ! Impossible de croire qu'elle me rendait service (« vous avez laissé tomber cela »). C'était clairement une remontrance – soit pour le meurtre de Minou, soit pour ma gestion sans cœur des derniers rites, soit pour une infraction improbable au règlement intérieur sur l'élimination des ordures. Mais – et je prenais progressivement conscience de tout cela – ces considérations me distrayaient, pour le moment, du fait qu'un chat mort, tiré d'une benne à ordures, était étendu sur le plan de travail d'Oskar. D'autant que j'émettais les doutes les plus sérieux quant à la provenance et à la propreté du journal sur lequel il était allongé, et encore plus sur son efficacité comme barrière. Et s'il se mettait à… suinter ? La surface en acier d'Oskar aurait été parfaite pour y pratiquer une autopsie, mais peu importe si l'air y avait été aseptisé, personne ne se réjouirait de cuisiner sur la table de dissection d'une morgue.

Il ne faisait aucun doute que le cadavre devait disparaître. Et rapidement. Les processus – processus naturels impliquant microbes, gaz et fluides – avançaient inexorablement. Je ne doutais pas qu'ils soient fascinants, peut-être même beaux, quand une équipe de la BBC les filmait et les diffusait dans mon salon, mais ils n'avaient pas le droit d'opérer leur tour de passe-passe dans la cuisine d'Oskar. Pendant un bref instant, j'envisageai d'aller jeter une nouvelle fois le truc dans le vide-ordures, idée que j'écartai rapidement.

Ma priorité, pour le moment, était de débarrasser le plan de travail de l'animal. Je sortis un sac-poubelle du placard et l'étalai sur le sol. Puis j'attrapai les pages de journal par les côtés et soulevai le chat comme s'il était allongé sur une civière. Je posai le tout sur le sac-poubelle. Il ne paraissait pas plus à l'aise là, pauvre petite chose diminuée, mais au moins, je n'avais plus à craindre les écoulements.

Quoi faire ? Une ruelle sombre peut-être, un endroit déjà jonché d'ordures où un sac supplémentaire ne détonnerait pas. Mais cette ruelle était abstraite – je ne connaissais qu'un endroit adéquat, c'était le passage près du musée avec les murs criblés de balles. Or je n'avais guère envie de transporter le cadavre jusqu'au centre-ville. En réalité, je n'avais envie de l'amener nulle part, encore moins de me balader avec, en quête d'un endroit propice pour m'en débarrasser et aussitôt après, prendre les jambes à mon cou. Et puis, je connaissais très mal cette ville ; je n'avais pas encore exploré à fond sa face publique, alors que dire de ses cachettes secrètes !

Le canal. Cette pensée fit sauter un verrou en moi et une porte s'ouvrit tout grand. *Le canal.* Combien de cadavres de chats avait-il avalés ? Et de chiens, de rats, et sans aucun doute, de personnes. Plouf, ronds dans l'eau et puis le grand plongeon dans l'eau noire amnésique, avec seulement quelques rides en guise d'adieu. Quelle excellente idée !

Je pris un autre sac-poubelle et m'en servis pour ramasser le cadavre, sans entrer en contact avec sa fourrure immobile ni sa peau morte. Je pouvais sentir son corps lourd et froid à travers le plastique fin. Avec ce que j'estimai être un geste habile, je retournai le sac sur le petit cadavre glacé. Me félicitant de cette manœuvre hygiénique, je perdis ma concentration et sans réfléchir, appuyai sur le sac fermé pour en faire sortir l'air contenu à l'intérieur : aussitôt des relents de benne à ordures me sautèrent au visage. La puanteur était désormais augmentée de la décomposition infaillible de… ou mon imagination me jouait-elle des tours ? J'eus un haut-le-cœur, mon visage se contorsionna en un spasme et de grands remous agitèrent mon ventre. Quand je rouvris les yeux, ils se remplirent de larmes et je les refermai aussitôt.

Le sac épousait la courbure de l'échine du chat. Courbure créée à l'endroit même où les vertèbres avaient été fracassées par le couvercle du piano… qui n'aurait pas dû être ouvert. Sur ce point, je battais ma coulpe. Mais Oskar avait appelé – aurait-il un peu décalé son appel avant ou après, et le piano aurait été fermé. J'obturai le sac-poubelle à l'aide de trois nœuds serrés. Puis, armé d'un nettoyant trouvé sous l'évier, je vaporisai généreusement le plan de travail, avant de l'essuyer méticuleusement. J'avais comme l'impression que la puanteur du sac venait me chatouiller les naseaux, ce qui me rappelait l'horrible truc emballé à l'intérieur, et la douce membrane de mes sinus accueillit avec joie les effluves du produit ménager au citron vert chimique. Acide, astringent, puissant. À mon retour du canal, j'allais lâcher sur le parquet un tapis de bombes chimiques prélevées dans l'arsenal d'Oskar. Quel réconfort de pouvoir faire table rase ! Le chat s'enfoncerait dans l'eau ; la tache entrerait en effervescence et se détacherait du bois, vaincue par quelque propriété chimique magique.

Je baissai les yeux sur le sac. Un badaud pouvait-il en deviner le contenu ? Cette courbure d'échine et ce corps livraient-ils clairement le nom de l'animal à qui ils appartenaient et claironnaient-ils « chat » ? Ou, encore plus précisément, « chat mort » ? Pour moi, le sac ressemblait à un chat, mais je connaissais son contenu. La tête n'était pas reconnaissable… Je remarquai alors que j'avais posé le sac près de la tache, partiellement dessus, si bien que le résidu bleu-rouge du vin semblait avoir jailli de la tête et du cou du chat. La scène ressemblait au halo de sang omniprésent dans les films policiers, où une victime emballée dans son linceul institutionnel en plastique noir attend toujours patiemment d'être emportée à la morgue, tandis que les experts évaluent les éclats, parlent trajectoires et traces. Les traces grâce auxquelles ils allaient reconstituer le passé et réorganiser l'événement en fonction des indices laissés. Pur fantasme que de croire que l'on pouvait tout effacer, on laissait toujours derrière soi un détail éloquent, souillure qu'interrogerait inlassablement la police scientifique… jusqu'à la révélation de la vérité. Ou d'une version immonde et culpabilisante de celle-ci. Quand les experts relèvent les indices, ils s'attendent toujours à remonter jusqu'au coupable à l'autre extrémité. Même en l'absence de coupable.

Quelle folie, pensai-je, de ressasser ces idées sans répit! Peut-être étais-je fou, la solitude et le petit spectre poilu de la mort m'avaient fait déraper. Même si cela en soi n'était pas une pensée complètement sensée – qui donc devenait fou après moins d'une semaine seul? Et encore pas complètement seul. Je me tenais en présence du chat mort et c'était le fait de partager mon espace avec lui qui suscitait ces pensées. Sa présence se ramifiait bien au-delà de cette petite forme emballée qui rejetait dans l'air une sorte de radioactivité karmique, poussant jusqu'aux recoins secrets de l'appartement. Pas étonnant que son copain ait pris la poudre d'escampette de façon si spectaculaire, quand il avait eu vent de ce que la femme de ménage avait apporté!

Je pris une inspiration profonde… qui, d'une certaine façon, dérapa, se transforma en plainte, aussi en pris-je une nouvelle. Puis j'attrapai le sac par le cou et pus apprécier son poids: pas lourd, mais chargé d'une certaine gravité. J'emplis de nouveau mes poumons, puis me dirigeai à vive allure vers la porte d'entrée de l'appartement que j'ouvris et claquai dans mon dos, avant de descendre les escaliers au trot. C'est que je n'allais pas répéter l'erreur de la dernière fois où, à force d'attendre, j'avais raté l'occasion. Si j'allais assez vite, j'étais sûr de pouvoir sortir de l'immeuble, avant que la femme de ménage ne m'intercepte et voie le sac que j'aurais dû – c'était seulement maintenant que je m'en apercevais – dissimuler dans mon fourre-tout. Trop tard, j'arpentais déjà le trottoir délavé, et la porte de l'immeuble claquait dans mon dos avec un bruit sourd. Je m'arrêtai et le sac s'en vint heurter ma jambe de façon écœurante. Aucun signe de vie de Gueule de chauve-souris. Elle m'avait raté, ou alors c'était moi.

Journée splendide ! Le soleil se réverbérait sur la sombre porte vernie et sur son habillage de cuivre... au point de faire briller le métal gris terne de l'interphone et de donner à sa colonne de boutons l'apparence d'un plastron de gilet de groom.

Dans le calme de la rue – peu de voitures et aucun piéton alentour –, j'eus une soudaine poussée de paranoïa. Qu'est-ce que je fabriquais encore ici ? Une nouvelle fois, j'avais basculé dans la rêverie au lieu d'embrasser l'action. Autant mettre un terme à cette histoire sordide le plus rapidement possible ! Je pris la direction du canal, le sac rebondissant à l'occasion sur mon genou.

Mes souvenirs l'avaient noirci et mon imagination l'avait transformé en flux de goudron traversant un chenal charbonnier. Lorsque je le revis, l'eau avait pâli sans se rafraîchir, surface d'un gris laiteux stagnante et malsaine, zébrée de taches d'hydrocarbures irisées. Malgré le temps agréable, personne ne se promenait sur le chemin de halage – aucun des joggers, des cyclistes, des pêcheurs optimistes qui mettraient de l'animation le long d'un canal en Grande-Bretagne. Je m'y engageai, avec l'allure d'un homme en promenade. La sueur – elle coulait également sous mes aisselles et le long de mon dos – rendait malaisée ma prise sur le plastique noir. Seules choses vivantes en vue, ces saletés de mauvaises herbes d'une densité parfois équivalente à des taillis s'immisçaient dans les craquelures de mortier des murs de soutènement et entre les pavés fendus au sol. L'incompréhensible écume d'algues formait une croûte au bord de l'eau.

J'inspectai le sol devant moi, soucieux de l'endroit où je posais les pieds, mais aussi à l'affût de l'objet qui pourrait faire couler le sac. Je le voyais tournoyer sans s'enfoncer, des poches d'air raffermissant et gonflant le plastique, lui donnant la possibilité de flotter… créant ainsi un nouvel îlot noir, ballotté par l'eau grise, affleurement de culpabilité échappant à mon contrôle, indice laissé derrière moi… Bien sûr, les chances qu'on le découvre et déclenche une enquête à son sujet étaient infinitésimales, mais je doutais de mon étoile. Il fallait qu'il coule, qu'il disparaisse, et pour cela, j'avais besoin d'un poids pour le lester.

Je poursuivais ma marche. Il devenait évident que ma mémoire avait embelli le canal de multiples façons. Dans mon souvenir, toutes sortes de pierres, de briques et de gravats jonchaient le chemin. En réalité, il était bordé d'un glacis d'ordures accrochées aux fourrés et aux mauvaises herbes, mais rien d'assez lourd pour faire couler le sac. Éclats de palettes en bois, petits morceaux d'emballages en polystyrène arrondis et brunis par le temps, pots de yaourt, canettes de boissons non alcoolisées, préservatifs usagés. Le bras d'un mannequin de vitrine aux doigts coupés, un livre de poche sans couverture troué par des vers de terre.

Après une longue marche, je tombai sur un tuyau en métal de petite dimension recouvert de rouille, qui me sembla parfaitement adapté à mes desseins. Outre son poids, il était facile à fixer à l'encolure du sac. Coups d'œil à gauche, à droite et au-dessus afin de m'assurer de l'absence de témoin. Personne à l'horizon ni aux quelques fenêtres qui donnaient sur cette portion de canal – d'évidence indus-trielles avec des carreaux cassés ici et là. Je lançai le tuyau par en dessous, visant le milieu du canal. Le tout atteignit l'eau avec un plouf maladroit, plus bruyant que ce à quoi je m'attendais, et le sac piqua vers le fond. L'horrible bulle de plastique noir remonta comme je l'avais imaginé, mais fut rapidement aspirée sous la surface par le tuyau. J'observai des anneaux concentriques se former sur l'eau et pensai à une affreuse grenouille noire affublée d'un goitre de taille variable qui gonflerait et rétrécirait à l'infini. Cette bulle constituait un petit morceau d'atmosphère piégé dans le canal. Combien de temps cela allait-il prendre pour que le plastique se dégrade, que l'air s'échappe et que le petit submersible achève sa descente?

Je me dis que j'aurais pu trouer le sac afin de laisser l'air sortir et m'assurer ainsi qu'il coule. Mais avec l'air se serait également échappée la puanteur et rien que de l'envisager, cette hypothèse me retournait le cœur. Cependant, pensais-je désormais, combien de temps allait-il falloir avant que l'eau n'entre en contact avec le cadavre? Allait-il se décomposer correctement? Peut-être allait-il se momifier, au contraire, comme un animal dans un temple égyptien reposant dans son petit sarcophage hygiénique? J'étais pratiquement sûr que l'eau l'attaquerait très vite… Ces pensées quant au voyage de l'animal dans l'au-delà me rongeaient de culpabilité. Autant y mettre un terme! Les rides à la surface de l'eau s'étaient disséminées et résorbées, et le canal avait retrouvé ses eaux stagnantes. Impossible maintenant de localiser avec précision le point d'impact du sac à la surface de l'eau. Tout était calme. Même le brouhaha de fond de la ville me parvenait étouffé.

Je me promis de ne pas revenir sur mes pas. C'étaient les derniers moments où je côtoyais le canal. J'allais lui tourner le dos. Devant moi s'élevait une volée de marches, coincées dans un renfoncement du mur de soutènement, qui ramenaient au niveau de la rue. Même s'il me fallait suivre le canal pour rentrer – c'était le seul point de repère dont je disposais pour retrouver ma route –, je n'allais pas retourner par le chemin de halage.

Pas de rue au niveau de la rue. Les marches menaient à un vaste terrain vague où jaillissaient avec luxuriance des mauvaises herbes ici et là. Pendant un moment épouvantable, je crus que la ville avait disparu, rasée de la surface de la terre par quelque catastrophe survenue pendant ma marche le long du canal. Depuis combien de temps étais-je descendu là ? Et combien de kilomètres avais-je parcourus ? Était-il possible que j'aie quitté la ville, franchi ses limites ? Devant moi se dressait un long bâtiment industriel en briques au toit affaissé, sombre et en ruine. Au-delà, le long de la voie d'eau, s'agglutinaient des wagons de fret. À l'exception de l'ancienne usine qui s'abîmait, c'est à peine si je distinguais d'autres bâtiments bas dans la brume estivale. Dans la direction opposée, celle d'où je venais, se dressait un autre complexe en briques énorme et sale, aux fenêtres brisées : de mauvaises herbes colonisaient ses gouttières. Le calme et la poussière emplissaient l'air.

Je me lançai dans ma marche de retour en suivant le tracé du canal. J'avançais sur un sol hétéroclite, briques branlantes, pavés, béton grumeleux en équilibre instable, terre compactée. Le tissu urbain s'était transformé pendant ma marche sur le chemin de halage et je ne m'en étais pas aperçu : yeux baissés en quête de débris pouvant me servir de ballast, j'avais manqué le changement dans le paysage.

Rien ne bougeait, hors moi et les nuages de poussière brune soulevés par mes pieds. Les murs de briques du bâtiment de six étages devant moi étaient consolidés par un cadre de béton rudimentaire, comme les côtes d'un squelette d'Halloween. Je remarquai que l'usine désaffectée poussait jusqu'au bord du canal et que je n'avais d'autre façon pour retourner en ville que de quitter le canal de vue et de m'enfoncer dans cette jachère industrielle.

À proximité se dessinait un passage ou une route parallèle. J'étais néanmoins inquiet de procéder ainsi, d'être forcé de m'éloigner du chenal et de perdre tout repère, prélude à me retrouver bel et bien perdu. Mais le soleil éclatant et le silence de la zone semblaient avoir étendu sur moi leurs ailes protectrices – il ne faisait aucun doute que des assaillants choisiraient un endroit avec des gens à dévaliser ! Or il n'y avait personne.

Le passage parallèle à la voie d'eau avait en réalité la largeur d'une rue, sauf que ce terme qui impliquait vie et piétons ne convenait pas pour qualifier cette artère abandonnée, long espace inséré entre des bâtiments. Une voie ferrée courait en son milieu, encastrée dans les pavés comme une ligne de tram. Recouverts de saletés, ses rails n'avaient pas vu de train depuis des décennies. Toutes sortes de détritus s'entassaient : machines impossibles à identifier avec leurs dépôts de rouille, palettes de bois brisées, empilements de boîtes à archives et papier ligné vert se liquéfiant sous l'action de la pluie. Un fauteuil de bureau pivotant au tissu et au rembourrage arrachés par quelqu'un ou quelque chose était sur mon passage. Moins d'une heure auparavant, j'étais en train d'imaginer des endroits convenables pour me débarrasser du chat. Et à présent, après avoir balancé le sac, je découvrais ce terrain vague à un jet de pierre de l'appartement d'Oskar : un lieu idéal pour servir de sépulture à un cadavre d'animal.

– Un espace amplement suffisant pour jeter son chat !

J'éclatai d'un rire bruyant, manque d'inhibition curieusement déviant, comme de laisser ouverte la porte des toilettes quand on est seul à la maison.

Quelque chose de grand bougea devant moi. Je me figeai. Un homme en ciré jaillissait près d'un tas de détritus – non, c'était une énorme feuille d'emballage en plastique translucide transportée par le vent qui se dépliait paresseusement! La brise qui la soulevait m'atteignit et mon front moite se glaça.

À la fin du passage s'étendait un autre espace recouvert principalement de béton hors d'âge, cassé comme si on l'avait fracassé d'une grande hauteur sur une surface irrégulière. De mauvaises herbes datant de l'ère triasique se balançaient au soleil. Des deux côtés se dressaient des appentis en métal bas, dont les toits en tôle ondulée se découpaient sur le bleu éclatant du ciel. Des métastases de rouille proliféraient dans leur structure… au point de donner l'impression de les désagréger. Je pensai à l'amiante, à des toxines volantes, et la gorge me piqua nerveusement tandis que je poussais un soupir de soulagement: en face de moi, au-delà de cette friche industrielle, je distinguai une rangée de briques percée au hasard de fenêtres et bombardée de canalisations noires. Il s'agissait de l'arrière de maisons mitoyennes, résurgence d'un paysage urbain qui avait le mérite de m'être au moins un peu plus familier. Au-delà de cette ligne, pensai-je, il me serait facile de trouver la rue qui me ramènerait à l'immeuble d'Oskar.

Je m'arrêtai. Le béton s'était déformé comme une banquise flottante compactée par sa propre masse. Au sommet d'une énorme plaque qui s'était inclinée jusqu'à l'affaissement pour former une crête géométrique, je jouissais d'une vue imprenable sur le terrain à mes pieds.

Il servait de refuge à des chiens errants. J'en dénombrai peut-être moins d'une douzaine, mais ils se déplaçaient en larges arabesques rapides à travers les mauvaises herbes sous anabolisants et infestaient tout l'espace. Leur maigreur, leur énergie nerveuse et leur pelage mal entretenu me dirent au premier coup d'œil qu'aucun n'avait connu de maître. Mais un autre raisonnement s'immisça dans mon esprit. Un très

très vieux circuit de mon cerveau avait calculé que ces animaux représentaient clairement une menace. Si je marchais en ligne droite jusqu'à l'endroit où les maisons rejoignaient la berge du canal, j'étais obligé de traverser leur territoire.

Pendant quelques secondes, je les observai de mon monticule. Puis je compris que si je les voyais clairement, la réciproque se vérifiait et je redescendis la pente en béton. Je pouvais toujours rebrousser chemin par le canal, mais les chiens infestaient peut-être aussi ce terrain que je venais de traverser sans que je les voie. L'idée d'être pris en étau, par-devant et par-derrière, par ces animaux me répugnait. Revenir sur mes pas signifiait aussi retourner à l'endroit où je m'étais débarrassé du chat et, peut-être, avoir à faire face de nouveau à son linceul noir. C'était revisiter un endroit où je m'étais promis de ne plus remettre les pieds. Alors que devant moi s'ouvrait la campagne.

J'entrepris de me diriger vers les appentis intercalés entre le canal et moi. Il ne me semblait pas possible d'atteindre la berge, mais je pouvais longer le côté du terrain vague, en espérant que les chiens ne me remarqueraient pas ou qu'au moins ils ne s'intéresseraient pas à moi. J'espérais que ma démarche n'avait rien en commun avec celle d'un prédateur ni d'une proie, même si je marchais aussi vite que possible. L'eau rouillée qui gouttait des appentis avait marqué de taches brunes le sol en béton fortement attaqué par le temps. Le sable crissait sous mes semelles. Inquiet d'être trop bruyant, je ralentis et levai les yeux. Les toits des appentis se laissaient seulement deviner, comme le squelette d'une feuille s'efforçant de remplir la même surface avec moins de substance. Un poids m'appuyait sur la poitrine. Je m'empêchais de lorgner en direction des chiens, tant je craignais que mes coups d'œil ne les alarment, qu'ils attendent que je crée un contact visuel avec eux pour ne plus me lâcher des yeux. Mais l'Histoire a-t-elle jamais été témoin d'animaux échappant à leurs prédateurs sans les regarder ? Et moi-même, m'étais-je déjà confié le rôle de proie ? Ne pourrais-je pas me contenter d'être un passant qui passe ? Je tentai de lancer un regard décontracté vers eux.

Ils m'avaient vu. Ils m'observaient. Ils avaient cessé leur cercle paresseux et les six à huit chiens que j'apercevais avaient tous la tête tournée vers moi. Mais je réalisai que je me dévissais le cou pour les voir, alors qu'ils se tenaient déjà un peu dans mon dos : j'avais dépassé le gros de la meute. Sous mes pieds, les plaques de tôle ondulée en train de s'oxyder et le verre brisé disséminé sur les pavés branlants rendaient le sol irrégulier, et il me fallait vérifier où je posais les pieds afin de ne pas trébucher – trébucher, action à proscrire absolument. Quel signal donneraient-ils pour m'attaquer ? Aboieraient-ils ? Je ne percevais que ma respiration saccadée.

Coup d'œil dans mon champ de vision périphérique. Coup d'œil dans mon dos. Les chiens avançaient. Trois ou quatre trottaient sur une ligne parallèle à mon chemin, museau tourné vers moi. De toute évidence, *eux* ne craignaient pas de trébucher. Quelle insolence dans leurs bonds détendus, autant de pattes d'honneur à ma peur grandissante ! J'accrus ma vitesse, giclée d'acidité dans ma bouche sèche. Eux aussi augmentèrent la leur et je constatai qu'ils ne se déplaçaient pas parallèlement à moi, mais au contraire qu'ils réduisaient l'écart entre nous. Toute retraite m'était dorénavant interdite. Je me maudis de ne pas être revenu au canal quand j'en avais encore la possibilité, d'avoir laissé mes états d'âme tromper des millions d'années d'instinct.

Je voyais clairement la distance à couvrir pour échapper à mes poursuivants. Devant moi, une ruelle étroite fendait la rangée de maisons et au bout, j'apercevais la lueur chatoyante du soleil qui se réverbérait sur la carrosserie des voitures. Invite terriblement prometteuse, même si une distance incroyable semblait encore me séparer de ce refuge. Le problème, *mon* problème, n'était désormais pas tant la distance que le temps et la géométrie. Les chiens – quatre d'entre eux, noirs et marron – décrivaient un arc vers moi. Ils se trouvaient à trois mètres, plus près peut-être, distance d'une laisse, et si je marquais dorénavant un arrêt brutal, ils pouvaient me rejoindre en un quart de seconde. À nos vitesses actuelles, leurs trajectoires allaient croiser la mienne dans un futur imminent. Je craignais qu'ils n'atteignent la ruelle avant moi et me coupent ainsi tout espoir de fuite. Je continuai d'accélérer l'allure de ma marche. Je marchais toujours, mais de plus en plus vite, et ils ne se laissaient pas distancer. La ruelle ne se trouvait plus qu'à dix mètres, mais je n'avais pas encore écarté le scénario catastrophe. Ma démarche était de plus en plus absurde, jambes raides, chaque pas me coûtait, mais je pouvais toujours prétendre marcher, et non pas courir. La distinction entre les deux me contrariait. Si je me mettais soudain à courir, je savais que je pouvais couvrir la distance restante en moins de rien ; mais mes muscles et mes membres enverraient le signal que je fuyais, message dont le sens transcendait facilement les barrières de l'espèce. Il ne faisait aucun doute que les chiens sauraient le déchiffrer. La peur dans toute sa splendeur, et j'étais certain d'en libérer déjà des pans entiers qui en donnaient un avant-goût comme autant de pavillons de signalisation. Comment interprétaient-ils mon comportement ? Isolaient-ils des relents de chat mort dans mon spectre olfactif ? Cette aura de mort augmentait-elle ou diminuait-elle ma valeur comme cible ?

Le chef de meute, bâtard au pelage rêche marron foncé, au museau écrasé, aux yeux ronds et à la barbe de clochard, trottait à un pas et demi devant moi. Il se tourna pour jeter un œil par-dessus son épaule et nos regards se croisèrent. Expression interrogative remplie de compassion... Sauf qu'elle changea : il plissa les yeux, retroussa les babines et montra les dents, petites pointes aiguisées d'un blanc éclatant perdues parmi des poils dégoûtants. Il avait la truffe humide.

Je courus. Eux aussi. Je courais paniqué, en agitant les membres, alors qu'eux bondissaient sans effort, sans donner leur pleine mesure. Je sautais dans la ruelle au-dessus des sacs-poubelle qui en jonchaient le sol, mais le chef courait à côté de moi, yeux embrasés, gueule ouverte, langue brillante sortie tel le leurre gluant et putride d'une fleur tropicale. Il me dominait, nous le savions tous deux, les mêmes vecteurs à l'œuvre dans nos cerveaux, et il m'asséna un coup, tête de côté, comme un truand tenant son arme au même niveau que l'horizon. J'en ressentis l'impact dans le tibia. De lourdes mâchoires s'abattirent sur la chair musclée au sommet de ma cheville avec la force d'un automate. Aucun doute, il voulait me faire la peau, mais je fus si surpris de son attaque que je faillis m'arrêter pour voir ce qui m'était arrivé. *Ne t'arrête pas !* Je redoublai d'efforts pour avancer et sentis le poids du chien retenir ma jambe, puis ce poids disparut et ma jambe fut libre, or quelque chose céda et se déchira au moment de notre séparation. Et moi qui attendais que la douleur s'élance dans ma jambe, que le sang chaud gicle sur mon tibia, propulsé par mon cœur affolé à l'extérieur du trou déchiqueté, et se déverse sur l'asphalte dégoûtant. Mais rien de tout cela n'arriva et quand la jambe mordue retrouva le sol, elle se sentait bien, entière, indemne. La tête dévissée, je vis le chien errant ralentir et se retirer, pour se replier en accomplissant à contrecœur un demi-cercle majestueux où il s'engagea dans la direction opposée, tout en faisant croire que son but n'avait pas changé. Le reste de la meute avait interrompu la traque et tourné casaque. Et moi désormais dans la rue, je voyais des voitures et des passants. Les prédateurs avaient raté leur coup. Quelques mètres seulement séparaient un univers où il était possible à un homme d'être attaqué par une meute de chiens errants d'un monde d'activités humaines où c'était tout bonnement impensable – en plein jour du moins. Ou est-ce que c'était moi qui dégageais une vulnérabilité particulière, un truc qui me transformait en cible ou en menace, alors qu'une autre personne née dans cette ville aurait pu traverser l'espace sans être inquiétée ?

Les formes sombres et ramassées des chiens s'éloignaient ensemble dans la ruelle, perdant leur individualité pour se mélanger au fur et à mesure que la distance se creusait, frontières oblitérées par le ciel bleu éclatant encadré de murs.

Je commençais à ressentir les effets de ma course. Mes cuisses se contractaient et vibraient, mes poumons et ma gorge brûlaient. Je tremblais, mes muscles contractés sous le flux de l'adrénaline, je transpirais des aisselles et entre les omoplates et la sueur suintait en bas de mon dos. Des taches sombres se formaient sur ma chemise. Quelle honte ! Appuyé contre un lampadaire, je luttais pour reprendre le contrôle de ma respiration. Quelques piétons m'observaient, yeux plissés – je ne portais pas de tenue de sport. Le revers de ma jambe de pantalon était lacéré à la cheville gauche, là où le chien m'avait mordu. Un ruban de tissu traînait au sol. Je me penchai pour le ramasser et le déchirai, lambeau de tissu bleu humide. Je le jetai dans la ruelle.

À proximité, la rue enjambait le canal et en croisait une autre qui suivait l'eau. Je l'empruntai. Le canal planté d'arbres à l'ombre bienvenue, ainsi que les hautes maisons étroites qui le longeaient, donnait à la rue un aspect hollandais. Nous étions à des années-lumière de la tranchée industrielle dans laquelle j'avais jeté le chat, et pourtant c'était la même étendue d'eau. Je fus choqué au souvenir d'avoir jeté ce sac noir et de l'avoir observé tourbillonner dans l'eau : cela me semblait déjà si loin. Peut-être pourrais-je espérer m'extraire de cette situation, après tout. En même temps, la tête me lançait sous l'effet de la déshydratation et mes jambes avaient toujours du mal à me soutenir. J'avais besoin d'eau.

Des lignes de trams traversaient le pont suivant, dont l'une menait chez Oskar. Au coin se dressait une supérette, construction incongrue de lumière et de verre blanc, au milieu d'immeubles en pierre et stuc gris monotone, décorée d'étoiles en papier fluorescentes avec, dessus, des prix écrits au feutre. Je voulais de l'eau et des provisions pour remplir le réfrigérateur.

Derrière les portes coulissantes du magasin soufflait un climatiseur : il sécha ma sueur, tout en me frigorifiant. Les néons allumés grésillaient avec un bruit évoquant le fond diffus cosmologique du Big Bang. Je pris un panier métallique que je remplis – bouteilles d'eau, fromage, tomates, salami, miche suspecte de pain sombre et dense. Deux bouteilles de vin – j'hésitai, en replaçai une sur l'étagère et puis la remis dans mon panier. L'aménagement du supermarché semblait temporaire – étagères en panneaux de fibres stratifiées sans chichi, étiquettes écrites à la main –, mais l'abondance régnait. Je pris des spaghettis et un bocal de ce qui ressemblait à de la sauce pour pâtes. Mes achats remplirent deux sacs en plastique. À nouveau, je les sentis tirer sur mes doigts. Je pensai au chat, silencieux et bien au frais sur le lit du canal, où les dépôts sédimentaires s'infiltraient dans les plis noirs de son linceul.

La marche du canal à l'appartement d'Oskar ne dura pas longtemps – elle me sembla même plus courte cette fois. Cette fine portion urbaine se montrait dorénavant avec une netteté supérieure au reste. De petits détails dans la rue se fixaient dans ma mémoire : enseigne peinte d'une boutique, balcon débordant de plantes grimpantes et suspendues. Cet endroit était en train de devenir un lieu chargé de souvenirs. Combien de temps faudrait-il pour qu'il devienne familier ? Je me demandais si mon séjour serait encore long. Sûr que je ne m'y sentirais jamais chez moi.

Les deux mains chargées de mes emplettes, je poussai la porte de l'immeuble de l'épaule, tête baissée, et faillis culbuter… la femme de ménage ! Elle venait de laver le carrelage du couloir qui brillait et passait un balai à franges pour le rendre encore plus étincelant. Quand elle m'aperçut, son visage se figea et m'exprima le peu de joie qu'elle prenait à notre rencontre. Je souris, automatisme chez moi, et mes muscles se raidirent en vue de la dépasser à toute vitesse et de monter les escaliers quatre à quatre… quand je réalisai la saleté de mes chaussures après mon excursion. Désireux de ne pas empirer notre relation en laissant des marques boueuses sur le sol humide, je m'essuyai les pieds sur le tapis, conscient de ma jambe de pantalon en lambeaux.

– ___ ! attaqua-t-elle immédiatement en rendant évident le fait qu'elle me défiait à propos de quelque chose. ___ !

– S'il vous plaît, répondis-je d'un ton que j'espérais conciliant, tout en continuant de me prendre pour Michael Jackson et de faire mon *moonwalk* sur le tapis. Vous savez bien que je parle seulement anglais. J'ai vu que vous avez trouvé le chat… Je n'ai rien à me reprocher… Qu'il, euh,

210

repose en paix ! Je vais tout expliquer à Oskar, aussi je vous demande d'être patiente…

Absurde ! Non seulement elle ne comprenait rien de ce que je lui disais, mais en plus, elle ne m'écoutait même pas ! Elle observait mes sacs et son expression et le ton de sa harangue avaient glissé du mépris à l'horreur. Ignorant ce qui avait bien pu retenir son attention, j'en soulevai un. Rien d'anormal : en plastique blanc anonyme, sans aucun nom de marque, comme cela aurait été le cas au Royaume-Uni. Mais la combinaison des formes du pain et du salami tendait sa peau pâle : pensait-elle avoir affaire au chat ? Quand je soulevai le plastique, son agitation s'accrut.

— Ce sont des courses ! dis-je trop rapidement, car ma voix dérailla. Regardez !

Je posai un sac au sol – les bouteilles tintèrent – et attrapai dans l'autre – annulant du même coup ce qui aurait pu de loin ressembler à un chat – le salami.

— Regardez ! Regardez !

Elle se recula avec une expression indescriptible. En un éclair, je compris que loin d'être rassurant, le fait de brandir cette saucisse contribuait plutôt à me faire passer pour un pervers.

— Ce sont juste des courses, marmonnai-je en rangeant le salami.

Remise de ses émotions, la femme de ménage avait repris ce qui avait tout l'air d'une tirade accusatrice. Je ramassai le deuxième sac plastique et détalai en direction des escaliers, poursuivi de sa vindicte.

De retour dans l'appartement d'Oskar, je pris soin de bien refermer la porte avec la chaîne de sécurité. Assez d'interruption ! Cette ville, cet immeuble, cet appartement commençaient à me porter sur les nerfs. Je déposai les courses à la cuisine et allai chercher la boîte de produits ménagers dans le cagibi. La note d'Oskar était toujours coincée sous le lingot de cire d'abeille.

Voici des produits ménagers destinés au nettoyage de l'appartement et du parquet, avait-il écrit. Bien sûr, Oskar, impossible de te contredire. *Il y a un livre,* Prendre soin de son Parquet, *sur l'étagère dédiée à l'architecture.* Voilà qui m'aidait un peu plus.

L'ouvrage, mince volume marron cartonné, se trouvait à l'extrémité de l'étagère la plus basse, pratiquement invisible à côté des grosses et pesantes monographies d'architectes européens et américains. Sur la couverture, un homme dessiné au trait mettait en place une latte de parquet avec une expression de passivité zen. Le livre me mettait à l'aise d'emblée. Il semblait issu du monde protecteur des revues techniques automobiles Haynes et des dépliants *Protect and Survive*[1]. Il saurait me prodiguer les bons conseils. Je l'ouvris… et tombai sur une note d'Oskar – plus qu'une note en réalité, une lettre de bonne taille remplissant au moins une face d'une feuille A4 d'une écriture plus exubérante, moins contrôlée que d'habitude. Elle débutait avec un titre ou avertissement écrit en majuscules, qu'il avait peut-être inséré a posteriori :

SI LE PARQUET N'A SUBI AUCUN DEGÂT, JE TE DEMANDERAI DE NE TENIR AUCUN COMPTE DE CETTE NOTE

Puis :

---

1. *Protect and Survive* sont des dépliants distribués par le gouvernement britannique à la population en vue de l'aider à surmonter une attaque nucléaire au cours des années 1970 jusqu'au début des années 1980.

Mon cher ami,

SI TU VIENS DE RENVERSER QUELQUE CHOSE SUR LE PARQUET, ESSUIE-LE IMMÉDIATEMENT AVEC UN CHIFFON HUMIDE! N'ATTENDS PAS! NE LAISSE PAS LA TACHE IMPRÉGNER LE BOIS!

Mais si tu es tombé sur cette note, c'est que tu as trouvé le livre, aussi est-il probablement trop tard. Tu as essayé avec de l'eau et cela n'a pas fonctionné. Le parquet est taché. Possible que cet ouvrage t'aide, mais je ne crois pas que tu puisses réparer les dégâts.

Mes boyaux se tordirent et une bouffée de chaleur me monta au visage. Je me mordis la lèvre. *Je ne crois pas que tu puisses réparer les dégâts.* Comment osait-il? Je connaissais son arrogance, son dédain ordinaire, mais chaque fois, je me laissais prendre et ses coups ne manquaient jamais de m'atteindre. Comme j'avais envie à présent de casser deux bouteilles de vin rouge sur le parquet et d'utiliser leur goulot ébréché pour graver mon nom sur les lattes!

Or je n'allais pas me soumettre à ce désir. J'allais réparer les dégâts, sans laisser de traces, et passer à autre chose. Ce serait une victoire silencieuse et secrète, dont moi seul connaîtrais l'existence. Et puis j'allais mentir sans vergogne au sujet du chat et dire qu'il était sorti… sans jamais revenir! Peut-être parce qu'il souffrait de l'absence prolongée de son maître, histoire qu'Oskar ressente le fer rouge de la culpabilité. Et si la femme de ménage me contredisait, je la traiterais de folle. Mon histoire était bien plus facile à accréditer. Pas de corps, pas de crime. Pas vu, pas pris. À elle d'apporter la preuve!

La note se poursuivait:

Ce parquet m'a coûté très cher. La meilleure façon de l'entretenir est de ne pas l'endommager. Si quoi que ce soit lui arrive, appelle-moi, je t'en supplie, pour m'en informer.

Mais pourquoi? Pourquoi donc? Si les dégâts sont irréparables, s'il est trop tard pour faire attention et si l'occasion de renverser la situation a filé, pourquoi souhaitait-il être prévenu? Quels conseils pouvait-il prodiguer qu'il avait oublié d'exprimer dans ses nombreux messages? Que proposait-il? De revenir immédiatement pour inspecter le désastre et me le faire payer très cher? Pas impossible. Mais il était plus probable que sa requête exprimait son désir de tout contrôler. En outre, j'avais la certitude qu'il ne laisserait pas passer une occasion de me juger et de me blâmer.

Je poursuivis ma lecture, enragé autant qu'émerveillé par la longueur du message.

S'il existe une réponse, il se peut qu'elle soit dans cet ouvrage, mais il se peut aussi que tu aggraves la situation. Il est essentiel que tu m'appelles avant de tenter quoi que ce soit. Je pourrai peut-être me rendre utile.

Comme s'il ne me l'avait pas déjà écrit! C'est qu'il se répétait!

Le parquet revêt de l'importance pour moi à de nombreux titres. Lors de l'achat de cet appartement, j'ai tout changé: le parquet, la cuisine, les meubles, tout a été conçu selon mon désir. L'ancien plancher était usé et abîmé. Ce que beaucoup de gens apprécient. Comme toi, je suppose. Mais moi, j'ai préféré du neuf. Tout devait être parfait. Si j'arrivais à créer un îlot de perfection, il en découlerait que le reste de la vie serait également parfait. Certains dictons débordent de complaisance: Rien n'est parfait, la perfection n'est pas de ce monde. Ce n'est pas vrai. Le parquet est, était parfait. Comme l'appartement, comme la vie. Cela exige des efforts de porter les choses à un tel niveau de perfection, et puis de les conserver ainsi. Je me souviens de notre conversation au pub – comme quoi je plaçais la barre trop haut. Quand tu as prononcé ces paroles, c'était comme si tu m'envoyais une gifle. J'ai l'habitude d'être déçu et j'ai cru qu'à la fin, je rencontrerais des gens qui ne me décevraient pas et que ceux autour de moi feraient tout leur possible pour ne pas me décevoir. Tu m'as suggéré de descendre la barre. De ne pas tant attendre de l'humanité. C'est si simple de ne pas endommager le parquet. Peut-être y réussiras-tu. Mais si j'écris cette note, c'est parce que je pense que la probabilité que tu l'abîmes est très forte, aussi suis-je peut-être déjà en train de reconsidérer mes attentes. Peut-être est-ce un test.

Le livre donne des instructions, mais j'exige que tu m'appelles.

Ton ami, Oskar

Était-il en train de craquer ? Sauf qu'il avait écrit le message au moins une semaine auparavant, donc avait-il craqué ? J'essayais de l'imaginer dans l'appartement, un ou deux jours avant de partir pour la Californie pour être humilié et, peut-être, ruiné par des avocats, obligé de laisser son bel appartement, son parfait sanctuaire, entre les mains de quelqu'un en qui il n'avait pas confiance, échafaudant des scénarios de désastre dans sa tête et rédigeant des notes pour les anticiper. En essayant de garder le contrôle. Combien de temps cela lui avait-il pris de transcrire tout cela ? J'avais découvert une douzaine de messages, mais il devait y en avoir encore plus. Un jour ? Deux ?

Je retournai la note, avec l'intention de me mettre à lire le volume, et découvris qu'il avait écrit au verso.

Quand quelque chose dérape, il est possible de remonter jusqu'au moment où les choses auraient pu se passer différemment : ce moment où un mot, un silence, un acte ou l'absence de mouvement auraient pu tout changer.

Je pense maintenant au parquet et à ce livre.

Cet ouvrage présente les nombreuses façons de « corriger » ce qui a dérapé, sauf que tout y est fallacieux. Pour résumer : « Évite que les choses dérapent. » Quand tu joues une fausse note au piano, impossible de la « corriger » après coup, d'agir comme si rien ne s'était passé. Impossible de déjouer ce qui a été joué ! Telle est la règle.

C'était tout : ni salutation ni signature. Après m'être versé un verre d'eau de la bouteille que je venais d'acheter, j'emportai le livre avec moi sur le sofa. À côté des marques de griffes du chat mort. Étaient-elles celles du chat mort ? Ou celles du chat vivant ? Je subodorais que c'étaient celles du chat mort. L'autre n'était pas réapparu, pourtant il devait être affamé à l'heure qu'il était. Le jour formait une voûte dans le ciel et les pans de lumière déversée par les hautes fenêtres s'étaient réduits à de longues lamelles effilées.

J'ouvris à nouveau le livre, pris le message d'Oskar et le posai sur la table du salon. L'introduction était écrite en gros caractères plaisants, à l'image de l'auteur dont on voyait une photo couleur : ce grand type sympathique se tenait accroupi sur un parquet aux lattes éclatantes assorties à ses cheveux dorés, un pinceau impeccable à la main.

Le bois, lus-je, *est un matériau magique.*
Le texte poursuivait gaiement :

À la différence d'autres revêtements pour le sol, le vrai bois mène sa propre vie. Littéralement ! Il vivait la vie d'un arbre avant de devenir votre parquet. Quand vous jetez votre dévolu sur ce type de revêtement, vous transportez un peu de cette vie chez vous. En tant qu'artisan, je vous assure qu'aucun matériau n'égale le bois. Chaque arbre, chaque morceau de bois est unique. Et chaque parquet a sa propre histoire à raconter. Ne lésinez pas sur son entretien et il vous le revaudra au centuple pendant des décennies ! Le verbe clé pour en tirer le meilleur parti est « soigner ». Vous devriez lui apporter les mêmes soins qu'à un meuble ancien, car c'est peut-être le meuble le plus important en votre possession. Traitez-le avec amour et il rayonnera d'amour.

Aucun doute que le parquet d'Oskar était de toute beauté. Mais au point de rayonner d'amour ? J'embrassai du regard les lattes immaculées près de la bibliothèque. Pâles et propres. Enduites de cire, elles brillaient en réfléchissant la lumière qui rehaussait la fine texture de leurs fibres. Si elles diffusaient de l'amour, c'était sur une fréquence supérieure, perceptible seulement aux êtres humains plus évolués. Une pulsion archaïque me submergea à nouveau. Quelle quantité d'esprit de destruction abritais-je en moi ? Quelle quantité d'encre y avait-il dans l'appartement ? Il y avait du vin, mais j'allais avoir besoin d'encre. Si le bois n'était pas bien protégé contre les taches, était-il bien ignifugé ? Ou alors, je pourrais me contenter de vider les lieux. Je pensai à l'aéroport, à sa myriade de possibilités, à la liberté qu'il m'offrait. Il y avait forcément un vol pour Londres ce soir. Je pensai à ces hectares de sols en mosaïque conçus pour résister sans s'altérer à des millions de pas. Verrouiller la porte et jeter les clés dans la boîte aux lettres. Mais le chat ? Même si je me déchargeais de la responsabilité de l'appartement, ce n'était pas pareil avec le chat survivant. En espérant qu'il survivait... où qu'il soit.

Le temps laissera des traces d'usure sur tout parquet. Patine qui participe à son caractère vital et fait partie intégrante de son esprit.

Car le bois a un esprit! Avant la naissance du Christ, quelques peuples primitifs en Europe croyaient que des esprits habitaient les arbres. De nombreuses sociétés tribales de par le monde partagent cette croyance dont on peut trouver des traces dans notre propre culture. N'avez-vous jamais entendu dire: «Touchons du bois», pour écarter le malheur? Cette croyance affirme le pouvoir spirituel de ce matériau. Les païens croyaient que l'esprit des arbres ou dryades...

Le livre faillit me tomber des mains. Ce charabia spirituel était très loin de ce que j'attendais. Moi qui recherchais un manuel pratique exigeant, j'avais sous les yeux un tas de conneries qui puaient le New Age à plein nez. Au bord de la nausée, je feuilletai rapidement les douze pages suivantes.

Le judaïsme et le christianisme ont en commun «l'arbre de la connaissance»; et le bouddhisme a «l'arbre de la Bodhi».
... Yggdrasil, «l'arbre du monde nordique»...
... les mâts totémiques en cèdre utilisés par les Indiens d'Amérique...
... des vertus curatives. L'acide acétylsalicylique, mieux connu sous le nom d'aspirine, provient de l'écorce du saule...
... les druides utilisaient le gui...
... une écharde de la vraie Croix...
... le rameau d'or qu'Énée et la Sybille tendent au gardien des Enfers...

Lui, le rameau, c'était sur la tête qu'il l'avait reçu. Je retournai à la photographie de l'auteur – cheveux blonds idéalisés, lueur mystique dans les yeux, bouche souriante agrémentée de dents blanches parfaites. Cela ne ressemblait pas à Oskar d'avoir consulté ce dingue pour son parquet. Mais pas du tout ! Et il y avait quelque chose chez cet auteur, dans son écriture, son type de démence, ses dents… Ce style rustique écœurant, ces monceaux de sagesse populaire, cette philosophie composite.

Sur la quatrième de couverture :

> Chandler Novack, l'auteur, est artisan, éducateur, écrivain et coach personnel. Il a écrit vingt livres, dont *Prendre soin de son Épouse*, *Prendre soin de son Mari*, *Prendre soin de ses Enfants*, *Prendre soin de son Moi intérieur*, *Prendre soin de ses Peintures*, *Prendre soin de ses Voitures de collection*, *Prendre soin de ses Meubles de Style*, *Prendre soin de sa Piscine*. À travers ses ouvrages et son enseignement, il a apporté une vision exceptionnellement profonde des soins holistiques à se prodiguer à soi-même pour veiller sur sa santé. Plus de dix millions de lecteurs l'ont lu à travers le monde.
>
> Chandler vit en Californie avec son épouse et leurs cinq enfants.

La Californie. Et sur la quatrième de couverture : *21,95 \$*. Pas de prix en livres ou en euros. Le livre avait été acheté aux États-Unis et j'étais prêt à parier tout ce que je possédais que ce n'était pas par Oskar ! Car il n'y avait pas le début du début de ce galimatias nauséeux chez lui, pas de place pour le carillon qui vibre au souffle du vent ni pour les bâtons d'encens. C'était un empiriste qui s'intéressait au monde visible et mesurable. Non, ce livre portait la signature de Laura, cette inconnue, cette étrangère imprévisible. C'était un cadeau alors, mais qui trahissait un manque de compréhension abyssale de la personnalité de son mari. Leurs raisons de divorcer me sautèrent aux yeux : ses efforts accomplis avec les meilleures intentions pour atteindre les chakras d'Oskar butaient contre la lippe atterrée dudit Oskar, vague de yoga et de yaourt s'écrasant contre la falaise abrupte de son visage en silex. Mais, selon l'expérience limitée que j'avais d'elle, cela ne ressemblait pas vraiment à Laura non plus. Était-ce un cadeau d'impulsion acheté à la va-vite dans une librairie d'aéroport, après l'annonce du départ imminent de son vol ? Suivi d'une franche rigolade à deux, à la lecture de passages ponctuée de verres de vin sous une lumière tamisée ? Laura avait peut-être consulté monsieur Novack sur un autre sujet – *Prendre soin de ses Peintures ? Prendre soin de son Mari ? Prendre soin des Pianistes européens fixés au stade anal ?* – et y avait trouvé aide et réconfort. Mais sur le long terme, pas assez.

Pas étonnant que la note d'Oskar m'ait découragé. D'humeur plus positive, je consultai la table des matières et me rendis aux chapitres qui traitaient des taches :

En effet, les accidents surviennent ! Nous sommes tous humains sans exception.

Une partie de moi, celle qui était la plus proche d'Oskar, se contracta.

Je me souviens quand je bâtissais ma première maison avec Allegra...

M'attendait un nouveau tsunami de conneries : des avertissements livrés sous la forme d'anecdotes et de proverbes attrayants qui chantaient la prévention comme panacée. Le mode d'autodénigrement choisi par Novack pour raconter son histoire échouait mystérieusement à entamer son amour-propre olympien. Mais plus loin, il se concentra clairement sur les questions pratiques – instructions concernant des points importants, dessins au trait, tuyaux encadrés.

> Si la tache a eu le temps de s'infiltrer, il va vous falloir alors avoir recours à un abrasif pour l'enlever. Le nom du plus efficace est «pierre pourrie» ou «tripoli». Il s'agit d'une fine poudre utilisée pour polir les pierres. Vous en mélangerez une petite quantité avec de l'huile de lin en vue d'obtenir une pâte fine, que vous utiliserez pour enlever la tache par friction. Prenez garde de toujours aller dans le sens des fibres du bois.

Le livre à la main, je me rendis à la cuisine où j'avais laissé la boîte de produits ménagers.

– Pierre pourrie, murmurai-je. Pierre pourrie ou tripoli.

J'opérai un inventaire rapide de la boîte – un aérosol d'encaustique, des feuilles de papier de verre à grain fin, trois chiffons, une paire de gants de vaisselle, deux pinceaux propres, une boîte de vernis ou de cirage de je ne sais trop quoi et un petit flacon de verre marron sinistre contenant une fine poudre blanche cristalline avec des triangles de mise en garde et des signes de danger imprimés dessus. Avant la fin de mon inventaire, je savais que je n'y dénicherais pas de pierre pourrie. Le nom m'avait l'air inventé. Je ne faisais pas confiance à ce produit. Il fallait que Novack trouve mieux.

> En l'absence de pierre pourrie, broyez de la pierre ponce ou utilisez une feuille de papier de verre fin.

Le papier de verre – à la bonne heure! Un traitement acheté en quincaillerie, et non dans une boutique Body Shop. Je choisis une feuille de papier de verre propre dans la boîte en plastique et examinai la tache. Il fallait faire un test sur une petite surface avant de risquer l'opération sur une plus grande étendue. Un endroit à l'écart conviendrait parfaitement.

Passez le papier de verre avec douceur mais fermeté en suivant les fibres du bois.

Cette action eut un impact immédiat sur la tache satellite, mais aussi sur le parquet tout autour. Sa présence s'atténua jusqu'à devenir l'ombre de ce qu'elle avait été. Sauf que ce fantôme flottait dorénavant dans un ovale effroyablement pâle de bois nu. Cette tache neigeuse sautait aux yeux, car la rupture qu'elle provoquait dans l'éclat paisible du parquet en y insérant un intervalle mat suffisait à la faire remarquer, même sans différence de couleur. J'avais désormais acquis la conscience douloureuse de la vulnérabilité de cette tache: privée de la finition protectrice la plus superficielle, elle servait d'appât à la saleté et ne présentait aucune défense pour contrer les accidents futurs. Et même si je l'avais sérieusement réduite, elle n'était pas partie. Je ponçai autant que mon audace m'y autorisa, conscient d'entamer la substance du bois: n'empêche qu'une trace rosâtre subsistait! La lumière rasante qui se déversait des fenêtres découpait profondément la pièce en tombant sur le parquet de la cuisine. Dans son éclat, elle réussissait parfois à me faire croire que j'avais finalement réussi à éliminer la séquelle, mais je l'apercevais à nouveau et la faisais disparaître d'un battement de cils... avant de découvrir que ce que j'avais vu en réalité était une tache rougeâtre qui flottait derrière mes yeux, impression sur la rétine quand on fixe un point brillant trop longtemps.

La tête me lançait. J'avais maintenant vidé le litre d'eau acheté. Avec une attention extrême, digne d'un technicien nucléaire lors de la manipulation de matières fissiles instables, j'ouvris une bouteille de vin et m'en versai un verre. Avec joie. Puis je le déposai sur l'égouttoir en acier design près de l'évier et consultai Novack à nouveau.

> Il se pourrait que l'abrasion seule ne suffise pas à enlever une tache vraiment profonde. Pas de panique. Préparez une solution de cristaux d'acide oxalique dans de l'eau, imbibez-en un chiffon blanc propre et appliquez-le sur la tache pendant approximativement une heure. FAITES EXTRÊMEMENT ATTENTION – l'acide oxalique provoque de graves brûlures. Portez des gants de protection pendant la préparation et l'application de la solution. Une fois l'opération terminée, neutralisez l'acide avec du vinaigre de cuisine.

Novack, magnifique timbré californien, tu as réussi ton coup ! Ta proposition ne nécessitait pas de passer par le camp de base, il fallait juste faire un tour du côté de la classification périodique des éléments. L'acide oxalique : voilà le type de substance franche en laquelle je pouvais avoir foi. Ma confiance augmenta encore quand je pensai à ce flacon médicinal marron dans la boîte d'Oskar, avec son étalement festif d'icônes signalant un danger et la matière cristalline qu'il contenait. La lecture de son étiquette me récompensa : *cristaux d'acide oxalique.*

Dans une vie antérieure, fort possible que je me sois arrêté à cette étape pour prendre en compte l'environnement – l'océan où les créatures aquatiques auraient égoïstement pu se bagarrer pour attirer mon attention. Pas maintenant. À ce stade, si j'avais pu appuyer sur un bouton qui aurait simultanément enlevé toutes les taches du parquet et exterminé les derniers pandas, je n'aurais pas hésité une seconde. C'est que le nettoyage du parquet était pour moi une affaire sérieuse.

Équipé de gants de caoutchouc, je préparai un petit verre de solution acide que je versai sur un torchon neuf et propre trouvé dans le placard. Puis je posai sur la partie dénudée du parquet le tissu chiffonné en soumettant le moins possible de bois non endommagé à l'action de l'acide. Ni sifflement gratifiant, ni flamme soudaine, ni odeur âcre – le parquet restait égal à lui-même, à la différence qu'un torchon était posé dessus. Je bus prudemment une gorgée de vin en jetant un œil à l'horloge. C'était à présent plus le soir que l'après-midi.

Je passai les gants sous le robinet, les enlevai et allai dans le cagibi chercher le vinaigre. À mon retour, quelques minutes plus tard avec le flacon adéquat, quelque chose clochait.

À genoux, j'examinai le torchon sur le parquet. Une grille de lignes bleues y était imprimée comme sur tous les torchons de ma connaissance. Or l'imprimé s'était modifié. Les lignes s'étaient brouillées. Et l'ombre qui le bordait n'en était plus une. C'était un anneau de teinture bleue échappée du chiffon… et il s'était décalqué sur la latte en dessous.

– Merde ! hurlai-je. Merde, merde ! Merde !

Mon bras se tendit pour attraper le torchon sur le parquet, mais le souvenir de l'acide me traversa. J'enfilai les gants en agitant les doigts, le saisis et le jetai dans l'évier où je laissai l'eau du robinet couler dessus.

Sur le parquet, un cercle de bleu marbré avait imprégné le bois, plus sombre sur le pourtour qu'au centre, et cette saleté de tache de vin persistait ! Je passai de nouveau mes mains sous le robinet et retirai les gants. Du vinaigre, du vinaigre, neutraliser l'acide avec du vinaigre. Une sensation de raideur s'était emparée de mes doigts qui semblaient avoir perdu la capacité d'agripper le bouchon du flacon de vinaigre. Ce dernier glissa, faillit m'échapper. Entre mes mains malhabiles, il se déversa sur le lagon bleu. Un pâle liquide bleuâtre se répandit généreusement sur les lattes. Avec force jurons, je passai un nouveau chiffon sous l'eau qui continuait de couler et entrepris de rincer.

Subsista sur le parquet humide une ecchymose de la taille d'un dessous-de-verre, à la place de la tache dont j'avais pratiquement eu raison. Avec un intérêt hébété, je notai les nombreuses qualités de cette nouvelle arrivée bleue – son pourtour extérieur légèrement plus foncé, quand elle avait interagi avec la latte cirée, le bleu tacheté plus pâle, là où elle avait eu libre accès au bois poncé, et la marque de naissance violette au centre, là où elle se superposait au vin sans avoir eu le temps de le dissoudre. À deux ou trois endroits, on distinguait la grille du torchon décalquée sur le parquet.

Novack, espèce de salaud, pensai-je, pourquoi tu ne m'as pas mis en garde ? Il l'avait fait bien sûr, n'avait-il pas spécifié un chiffon blanc non teinté, mais sans insister sur l'importance de cette directive ? Il faudrait une nouvelle fois décaper le parquet, le laisser sécher, le poncer – sur une surface plus étendue que la dernière fois –, le traiter à nouveau à l'acide et puis alors, peut-être, sauf si d'autres mésaventures survenaient, lui appliquer un apprêt protecteur. La soirée promettait d'être longue. Heureusement que j'avais acheté cette deuxième bouteille de vin, pensai-je en attrapant mon verre.

Plus tard, je rejouerais mentalement l'enchaînement des événements antérieurs pour identifier à quel moment j'avais saisi le verre de vin avec les gants de caoutchouc souillés d'acide oxalique. Quoi qu'il en soit, le verre avait à peine accompli le tiers du chemin entre l'évier et ma bouche… que mon pouce et mon index se mirent à brûler d'une chaleur intense. À peine une fraction de seconde après avoir enregistré cette sensation étrange, une douleur atroce la remplaça.

Mon cerveau reptilien prit instantanément le contrôle des événements et adopta ce qui lui sembla la réaction la plus sensée. Je lâchai le verre. En réalité, je ne me contentai pas de le lâcher, mais je le jetai au loin comme un serpent venimeux. Le contenu opéra un vol plané et le contenant alla s'écraser contre les lattes. Il était pratiquement plein.

Mais à ce moment-là, ce n'était pas l'événement le plus important de ma vie. À trois endroits de ma main gauche, la peau avait violacé et cloquait. Un grognement m'échappa, deux tiers gémissements, un tiers cri et je me jetai sur l'évier.

Bien sûr – comme ma rétrospective mentale le mit en lumière –, afin de nettoyer à grande eau l'acide de mes mains gantées, il m'avait fallu d'abord ouvrir le robinet avec une main au gant souillé d'acide. Et cet acide s'était déposé sur le robinet ! Pour que l'eau calme ma main gauche, je touchai le robinet de la droite indemne.

Pendant ce temps, du vin rouge gouttait sur du verre brisé dans cent endroits différents.

SEPTIÈME JOUR

Nuit agitée. Le peu de sommeil que j'avais réussi à glaner fut interrompu à quatre heures du matin par le claquement de la porte-fenêtre. Quand l'heure d'aller se coucher était enfin venue, après une soirée passée à essayer d'endiguer la catastrophe, le chat n'était toujours pas rentré. Alors j'avais préparé sa pâtée et laissé la fenêtre de la chambre entrouverte, au cas où il réapparaîtrait pendant la nuit. Mais un petit orage d'été avait éclaté aux premières heures du jour et des bourrasques de vent avaient repoussé la fenêtre avec fracas, si bien que j'avais été obligé de la verrouiller pour empêcher la pluie de s'engouffrer. Pas de moustache de chat à l'horizon.

De chat vivant, je veux dire. Car son défunt collègue apparut dans mon rêve, moustaches dégoulinantes d'eau boueuse, fourrure emmêlée de saletés. Il surgit au-dessus de moi, accusateur comme le fantôme de Banquo… avant de s'évanouir aussi vite. De l'eau de pluie s'était répandue dans la chambre : je m'en fichais ! J'envisageais même de la laisser stagner sur le parquet, car c'était le cadet de mes soucis si elle endommageait la finition et déformait le bois. Mais les vestiges de mon sens des responsabilités s'en émurent et j'épongeai avec l'essuie-mains de la salle de bains.

Malgré mon épuisement au moment de retourner au lit, je ne réussis pas à me rendormir. La douleur qui irradiait de mes doigts brûlés s'était réduite à un léger picotement,

227

hélas suffisant pour me garder éveillé et faire en sorte que la situation à la cuisine m'obsède. Le verre qui m'avait échappé des mains – que j'avais en réalité jeté – avait explosé sur le parquet et le vin qu'il contenait s'était répandu sur une surface à peine croyable. Après avoir lavé mes mains à grande eau pour enlever l'acide – les cloques concernaient cinq doigts dont les deux pouces –, je m'alarmai en découvrant que les éclaboussures poussaient jusqu'à la bibliothèque. De grosses gouttes rouge pourpre avaient roulé sur le dos d'une demi-douzaine d'énormes livres d'art cartonnés. Ils devinrent ma priorité. Leur vulnérabilité donnait au parquet l'apparence d'un PVC recouvert de téflon.

Opération délicate que d'éponger le vin sur ces volumes. Chiffon humide essoré au maximum ; minuscules mouvements aussi légers que la plume. Le pelliculage brillant de deux ouvrages les avait protégés ; la couverture foncée de deux autres dissimulait pratiquement toute trace. Il n'empêche que des pâtés pourpres subsistaient sur deux autres encore : impossible de les déloger sans trouer la carte ivoire de leur couverture. Malgré les dimensions réduites de ces souillures, quelle violence énorme et tragique elles représentaient pour ces livres autrefois parfaits !

De nombreux chiffons me permirent de m'attaquer au reste du parquet. Par endroits, vu le peu de temps pendant lequel il avait été exposé au vin – seulement quelques minutes – les taches s'effacèrent immédiatement sans laisser de traces. Mais ailleurs, elles persistèrent et la présence d'éclats de verre dispersés ici et là s'opposa à ce que je les fasse disparaître rapidement. Je progressais des éclaboussures les plus excentrées vers le cœur, le long d'un arc rouge de trente centimètres de long. Les dégâts étaient certes moins importants que lorsque le vin avait eu le temps d'imprégner le parquet toute la nuit ; mais ce feu d'artifice rosâtre était désormais venu prêter main-forte à la première tache plus sombre en forme de méduse.

Malgré le tour que prenaient les événements, loin de moi l'idée de me laisser gagner par le découragement. À l'exception des coulures et des éclaboussures sur les bords, le gros des dégâts se concentrait sur quatre ou cinq lattes. Surface importante, j'en conviens, mais pas insurmontable. Je n'avais pas suivi les directives de Novack jusqu'au bout et, comme je le constatai, son propos ne se limitait pas à l'acide oxalique. Je choisis un nouvel endroit pour y pratiquer un test – une bande de petites dimensions près de l'un des placards de la cuisine – et je m'attelai à ma tâche, armé de papier de verre et de cristaux abrasifs. En l'absence de chiffon blanc, je sacrifiai sans vergogne l'une des serviettes de table en lin d'Oskar, car la possibilité qu'il s'en aperçoive me semblait très mince. Et le procédé fonctionna : premier et seul développement positif de toute cette journée, l'acide agit comme il se devait. La tache était partie.

J'attendis que la surface nettoyée sèche une heure de plus avant d'appliquer une couche de finition pour bois d'un pot trouvé parmi les produits de la boîte. Assez satisfait du résultat obtenu sur le parquet humide, je voulais attendre que le tout ait séché avant de me réjouir complètement. À ce moment-là, la soirée était déjà fort avancée et à onze heures passées, je décidai que je n'avais rien d'autre à faire sinon d'aller me coucher.

Au réveil, ma première pensée alla au chat vengeur de mon rêve, moustaches alourdies par les gouttes d'eau polluée. Ma seconde m'entraîna vers le parquet. Il devait être sec à présent. De quoi avait-il l'air ? Je me levai et enfilai mon pantalon. La lumière traversait un épais milk-shake de nuages avant d'atteindre la chambre étouffante. Pas de chat sur le balcon. J'ouvris tout de même la fenêtre pour essayer de créer un courant d'air. La peau de mes plantes de pied collait un peu aux lattes cirées, comme les pattes d'un insecte.

La découverte du parquet de la cuisine – avec un regard plus objectif aux antipodes de la panique de la veille – me rappela la gravité de la situation. Constellation de taches, paysage nouveau et hostile auquel j'avais donné naissance dans le paradis d'Oskar. Le désastre avait dépassé les limites antérieures quand j'avais brisé le verre, pour pousser jusqu'au salon et à la bibliothèque. La variété intrinsèque de ce système proliférant empirait encore la situation. Si un accident unique en avait été à l'origine, alors il aurait été possible de l'expliquer et de le comprendre – truc exceptionnel, caprice du destin, manque de chance, calamité située aux fines extrémités de la courbe de Gauss de l'expérience humaine. Hélas deux ou trois incidents étaient survenus qui nécessitaient des éclaircissements. Trop pour limiter l'explication à une seule mésaventure – cela ressemblait à une histoire de négligence à plusieurs niveaux, ou même à du vandalisme. Colères d'ivrogne. Fêtes qui dégénèrent. Saltos de paralytique.

Cherchant des yeux la surface que j'avais essayé de réparer, je ne la localisai que trop facilement. Dans le cas heureux où le ponçage et le décapage auraient réussi, elle se serait réduite à un vague souvenir dont on n'aurait pu deviner l'emplacement qu'en prenant en compte la position relative de la souillure dans son environnement. Or une tache jaune s'était additionnée au spectre qui comprenait le bleu du torchon, mais aussi le rose, le rouge, le pourpre et le gris du vin séché. On aurait dit que j'avais essayé de cirer le parquet avec du jus d'orange ! La potion n'avait servi à rien, je m'étais trompé de remède. Comme l'appartement ne m'en offrait pas d'autres, mes chances d'en dénicher un en ville équivalaient à zéro. Et là je décrivais la scène de loin ! Désireux de me rapprocher…

… Aïe, ouille, quelque chose me piqua, me coupa et pénétra dans ma chair. Je m'arrêtai sous le coup de la douleur, télégramme fiché dans la plante de mon pied gauche. Je tressaillis et trouvai l'équilibre en posant la main sur le plan de travail, tout en levant le pied pour comprendre l'origine du mal.

Un mince éclat de verre dépassait de la peau ridée de ma voûte plantaire, avec une petite goutte de sang sombre au point d'impact. D'un geste gauche, je saisis de ma main libre cette lame miroitante et tirai. Rien que de l'imaginer se briser à l'intérieur ou racler un os, mon estomac se retourna. Mais l'éclat se libéra sans plus de préambule, stylet de deux centimètres et demi de verre bombé participant de la structure antérieure du verre de vin. À l'endroit où la peau avait été crevée, la goutte de sang se mit à grossir et à enfler… jusqu'à devenir une perle noire qui se détacha de son point d'ancrage et se mit à glisser le long de ma voûte plantaire à la tête d'une colonne écarlate prête à s'écraser sur le parquet… où elle tomba avant que ma main n'ait eu le réflexe de l'intercepter. Elle toucha le bois, parfaite petite éruption solaire.

Le sang se mit à couler abondamment et d'autres gouttes s'inscrivirent dans le sillage de la pionnière qui s'était fait la belle. Je serrai dans ma main droite la plante de mon pied blessé. Aïe, ouille ! Le sang lubrifiait mes doigts et s'immisçait entre les lignes et les plis de ma main.

Surtout éviter le contact avec le parquet ! L'absurdité de la situation me frappa au point que je faillis en rire – en réalité, j'émis un son étranglé, sorte de petit «euh» brutal. Comment éviter le contact avec le parquet ? Je ne pouvais pas bouger et poser le pied allait maculer les lattes de sang. Et pendant ce temps, je faisais le piquet dans la posture de yoga la plus inconfortable du monde.

La salle de bains. Son carrelage. Voilà où il me fallait aller. L'endroit idéal pour y trouver du sparadrap, de l'eau courante et… aucun risque d'y faire des taches. Mais pour cela, il me fallait traverser le couloir et la chambre – trek impossible, vu l'impossibilité que j'avais de le faire d'une seule enjambée. Je me souvins de la course cascade des chats sur le mur du couloir pour rejoindre la cuisine et de la facilité avec laquelle ils s'étaient joués de la gravité ! Sautiller, ma seule option.

Trois sauts plus tard, après avoir atteint le couloir, j'avais pris conscience des désavantages de ce type de progression. La façon dont j'agrippais le pied avec ma main me déstabilisait. Et chaque bond menaçait de laisser couler le sang qui s'amassait sous et autour de mes doigts serrés. Au troisième saut, une goutte tomba ; au quatrième, c'est moi qui faillis le faire. En jetant mes deux bras en avant pour essayer de reprendre mon équilibre, mon pied s'échappa. Ma main ensanglantée s'imprima sur la peinture blanche du mur et mon pied blessé dégoulinant de sang glissa sur le parquet. Douleur à couper le souffle.

Au diable les précautions, il fallait agir vite ! Clopin-clopant, je me dirigeai gauchement vers la salle de bains en prenant appui sur le talon de mon pied blessé. Une fois arrivé, j'arpentai librement le carrelage froid, me fichant de la trace sanglante que j'y déposai. Comme la petite blessure avait l'air pathétique et insignifiante sous la lumière fluorescente ! Étonnant que tant de sang puisse se déverser d'une si petite ouverture ! L'armoire à pharmacie d'Oskar regorgeait d'antiseptiques et de sparadraps, ce à quoi je m'attendais. Après avoir utilisé amplement les deux, je retraversai l'appartement en boitant, armé d'un gant de toilette humide pour m'attaquer aux traces de sang.

Un petit coup et hop!, les deux petites bandes de sang frais sur le parquet de la chambre s'étaient volatilisées. Coup d'éclat qui oublia hélas de se reproduire dans le vestibule aux allures de scène de crime. L'empreinte du pied sur le parquet et celle, tronquée, de la main sur le mur ne disparurent pas complètement, subtiles traces jaune marron, même après le passage insistant du gant de toilette. L'empreinte du pied était si petite qu'on pouvait l'oublier, ou du moins l'excuser, pratiquement absorbée par les fibres du bois. Mais la marque de la main ressortait sur la peinture d'un blanc glacial du couloir, d'autant plus qu'elle se trouvait quasiment au niveau des yeux. Avec une expressivité anatomique! On y distinguait clairement la plus grande partie de l'auriculaire et de l'annulaire et le grand arrondi de la paume. Comme l'œil se laisse aisément piéger par ce qu'il reconnaît, il ne pouvait m'échapper que j'avais sous les yeux une main tronquée. Impossible également d'avoir raison des traces des deux gouttes tombées dans la cuisine.

Je rinçai le gant de toilette à la salle de bains et examinai à nouveau l'éclat de verre dans le porte-savon. Encore tout barbouillé de sang – de mon sang. Comment avait-il pu s'enfoncer si profondément dans mon pied? S'il s'était simplement trouvé sur le sol, possible qu'il me coupe atrocement, mais sans m'empaler comme il l'avait fait! S'était-il dressé, peut-être piégé dans la rainure entre deux lattes? Déferlement de paranoïa: j'imaginai un parquet en colère, avide de vengeance, assoiffé de sang. Après avoir enveloppé le fragment de verre dans du papier hygiénique, je le jetai à la poubelle et retournai dans la chambre enfiler chaussettes et chaussures.

Sur le chemin du retour à la cuisine, je maintins une vigilance extrême, car à chaque pas je m'attendais à entendre le craquement d'un autre morceau de verre. Ce qui me remémora le scénario d'un film d'horreur parodiant une de ces séries B américaines populaires dans les années 1950. Après avoir commis un meurtre, un homme conscient d'avoir laissé partout ses empreintes entreprend d'essuyer toutes les surfaces avec lesquelles il pense être entré en contact, boulot laborieux et chronophage. De rage, il casse une tasse et réalise, horrifié, qu'il pourrait avoir désormais laissé ses empreintes sur n'importe lequel des mille éclats disséminés. Aussi se met-il en quête de tous les morceaux pour les nettoyer afin de ne laisser aucun indice qui permettrait de l'identifier. Le matin, la police le découvre au grenier complètement fou, en train d'astiquer les jouets, la charpente et les pièces de monnaie. Je commençais à déborder d'empathie pour cet homme.

De près, la surface de parquet dont j'avais refait la finition était pire que de loin. Non seulement elle avait pris une teinte différente – trop jaune et trop marron –, mais des grains de poussière et des poils y avaient adhéré pendant la nuit. Des poils de chat. Et au centre de la surface-test lisse et soyeuse s'étalait un petit endroit rugueux. J'étudiai cette aberration quasi circulaire, comme si on avait effectué une pression du pouce dans le *polish* avant qu'il ne sèche. Sauf que son pourtour était bien trop rugueux et irrégulier pour être une empreinte de pouce…

Une patte de chat. Une empreinte de patte de chat. Je me redressai rapidement, ce qui me causa un vertige. Le calme de l'appartement se chargea soudain d'hostilité. Rien sur le sofa. Que de la sérénité par-delà la porte du bureau entrouverte.

– Minou, Minou, appelai-je timidement. Ici, Shossy… Stravvy.

Je claquai la langue en produisant la palette de tous les borborygmes absurdes à ma disposition pour attirer l'attention d'un chat – miaou, minousse, petit petit, etc. Pas de réaction. Était-il possible que le chat soit revenu pendant la nuit ? Où était-il ? Était-il ressorti furtivement avant que je ne m'éveille pour fermer la fenêtre, ou se cachait-il quelque part ici ?

Je ressentis l'obligation d'aller vérifier le piano... et le découvris dans l'état où je l'avais laissé, fermé et silencieux. Dans l'incapacité de me détendre, je soulevai son couvercle. Rien d'anormal, si ce n'était l'unique goutte de sang du chat mort qui avait noirci en séchant. Combien cette pièce affirmait sa différence par rapport au reste de l'appartement – même décor minimaliste, mêmes murs blancs, même parquet, mais sans la stérilité anxieuse qui se dégageait de la cuisine et du living. Sereine, personnelle. Cette différence, constatai-je, contaminait le parquet. Une surface non négligeable près du bureau s'était clairement abîmée au contact des roulettes du siège pivotant. C'est que depuis que j'étais passé connaisseur en parquets, rien n'échappait à mon œil expert ! Le « rayonnement » de cette pièce ne me surprenait pas – moi aussi, ce serait l'endroit où je passerais le plus clair de mon temps si c'était mon appartement. Cela avait d'ailleurs été ma première idée, maintenant que j'y pensais – de m'y asseoir et d'y écrire pour y créer quelque chose. Le souvenir sembla jaillir d'une autre époque, d'une autre saison de ma vie. Peut-être en avais-je encore le temps, pensai-je, mais j'aurais besoin de calme et de concentration, et cet environnement propice, je ne pourrais pas le trouver tant que j'aurais l'esprit occupé par le parquet.

Mais maintenant le chat ! Il avait dû rentrer pendant la nuit – un chat avait laissé son empreinte, même si ce n'était pas celui que j'évoquais. Un réflexe superstitieux fit surgir le mot «fantôme» dans le cours de ma pensée. Idée que je balayai d'un mouvement de tête, comme si j'effaçais une ardoise magique. Néanmoins, il m'était impossible de ne pas dresser un parallèle avec un chat fantomatique désireux de saper mes efforts à réparer le parquet, même s'ils étaient vains de toute façon. L'appartement semblait dorénavant avoir pris parti contre moi, peut-être même cherchait-il à se venger – dans tous les cas, il avait perdu sa neutralité.

Or celle-ci était un leurre. Le parquet s'était toujours subtilement dressé contre moi. Je m'en apercevais désormais quand je prenais le temps d'analyser tous les détails. Il m'avait intimidé à peine avais-je franchi le seuil de la porte. Tel était peut-être le dessein de l'appartement. La perfection est agressive. C'est une remontrance.

Le chat. Est-ce que les fantômes se sustentaient? Les chats incontestablement, et après vingt-quatre heures de liberté, celui d'Oskar aurait faim. S'il m'avait rendu visite pendant la nuit, peut-être avait-il touché à sa pâtée.

Je me préparais à quitter le bureau, mais auparavant, je ne pus m'empêcher de me retourner pour vérifier que le couvercle du piano était bien refermé. L'arrondi en S de son côté en laque noire transformait la lumière réfléchie du soleil en lignes verticales brillantes, le tout de façon désespérément ordonnée.

Difficile de dire si on avait entamé la pâtée pendant la nuit. Il en restait beaucoup sur l'assiette, mais comme j'y vidais encore une boîte complète, suffisante pour deux animaux… La seule façon de déterminer si une partie en avait été prélevée était d'extraire la boîte vide de la poubelle et d'y remettre ce qui restait. Vérification à laquelle je n'allais pas me plier.

Sur la table de la cuisine, près d'une bouteille de vin au tiers pleine, d'un verre de vin sale et de l'assiette utilisée pour mon souper de la nuit précédente, Chandler Novack m'adressait son franc sourire en quatrième de couverture de *Prendre soin de son Parquet*.

J'examinai la surface où la finition avait été ratée. Impossible d'y échapper, elle tirait de plus en plus sur le jaune. Et elle brillait, éclaboussure sale et aveuglante dépouillée de l'éclat soyeux des lattes indemnes. Novack avait-il autre chose à ajouter ? Son ouvrage épais ne pouvait se limiter aux carpettes, à Yggdrasil et à l'harmonie intérieure. Je savais qu'il abordait d'autres sujets.

Au cas où les dégâts s'avéreraient trop importants ou étendus, il pourrait être nécessaire de poncer une nouvelle fois tout le parquet avec une ponceuse industrielle...

Hypothèse exclue. Je parcourus des paragraphes et des pages sur les ponceuses, la poussière, les masques à porter et le protocole à suivre auquel je ne me plierais pas. Puis :

Une alternative, si la qualité du parquet le permet : il est toujours possible de soulever la latte endommagée et de la retourner sur l'autre face pour dissimuler le problème.

Possible en effet. Mieux que possible – cette solution efficace et élégante m'avait l'air parfaitement adaptée. Pas la peine de faire disparaître les taches – Oskar pourrait vivre avec elles à son insu. Peut-être ne les découvrirait-il jamais.

Mais comment soulever les lattes ? Oskar possédait les outils, mais les lattes s'encastraient si harmonieusement qu'elles n'offraient pas le moindre interstice entre elles pour y insérer une feuille de papier à cigarettes. Les petits clous qui les maintenaient au sol étaient plus apparentés à des broches chirurgicales qu'à du matériel de construction et leurs têtes argentées parsemaient la surface du bois comme des micropoints. C'était évident : je ne pourrais ni soulever les lattes au moyen d'un pied-de-biche, ni extraire les clous sans évider, entailler ou fissurer la peau du bois.

Je restai perplexe pendant un temps. Comment trouver le bon angle d'attaque, la fente ou le défaut qui accepterait l'insertion d'un pied-de-biche, d'une pointe de tournevis ou d'un ciseau ? Très vite, mes yeux s'arrêtèrent sur la marche qui établissait la ligne de démarcation entre la cuisine et le living. Son bord était protégé par une moulure en bois retenue par des vis cruciformes apparentes – si je réussissais à enlever ces vis et cette bande moulurée, l'opération mettrait à nu l'extrémité des lattes et je pourrais alors les extraire en toute sécurité, et les retourner pour découvrir leur face cachée et intacte. Bien sûr, je n'écartais pas l'hypothèse que celle-ci ait une finition de qualité inférieure aux lattes exposées. Hypothèse plus que probable – peu importait l'excellence du parquet, les lattes n'avaient certainement pas été poncées sur les deux faces. Mais cela valait la peine d'essayer.

Je rassemblai sur une feuille de papier posée sur le parquet près de la marche les outils dont j'aurais éventuellement besoin. Je fis une pause. Pourquoi, je n'en sais rien, mais je m'arrêtai. Peut-être parce que j'étais agenouillé et que pendant un moment, j'eus envie de prier. Je voulais implorer la chance – c'est-à-dire réussir dans mon entreprise. Au cas où je ne pourrais pas retourner les lattes, au cas où l'opération raterait, j'aurais épuisé tout espoir de réparer le parquet. Je devrais capituler et, soit dire la vérité à Oskar, soit fuir le pays. La première solution ne me plaisait pas vraiment, mais quel panache dans la seconde ! Je n'avais jamais fui de pays auparavant, situation qui, je le suppose, arrive rarement à des gens de mon milieu. Et pourtant, que c'était glamour ! Un frisson d'excitation me parcourut comme lorsque je cherchais mon vol sur le panneau d'affichage des départs dans un aéroport international. La lecture de cette liste de noms infiniment rafraîchissante – La Paz, Riga, Lagos, Jakarta – me donne toujours la sensation de me trouver à égale distance de tous les points du monde. La ligne droite du voyage que j'ai planifié se disperse comme un étroit faisceau de lumière qui traverserait un prisme et révélerait son spectre. Je pourrais partir n'importe où.

Sauf que c'était aux antipodes de ce qui adviendrait – je prendrais la fuite pour retourner chez moi à Londres et y revoir les murs blanc sale et les fissures que j'y avais laissées... avec tout un tas de nouvelles factures sur le paillasson. Étrange comme nous avons un choix limité de lieux d'habitation – un appartement médiocre avec les WC près de la porte d'entrée m'avait échu à cause de la mécanique tordue du marché, et je passais mon temps à y bosser dur – sauf quand je le quittais pour rejoindre des bureaux aussi peu attrayants – afin de payer mon loyer. Oskar avait eu – quoi ? le talent ? l'habileté ? la finesse ? la discipline ? la chance tout bêtement ? – d'exercer un contrôle total sur son environnement et de bâtir son paradis personnel. Et quand il m'avait donné l'opportunité de veiller sur lui en son nom, cela m'avait semblé l'occasion idéale de me libérer des vieilles manies qui plombaient mon monde imparfait. Hélas, au bout d'une semaine, je n'avais que des ruines à inscrire à mon actif... En endommageant son appartement, j'avais sapé ma propre chance de l'utiliser comme tremplin pour m'améliorer. S'il me restait une occasion de redresser la situation, il me fallait la saisir. Et je voulais savoir sans attendre si mon plan fonctionnerait. D'ici la fin de la journée, je me promis, soit de réparer le parquet, soit, en cas d'échec, de dire la vérité à Oskar. Et je ne me cantonnerais pas à lui parler du parquet, je lui parlerais aussi du sofa, de la femme de ménage, du chat… des chats au pluriel, si l'autre ne daignait pas remonter le bout de son museau.

Au boulot ! Les vis cruciformes qui maintenaient en place la bande moulurée s'enlevèrent sans problème sur soixante centimètres. J'essayai de replacer la baguette et elle reprit parfaitement sa place, ainsi que les vis dans leur trou. Parfait.

Les lattes de la cuisine ainsi exposées, je les examinai. Impossible de trouver la prise qui me permettrait d'en soulever une à l'aide de mes seuls doigts – pour cela, il me faudrait insérer quelque chose entre la latte et la solive à laquelle elle était clouée. Les lames s'encastraient parfaitement sans espace entre elles, phénomène encore accentué par le poids de tous ceux qui avaient marché dessus. Je n'étais pas convaincu que les têtes des tournevis d'Oskar seraient assez fines pour cette tâche sans endommager le bois, et son ciseau à bois ne convenait pas à cette opération.

Sur l'assiette de la cuisine reposait le petit couteau d'office à lame fine très pointue que j'avais utilisé la nuit précédente pour couper des tranches de fromage et de salami. Mais il était également souillé de restes alimentaires et je craignais de le plier, ou même de le casser, ou encore d'émousser son côté tranchant. J'ouvris la porte du lave-vaisselle, fis glisser le panier blanc sur ses roulettes et y plaçai le couteau et la vaisselle sale, à l'exception du verre de vin. Puis je me remis en quête d'un levier adéquat et dénichai, peu de temps après, une spatule souple dans un tiroir.

À ma surprise, elle glissa sans difficultés entre la latte et la solive, et la première se souleva sans effort d'un millimètre.

Suite à la légère pression que j'y appliquai, une rainure se creusa, assez large pour y glisser les doigts et soulever la latte. Le dessous avait l'apparence lisse et fraîche du dessus. Mes doigts frémirent à ce contact: si elle était identique, c'est que dessus et dessous l'étaient aussi!

Un bruit me parvint en direction de la chambre, sorte de crépitement étouffé. Peut-être un félin en train de donner des coups quelque part. Je dressai l'oreille – rien.

– Minou?

Un cliquetis métallique qui ne pouvait provenir d'un chat fut suivi par le grincement infaillible d'une clé introduite dans une serrure.

Mon sang se glaça.

– Oskar?

Pas de réponse. La clé tourna, la porte s'ouvrit et quelqu'un entra en traînant des pieds. Dans un terrible moment de vertige, je me découvris en train de faire ce que j'étais en train de faire et compris l'effet que je devais produire. Les taches, la moulure déplacée, la latte soulevée. Mon sang ne fit qu'un tour – je voulus tout réparer ou tout cacher en un instant, ce qui était impossible, pas le temps, littéralement un temps réduit à zéro. Je me levai, mû principalement par l'instinct, sans plan préconçu. Mes genoux gémirent et mon pied se rappela sa blessure, ce qui me fit tressaillir.

À travers la cloison de verre, je vis la femme de ménage avancer dans le couloir. C'est alors qu'elle m'aperçut… et me lança un regard sulfureux. Le balai à franges qu'elle portait se terminait par une extrémité raide et grise, sorte de tête réduite de l'une de ses victimes plantée au bout d'une pique. Avec la précipitation d'un novice en train de commettre un méfait, je bondis au bout du couloir avec l'intention d'essayer de l'arrêter avant qu'elle ne découvre le parquet de la cuisine. La main qui ne tenait pas le balai transportait un seau rempli de produits ménagers.

– Salut! l'accostai-je d'une voix qui se voulait posée et pleine d'entrain, mais qui en fait dérapa en petit cri. Salut! Mais ce n'est pas le bon moment. Que diriez-vous de revenir demain?

Elle ne daigna pas ralentir et les yeux fixés sur sa cible comme des rayons qui tuent, elle pénétra mon espace d'un pas militaire. Je dus m'aplatir contre le mur pour éviter la collision. La porte de la chambre était si proche que j'eus la tentation de m'y glisser pour me barricader derrière, boucler mes bagages et voir si je pouvais filer par la fenêtre comme les chats. Mais elle avait déjà atteint la cuisine. Je perçus un cri d'horreur digne des plus grandes tragédiennes, vite suivi d'une exclamation monosyllabique et d'un cliquetis métallique au moment où elle jetait son lourd trousseau de clés sur le plan de travail. Elle avait découvert le parquet.

Je me lançai à sa poursuite. À l'approche de mes pas, elle fit volte-face et posa le seau. Une furie noire embrasait ses yeux. Son nez écrasé de chauve-souris se dilata comme le double canon d'un fusil.

– ___! hurla-t-elle, indiquant d'un geste brutal les taches de vin les plus récentes du bout de son balai. ___! ajouta-t-elle, cette fois-ci en montrant la latte déplacée.

Il était évident qu'il ne servait à rien de négocier et que ce n'était plus le moment de mettre de l'huile dans les rouages. Je ne voulais qu'une chose: qu'elle débarrasse le plancher!

– S'il vous plaît, insistai-je en me dirigeant vers elle. Ce n'est pas le bon moment. Je veux que vous partiez maintenant.

Je tendis le bras pour lui montrer la porte de sortie avec le plus de fermeté possible.

– Partez à l'instant ! ordonnai-je d'une voix que je voulais habiller d'autorité.

Malgré le peu d'espace qui nous séparait, elle avança tout de même sur moi, yeux grands ouverts, me parlant de façon à doter chaque mot prononcé d'un accent d'égale intensité. Avec toujours son balai brandi comme une arme pointée sur moi.

– Ce n'est pas une plaisanterie.

Mais malgré mon intention de faire preuve de détermination, je fus forcé de reculer d'un pas. Je n'en continuai pas moins :

– Sortez ! Sortez de mon appartement !

Eh toi, m'insurgeai-je, *pourquoi dis-tu : « mon appartement »* ?

Réflexion interrompue par la tête entortillée et grise du balai qu'elle m'enfonça dans le plexus solaire avec une force inattendue. Humide, elle dégageait une légère odeur de désinfectant et d'eau stagnante. Quant à Gueule de chauve-souris, elle avait adopté un rythme *staccato* et cadençait son récital en m'assénant un coup de balai dans le torse à chaque mot. De nouveau, je reculai d'un pas, tout en faisant très attention quand je sentis la latte soulevée et la marche derrière moi. Si facile de trébucher… Elle n'en continua pas moins sa progression et chaque fois qu'elle me destinait un coup de balai, elle prenait bien soin d'en augmenter la force. La tête du balai était attachée au manche grâce à une fixation angulaire en métal qui me blessait.

Situation insensée. C'est qu'elle me faisait mal. Dans quel but ? Voulait-elle me battre ? Me pousser dans la chambre, ou vraiment m'expulser de l'appartement ? C'était une agression !

Le sang rugissait dans mes oreilles. L'énergie tendait mes muscles.

– Arrêtez ça ! commandai-je – en réalité je hurlais. Arrêtez immédiatement !

Je lançai ma main droite et saisis le balai juste en dessous des franges, ce qui mit un point d'arrêt instantané aux coups. Les yeux furieux dont elle me fusillait s'abaissèrent et, perplexe, elle perdit de sa vitesse. En proférant un monosyllabe – un juron je supposai –, elle agita le balai avec force. Je faillis lâcher prise, aussi l'attrapai-je également de la main gauche, et j'agrippai le manche qu'elle tenait entre ses mains.

– Donnez-moi ça! ordonnai-je avec l'intention de le lui arracher des mains.

Or elle était beaucoup plus forte que ce à quoi je m'attendais et ne voulait rien entendre. Nous continuions de nous fusiller des yeux. Recouvrant sa vivacité, elle jeta les bras en avant dans l'espoir de me repousser et peut-être même de me faire chuter. Quand je vacillai, elle se mit à me tirer, avec l'idée manifeste de m'arracher le balai des mains pendant ma perte d'équilibre. Pas de pot, je tins bon et au lieu de lui laisser prendre le dessus, je m'élançai en avant et la repoussai.

Surprise par ma manœuvre, elle trébucha avec un petit cri et recula, m'abandonnant le balai… qui devint mien. En essayant de reprendre son équilibre, elle fit un grand pas en arrière en agitant violemment les bras. Derrière elle, juste au-dessus du niveau du sol, la porte ouverte du lave-vaisselle l'empêchait d'aller au bout de son mouvement. J'ouvris la bouche pour l'en avertir, mais trop tard. Elle tenta un nouveau pas en arrière et cogna la porte de son épaisse cheville. Même si ses pieds se bloquèrent, elle fut entraînée par le reste de son corps et à moitié tombée, à moitié assise, elle s'écrasa sur le panier du lave-vaisselle dans un bruit épouvantable.

– Seigneur Dieu, ça va? demandai-je en avançant d'un pas, mon trophée encore entre les mains.

Pas de réponse bien sûr, mais elle me fusilla, yeux et bouche grands ouverts sous l'effet du choc. Sans un zeste de colère. La couleur avait reflué de son visage devenu aussi blanc qu'un linge. Agitant les bras, elle replanta les pieds au sol et après moult efforts douloureux, réussit lentement à se lever. Bien sûr je voulais laisser tomber le balai pour voler à son secours et l'aider à se mettre sur pied. Sauf que pétrifié sur place, je m'interrogeais sur ma réaction. C'est alors que je réalisai que j'étais terrifié.

À nouveau debout, la femme de ménage vacilla, le visage traversé d'une émotion indescriptible. Toute la rage contenue dans la pièce s'était dissipée pour faire place à une peur bleue. Bizarre, cette façon qu'elle avait de se tenir debout… Elle leva et détacha les bras de son corps pour jeter un œil à sa jambe droite, espèce de tronc gainé dans de la matière artificielle. Je ne voyais pas le problème et elle non plus apparemment. Sans perdre le membre de vue, elle commença à se retourner.

Je crois que je m'en aperçus avant elle ; dans tous les cas, ce fut à une seconde l'un de l'autre : le manche en argent du petit couteau d'office pointu était planté à l'arrière de sa jambe droite ! Rangé dans le tiroir du lave-vaisselle, pointe orientée vers le haut, sa petite lame efficace se trouvait désormais fichée dans les bourrelets fibreux de muscles et de graisse au sommet de sa jambe.

Aucun de nous deux ne bougea pendant un moment, aucun son ne s'échappa de nos bouches pourtant ouvertes. Quelle absurdité que ce manche, protubérance, bouton égaré d'un appareil ménager cybernétique ! Impossible de s'y habituer du premier coup, m'étonnai-je en clignant des yeux. S'y habituer ? Elle avait un couteau planté dans la jambe, où était la normalité là-dedans ? C'était quand même dans sa jambe que le foutu machin était planté !

Un tsunami de culpabilité me submergea et ses vagues noires inondèrent mes boyaux. L'avais-je poignardée par procuration ? Je remontai le cours des événements, comme si je feuilletai un folioscope en sens inverse, et scrutai chaque plan en quête de ma culpabilité.

– Seigneur Dieu ! Ça va ?

Stupide, mauvaise question ! Alors que le sous-texte était en réalité : *Vous allez vraiment mal ? Il faut que j'appelle le SAMU ? Le 112 ?* Était-ce le 112 ici d'abord ?

Elle bougea. Cela ne faisait peut-être que deux secondes que nous avions vu le couteau argenté, mais cela aurait tout aussi bien pu être des semaines. Son visage avait récupéré des couleurs et ses traits s'animaient. Elle ferma la bouche et la main autour du manche argenté, et, sans aucune hésitation, sortit la lame de sa jambe. Un tressaillement nous échappa. Aucun bruit. Le sang recouvrait le métal, rouge comme un oriflamme, et s'écoula de son extrémité pointue. Deux gouttes s'écrasèrent sur le sol.

Elle observa la lame rouge. Je regardai les deux gouttes au sol, morsures de vampire, tout en me rappelant la rapidité avec laquelle l'autre sang, le mien, avait marqué son support de façon indélébile.

Penser aux taches m'arracha à l'étrange rêverie que nous partagions. De l'action que diable ! Je fis un pas en avant, le balai baissé avec l'intention de m'en servir pour nettoyer le sang. Or elle se mit elle aussi en mouvement et je sursautai. Muscles tendus, la colère embrasait à nouveau ses yeux. Et sa façon de tenir le couteau avait changé : fini l'objet idiot, il était devenu une arme ! J'avais devant moi une femme furieuse, une arme à la main !

Mon esprit se brouilla, tout en essayant de déterminer sur un baromètre le niveau de folie en suspens dans la pièce. Élevé ? Bas ? En hausse ? En baisse ? Un couteau ensanglanté était pointé sur moi par une personne aux yeux haineux. Même si la possibilité d'être vraiment défiguré ou poignardé

246

par ce couteau, par cette personne, relevait du domaine de l'abstraction et que ce scénario était repoussé aux confins du vraisemblable…

– Le sang ! m'exclamai-je en essayant de jouer sur sa fibre de femme de ménage. Je veux juste empêcher le sang de marquer le parquet…

J'avançai le balai jusqu'aux gouttes rouges… Et elle de marcher brutalement sur moi.

Ce fut une attaque maladroite montrant que pas plus que moi elle ne maîtrisait le combat à l'arme blanche : commencé avec un grand geste brassant l'air, ce dernier se termina en botte nerveuse dans ma direction. Peu importait le degré d'expérience, je savais que c'était un jeu dangereux et je sautai en arrière comme une grenouille électrocutée. La femme de ménage qui continuait à ne faucher que de l'air leva la lame au-dessus de sa tête et me chargea, telle une ninja courte sur pattes. Cri d'elle ou de moi – peut-être de tous les deux. Je levai le balai pour parer le coup – sans réfléchir, mes bras agissaient de leur propre initiative – et réussis : la lame heurta le bois avec un bruit sourd. Une nouvelle goutte de sang s'échappa du couteau et s'écrasa sur le parquet.

Je reculai légèrement, désireux d'ouvrir l'espace entre nous, mais aussi de voir le point de chute du sang : il avait parcouru un mètre et demi, propulsé par la force du coup ! Au moment où je me retournais pour l'essuyer et baissais la garde, elle se rua de nouveau sur moi. Ouf, elle était lente. Ce qui me donna le temps de réfléchir à une réaction. Mais laquelle ? La frapper ? La forcer à lâcher le couteau ? La mettre dans l'incapacité de nuire ? Aucune idée. Incapable de choisir. Malgré sa folie, elle restait une vieille femme, qui plus est, blessée. Impossible d'envisager de lui fracasser le crâne avec le balai…

À nouveau lancée sur moi, elle zébra l'air de grands coups de couteau… que je réussis à parer avec le manche du balai. Nos yeux se croisèrent – à la place de la sauvagerie animale que je m'attendais à y lire, je ne vis qu'étonnement contrarié, comme si elle était déçue et déprimée que je n'accepte pas passivement sa frénésie meurtrière. Elle arborait à la cuisse une fleur rouge sombre au pourtour changeant dont j'imaginais le sang goutter, attiré vers le parquet par la gravité. Elle ne sourcilla pas pendant que nous nous mesurions du regard en orbite autour d'un cercle. Pourtant elle devait souffrir, pensai-je, impossible qu'elle soit si rembourrée que ça.

Un bruit vaste et étonnant fendit l'espace en se répétant. Sursaut général de part et d'autre. Nous nous tournâmes de conserve pour déterminer sa provenance : le téléphone carillonnait. Oskar ? Improbable, car il devait être minuit ou très tôt le matin en Californie. L'appareil n'en continua pas moins de sonner, bébé électronique insistant criant pour attirer l'attention.

Profitant de ce moment de déconcentration, elle se dégagea de notre cercle de combat et décrivit un arc avec le couteau, le côté gauche de ma cage thoracique en point de mire. Quand j'interceptai le coup avec la tête du balai, elle hurla, pas un mot, juste un cri de frustration. J'essayai de manœuvrer le balai afin de la repousser avec une extrémité, tout en nettoyant de l'autre le sang tombé de la lame brandie. Mais impossible de nettoyer le sol sans baisser la garde. Elle aussi changea de tactique… et le couteau cibla ma main. Surpris, je hurlai et essayai de reculer… mon pied heurta la marche de la cuisine et basculant en arrière, je m'écrasai contre le sol.

Étendu sur le dos, j'agitais bras et jambes avec l'impression d'avoir disloqué mon pelvis. Première fois de ma vie

248

où je regrettais de ne pas avoir plus de graisse… Ma tête avait dû échapper de quelques centimètres à la porte encore entrouverte du lave-vaisselle. Je mordis ma lèvre et du sang gicla dans ma bouche.

Malgré sa petite taille, la femme de ménage me dominait de toute sa hauteur. Haletante, elle grommelait à mon encontre. Mes yeux glissèrent de son visage vers le bout de métal serré dans sa main. Suivant la direction de mon regard, elle se mit aussi à examiner le couteau, le brandissant comme si elle venait de le découvrir sur le parquet. Sans arrêter de marmonner, elle se dirigea sur moi et monta la marche de la cuisine. Toujours allongé sur le parquet, je m'aplatis sur un côté contre les portes d'acier froid des placards d'Oskar. Le moment fatal était arrivé : elle avançait pour me tuer ! Mais au lieu de plonger son arme dans ma chair comme un prêtre aztèque, elle poursuivit sa marche et la lâcha dans le lave-vaisselle, pointe orientée vers le bas. Je réussis à me remettre sur pied. La femme de ménage continuait de marmotter, tout en respirant avec difficulté. Comme en transe, elle poussa jusqu'à l'évier où elle lava sa main droite ensanglantée. Puis elle se retourna vers moi, les yeux baissés sur ses pieds et sur le sol taché.

– Je vais nettoyer, dis-je. Et ce sera comme si rien n'était arrivé.

Elle agitait la tête sans arrêter le monologue qu'elle seule entendait ou comprenait. Puis elle s'affala sur les genoux, mains à plat sur les lattes. Le visage empourpré, son halètement s'emballa.

– Vraiment, insistai-je d'une voix dont les aigus m'écorchèrent les oreilles. Pas d'inquiétude. Je vais récupérer tout ça.

Elle mit un frein brutal au grommellement et au sifflement provoqué par ses halètements rapides. Sa silhouette penchée donna l'impression de se détendre, puis elle s'affaissa comme un pneumatique percé dont l'air s'échapperait. Elle glissa lentement en avant et ne stoppa son mouvement qu'une fois la face collée au parquet, bras tendus.

Silence. La femme de ménage ne bougeait pas. J'entendais ma respiration et les battements de mon cœur… Mais d'elle rien du tout.

Avec une prudence extrême – mes articulations craquaient comme si elles n'avaient pas remué depuis des années – mon orteil s'approcha de son épaule qu'il toucha pour lui asséner un petit coup. Pas de réaction. La tache de sang sur sa cuisse était déjà en train de sécher. Avec soulagement, je constatai qu'elle n'était pas en contact avec le parquet et donc qu'il n'y aurait plus de dégâts suite à notre affrontement. Mais – et je m'arrêtai moi-même – ce n'était pas l'événement le plus important du moment. Il y avait eu assez de ravages comme cela.

Je rampai jusqu'à sa main droite et la saisis par le poignet. Sa peau était pâle et humide. Mais où était son pouls ?

– Merde ! m'exclamai-je avec un sifflement soudain – j'avais retenu mon souffle sans y penser.

Mes poumons brûlaient.

– Merde.

Je contournai son corps pour voir son visage comprimé contre le sol, légèrement tourné dans l'autre direction. Ses yeux vitreux grands ouverts fixaient le néant.

À côté du téléphone se trouvait l'une des feuilles du message de bienvenue d'Oskar : celle où il me donnait le numéro de son hôtel, ainsi que des numéros d'urgence. Était-ce une urgence ? Qu'allais-je gagner à agir vite ?

Il y avait le numéro de téléphone de la police. Je laissai filer le temps.

Mon pelvis me faisait mal, conséquence de ma chute, et mes jambes avaient du mal à me soutenir. Je m'assis sur le sofa qui laissa échapper un soupir sous mon poids. Ma position assise m'empêchait de voir le corps dans la cuisine. Tant mieux.

Alors était-ce un corps? Avais-je tué quelqu'un?

J'avais tué quelqu'un.

Ces mots pénétrèrent mon esprit de façon déconnectée. C'était comme regarder une pub à la télévision. J'avais tort bien sûr. Impossible. Je n'avais tué personne. C'était un accident. Elle était vieille. Morte de mort naturelle. J'avais essayé de me montrer raisonnable. Pas de pot, tout autant pour elle que pour moi. Une erreur. Non, pas une erreur. Un accident. Ah si seulement elle avait pris soin de bien enfoncer le bouchon dans le goulot de la bouteille… Et maintenant regardez ce qui était arrivé!

Or moi je ne regardais pas ce qui était arrivé. À la place, mon esprit enchaînait les scénarios. Dans le premier, j'appelle la police et leur explique… et alors tout se brouille. Ils me comprennent… ou je vais en prison. Même si j'y échappe – je ne poussais pas la naïveté jusqu'à croire que je réussirais à donner à mon explication les accents de la vérité –, je ne pourrai éviter d'être dans une situation inconfortable pendant quelque temps. Oskar l'apprendra. Étais-je obligé de tout raconter à la police? Expliquer la bagarre, mais aussi mentionner le parquet…? De quoi avait-il l'air? Je passerai des heures à parler patiemment avec des gens; ou à attendre, les yeux fixés sur les surfaces abîmées de bureaux administratifs ou de sols carrelés éclairés par des néons sans complaisance – hôpitaux, morgues, postes de police, ambassades et que sais-je encore?

Si c'était moi qui appelais Oskar maintenant, que dirait-il? Que pourrait-il dire? Peut-être était-ce lui qui avait appelé plus tôt pendant la bagarre. Il pouvait encore se draper dans l'innocence de l'ignorant – dans son univers, rien n'était arrivé au parquet, les deux chats vivaient ainsi que la femme de ménage. Comme je souhaitais le retour à cet univers-là ! Appeler Oskar ne m'aiderait en rien. La seule personne à pouvoir me sortir du pétrin, c'était moi.

Pendant quelques minutes, j'étais resté assis sur le sofa, coudes sur les genoux, à réfléchir et à écouter les bruits qui me parvenaient de l'autre côté de la fenêtre. Je voulais entendre un son dans mon dos… poussé par la femme de ménage – grognement ou quinte de toux soudaine. Quelle joie cela aurait été d'entendre un cri ! Je fermai les yeux, me pinçai l'arête du nez, essayai de me concentrer. Le brouhaha de la ville se mélangeait au désordre bouillonnant de mon esprit, chaos qui traçait une ligne de démarcation entre ici et là-bas pour lever le voile sur un moment de violence irréversible et figé. Le souvenir que je gardais des événements était un feu d'artifice d'idioties, anarchie tâtonnante aux tentacules multiples plutôt que claire succession de faits. Je voulais une image cohérente de ce qui avait eu lieu, arrangée comme des indications chorégraphiques. Or à la place, j'obtenais une photographie exposée de nombreuses fois, empilement de plusieurs tranches temporelles débouchant sur une image insensée. Elle avait poussé, j'avais poussé, instant évocateur d'un fil en train de se rompre… Voilà où j'en étais. Derrière moi dans la cuisine gisait le problème. Problème qui divaguait et s'écrasait dans ma tête, exigeant toute mon attention, menaçant de tout détruire. La mort de la femme de ménage prenait de plus en plus de place dans mon esprit. C'était comme si son corps enflait et gonflait, sac d'aspirateur hors d'âge, enveloppé dans ce même matériau tendu et cireux. Je pensai à ce qui nous arrive quand nous mourons, au banquet de bactéries et aux gaz qu'il crée, gaz qui gonflent notre corps comme des ballons… et au chat dans son sac noir au fond du canal et à tout ce qui était arrivé et ne pouvait être détricoté : trente ans de vie se dévidant inutilement pour aboutir à ce moment sordide dans l'appartement d'un autre homme, avec sur les bras un cadavre dont je n'avais que faire – pas mes oignons ! Je n'étais pas plus responsable de sa mort que d'elle maintenant ! J'avais les mains propres.

S'échappa de ma bouche un son situé entre le sanglot et le cri de frustration et de colère. Le son, fort et informe, et la rugosité qui écorcha ma gorge me firent sursauter et j'ouvris les yeux. J'inspirai profondément et essayai de clarifier mes idées. Le problème, la question de la marche à suivre, s'étaient emmêlés en un nœud d'abstractions dans mon esprit lancé au galop. Je devais l'aborder dans sa réalité : un cadavre gisait sur le parquet d'Oskar.

Je me levai pour voir ce corps : il n'avait pas bougé hélas. Ainsi c'était un cadavre. Le premier que je voyais de ma vie. Ma famille préférait les cercueils clos et les crémations. Il – le corps – semblait plus petit que dans mon souvenir, mais son immobilité effrayante l'auréolait de solennité. Il ne bougeait vraiment pas. Je m'accroupis et lui posai la main sur l'épaule. Elle était chaude – ou du moins, elle n'était pas froide, pas la chose glacée à faire dresser les cheveux à laquelle je m'attendais. Je la poussai et la secouai dans l'espoir de la réveiller.

– Allez, debout !

Et tout de suite je me sentis stupide et puéril de ne pas regarder la réalité en face. Même si elle n'était pas froide, j'avais une personne ou ses restes sur les bras. De la chaleur en train de mourir.

– Merde, répétai-je en me levant.

Et mon exclamation se termina en un étouffement, comme si quelque chose était en train de craquer en moi.

Possibilité de larmes, urgence soudaine et chaude autour des yeux. Je me mis à battre furieusement des paupières, inspirai profondément et retins mon souffle tout en me répétant : *N'y pense pas, n'y pense pas !* La crise passa. Bien – tout allait bien.

N'empêche que j'avais un mauvais pressentiment. La question des apparences me rongeait. Je craignais la réaction possible d'observateurs hypothétiques – le cours imaginé de leurs pensées basculait toujours vers le blâme, les méfaits, le crime, le meurtre. La femme de ménage gisait, visage contre le parquet, bras tournés vers l'extérieur, auréolée d'un halo de taches de vin évocatrices d'une éruption spectaculaire de sang : même si le seul vrai sang visible enduisait le couteau, pointe orientée vers le bas dans le panier du lave-vaisselle, sans oublier celui, séché, sur l'une de ses cuisses. Mais la conjonction du vin, du couteau et du cadavre concourait à ce que j'aie un mauvais pressentiment.

Peut-être était-il en mon pouvoir d'améliorer un peu la situation. J'allai jusqu'au lave-vaisselle en contournant le corps et roulai le panier dans la machine. Deux gouttes de sang étaient tombées à l'intérieur de la porte en acier. À la pensée de l'unique goutte noire laissée par le chat à l'intérieur du piano, je fermai la porte et mis l'appareil en route. Un déclic et *zoum !* C'était parti ! Je souris. Scène de crime autonettoyante. Pratique, pas vrai ? Deux actions simples et la preuve s'effaçait, emportée dans un monde secret de ténèbres, de détergents puissants et d'eau bouillante. Quel coup de maître pour les criminalistes de la télévision !

Comme j'aurais voulu que le reste soit aussi simple ! Le corps n'avait pas bougé, inévitable. Lui aussi, je voulais m'en débarrasser en appuyant sur un bouton.

Peut-être n'était-ce pas qu'un rêve… J'avais traité le problème du couteau. Grâce à ma rapidité de réaction avec le balai à franges, le sang n'avait pas taché le parquet. Quelles autres traces de son passage avait-elle laissées dans l'appartement ? Outre le corps, il y avait le seau de produits ménagers, son balai et le trousseau de clés sur le plan de travail. Facile comme bonjour d'escamoter les trois derniers au moins…

Ce qui faisait du corps, bien sûr, le problème principal. Il fallait l'éliminer. Elle était morte de mort naturelle – il s'agissait donc de débarrasser l'appartement d'Oskar de son cadavre, où sa seule présence m'impliquait dans son décès. Quel délit avais-je commis ? Peut-être existait-il des lois qui punissaient ceux qui oubliaient de déclarer la mort de quelqu'un ou des trucs du genre – mais débarrasser le plancher de son cadavre éviterait à un innocent d'être victime d'une erreur judiciaire tragique.

Des idées chaotiques qui oscillaient entre « peu prometteuses » et « désastre » se bousculaient pour attirer mon attention. Il fallait écarter l'idée de jeter le corps quelque part. Elle était petite, mais costaude et la sortir de l'immeuble serait impossible. Elle n'irait donc pas rejoindre Minou dans le canal. La pensée du vide-ordures me traversa et je tressaillis – l'enterrer dans une benne faisait montre d'une insensibilité obscène et je me haïssais d'en avoir eu l'idée. D'ailleurs, j'émettais les doutes les plus sérieux quant à ma capacité d'y glisser son cadavre : le corps souple du chat m'avait causé assez de soucis comme cela. De la même façon, la destruction du corps – en le brûlant, en le démembrant, en le jetant dans un bain d'acide – s'avérait par trop macabre et difficile. Peu importait la solution sur laquelle j'allais jeter mon dévolu, je me promis de traiter le corps avec respect.

Mon regard se tourna vers le trousseau de clés, hérisson de métal crasseux posé sur le plan de travail en acier miroitant de propreté. Il y en avait beaucoup – assez pour ouvrir toutes les portes de l'immeuble, j'imaginais. Et bien sûr, dissimulées parmi elles, les clés de son propre appartement au premier étage, juste en dessous de celui d'Oskar. Si je réussissais à la déplacer jusque-là, sa mort prendrait l'allure d'un accident.

C'était déjà un accident – encore fallait-il que ça en prenne l'apparence sans m'impliquer.

Je détachai les gants de vaisselle du crochet au-dessus de l'évier et retournai près du cadavre. Plus je passais de temps en sa compagnie, plus je me sentais à l'aise. À mon grand soulagement, il m'était de plus en plus facile d'y penser comme à «une chose» – plus facile, en réalité, pour l'empêcher de m'obséder. Tout en enfilant les gants, je pensais de nouveau à l'assassin dans le film d'horreur comique, nettoyant obsessionnellement les éclats de porcelaine et le bric-à-brac du grenier – je n'allais pas permettre à une telle obsession de m'envahir. Je devais me montrer prudent dès le départ. Même s'il n'y avait pas eu de meurtre, à l'évidence je commettais un délit – aussi me restait-il à le maquiller en délit invisible. Il fallait effacer toute trace.

La porte d'entrée d'Oskar s'ouvrit avec un petit déclic et je scrutai le palier. Personne. Combien y avait-il d'appartements dans l'immeuble? Une douzaine, peut-être vingt? Cependant, la femme de ménage était la seule résidente que j'aie jamais rencontrée. Mais je ne pouvais écarter la possibilité qu'un des voisins d'Oskar fasse une apparition surprise pendant le déplacement du corps.

Son appartement semblait terriblement proche: et en effet il l'était, ne se trouvant qu'à quelque trente – soixante centimètres juste en dessous. La solidité du parquet se raillait de moi. Même si j'enlevais plus de lattes dans la cuisine, suffisamment pour y passer un corps, il me faudrait venir à bout d'autres couches. Je levai les yeux. Le plafond était en plâtre blanc tout simple, il faudrait tailler dans le vif, puis enlever la poussière et les débris, replâtrer et repeindre – impossible.

Un homme plus habile, de la trempe d'un Oskar ou d'un Novack, buterait sur la difficulté de cette tâche, alors que dire de moi si vite découragé par l'entretien du parquet qu'eux trouvaient très simple !

De retour dans l'appartement, je fis une pause près de la porte de la chambre. Peut-être le corps pouvait-il être enveloppé dans un drap comme un linceul, déguisé en quelque sorte… Mais bon, un cadavre possède un profil, un poids et une masse bien à soi que le cinéma et la télévision nous ont formés à identifier. Si je la transportais sous son apparence actuelle, cela paraîtrait moins suspect au cas où je serais surpris – bien sûr, je passerais encore un moment désagréable, il faudrait que je réponde à des tas de questions, mais j'aurais moins l'allure d'un homme qui cherche à ne pas se faire repérer et je pourrais peut-être prétendre que j'étais en train de la tirer pour l'amener dans la rue et y trouver du secours. Même s'il était préférable de ne pas braquer les projecteurs sur soi. Mauvais pour moi si je devais me lancer dans des explications. L'objectif de l'opération était justement de les éviter.

Je ramassai les clés sur le plan de travail et les mis dans le seau avec les éponges et les produits détergents. Puis je transportai le seau jusqu'à l'appartement de la femme de ménage et le déposai devant sa porte. L'image même de l'innocence, abandonné ainsi provisoirement dans le couloir devant la porte de sa propriétaire, pendant qu'elle s'occupait à autre chose ! Personne en vue. C'était le moment de déplacer le corps. Le moment idéal.

Le protocole à suivre dans la manipulation d'un cadavre n'est pas très connu, mais certains de ses principes m'apparurent immédiatement. La décence voulait que j'attrape la femme de ménage par les épaules et non par les chevilles. Malgré son poids, elle glissa sans effort sur le bois lisse du parquet et je réussis à la sortir de l'appartement d'Oskar plus rapidement que je ne l'avais espéré. Par contre, la descente des escaliers représentait une autre paire de manches et je procédai lentement. Elle baissait toujours le visage comme lorsqu'elle s'était effondrée, et ses pieds pivotaient et se tordaient sur leurs orteils, pendant que son corps bringuebalait sur les marches. Sa tête horriblement suspendue à ses épaules se balançait d'un côté et de l'autre à chaque tressautement. Pendant un moment, je craignis que cette promenade agitée ne l'éveille, qu'elle ne soulève soudain la tête pour me regarder, mais *ouf!* cette dernière hypothèse ne se produisit pas. Quel soulagement de m'épargner la vue de son visage.

À son étage, les bruits de la rue me parvinrent avec plus de force et de clarté. Des freins de voitures crissèrent au carrefour et un tram passa en grondant. J'entendais distinctement le pas des piétons sur le trottoir. Je pris les clés dans le seau et me figeai. Il y en avait une trentaine suspendues à des porte-clés accrochés les uns aux autres sans hiérarchie ni organisation apparentes, certains avec un bout de laine, d'autres avec une tache de peinture, d'autres encore avec des chiffres gravés dans le métal ou inscrits au feutre et décolorés. Je regardai la porte – fermée, verrouillée, robuste. La serrure était en tout point identique à celle d'Oskar, sauf qu'ici, des années de cirage avaient noirci le bois tout autour et laissé des résidus gris-vert dans ses fissures. De nombreuses clés du trousseau ressemblaient à celle d'Oskar. J'en essayais une au hasard. Elle glissa facilement dans le trou, mais se refusa à tourner. La seconde ne pénétra qu'à moitié.

Je sentais une veine pulser dans mon cou et j'avalai ma salive. La sueur mouillait mes doigts à l'intérieur des gants. Le bruit des pas semblait s'amplifier dans la rue et plus il se rapprochait, plus ma gorge se serrait, dans l'attente du moment où le marcheur s'arrêterait pour pousser la lourde porte de l'immeuble. Je cherchai une troisième clé, mais elle me glissa des doigts et le trousseau s'écrasa sur le carrelage. Le bruit me transperça en résonnant dans la cage d'escalier. Tandis que je me penchais pour ramasser «le hérisson», gauche et ridicule avec mes gants jaunes, je découvris, nouvelle révélation, ce qui gisait à mes pieds – le corps, chose morte, arrivé au point d'orgue de son achèvement. Sa réalité et son irréalité me frappèrent. Un vrai cadavre humain – tumulus silencieux qui détenait le pouvoir extraordinaire de faire basculer ma vie et réduire ma liberté à une peau de chagrin, au cas où l'on me découvrirait en sa présence, ou que l'on mènerait une enquête qui remonterait jusqu'à moi. Et pourtant, il était si petit, à peine plus difficile à transporter qu'une lourde malle ou qu'un matelas pour deux personnes. Peut-être me livrait-il son terrible secret, ce à quoi nous essayons tous d'échapper : que le temps passé en compagnie du cadavre d'une étrangère n'est pas un cauchemar sans fin ; qu'il pourrait même paraître normal. N'y pense pas trop, me commandai-je. *Je n'allais pas y penser.*

La quatrième clé ne tourna pas. La cinquième, en revanche, tourna sans problème et la porte s'ouvrit sur un morceau de moquette cramoisie, du papier peint jaune et vert, et toute une armée de manteaux défraîchis et d'imperméables en plastique accrochés à une rangée de portemanteaux invisibles. J'ouvris la porte en grand et tirai la femme de ménage dans l'appartement aussi vite que possible. J'y introduisis également le seau de produits et d'éponges, puis je m'enfermai à l'intérieur.

La porte close, je m'appuyai contre le mur et respirai profondément, en essayant de me réoxygéner. J'étais couvert de sueur : j'avais encore l'impression d'entendre les pas dans la rue, dans la cage d'escalier, le marcheur prêt à pousser la porte de la femme de ménage et à me découvrir avec le corps, et je me répétais que tout allait bien et que le danger était passé. Son appartement, de la même superficie que celui d'Oskar, était beaucoup plus sombre. Là où mon ami avait érigé une paroi de verre entre le couloir et la cuisine, une cloison de briques assombrissait le couloir aux murs recouverts de photographies. Il se terminait par un rideau de perles.

Pressé contre le mur, je tendis l'oreille. Rien. L'épaisseur de la moquette facilita ma progression silencieuse dans le couloir, mais mon passage entre les lanières du rideau entrechoqua les perles. La mer de tourbillons cramoisis sous mes pieds se déversa dans le living meublé d'un sofa recouvert de plastique en face d'une télévision, de chaises pliantes en métal appuyées contre une petite table, et de buffets et de placards croulant sous les porcelaines et les babioles. C'était encombré, mais apparemment personne d'autre ne vivait là.

Je revins au corps, forme indistincte dans le vestibule mal éclairé qu'on aurait pu prendre pour un manteau tombé des nombreuses patères. À ma grande surprise, il ne me fut pas facile de le traîner le long du couloir – la moquette profonde offrait plus de résistance que le carrelage et le bois. Cet effort supplémentaire déclencha chez moi une profonde lassitude, désir d'en finir avec le cadavre, avec le parquet, avec l'appartement d'Oskar – mais en même temps ces efforts me semblaient avoir un sens, être dignes de respect.

Dans le living surgit une question que je n'avais pas anticipée : où laisser le corps ? Le mettre face contre le sol ne me semblait pas naturel. Il devait donner l'impression de n'avoir pas été déplacé – comme si elle s'était contentée de tomber raide à cet endroit et y était restée. Je la tirai au centre de la pièce et la retournai. Sa tête aux yeux vides encore ouverts roula, comme si elle ne pouvait supporter de croiser mon regard. Son bras – celui dont je m'étais saisi pour la tourner – était frais et la couleur se retirait de son visage, ce qui mettait en valeur les petits poils de ses joues et ses lèvres bleutées. Cette action cacha la rosette de sang sombre sur sa cuisse et je me remémorai le boulot inachevé à l'étage au-dessus, qui consistait à retourner les lattes. J'avais à présent encore plus de raisons de me livrer à cette opération, puisqu'il n'était pas exclu que des globules échappés de son sang se soient infiltrés dans les fibres du bois, prêts à me dénoncer auprès des médecins légistes. Pouvais-je l'éviter ? Oui, si je pouvais la laisser dans la bonne posture ici même.

Je pris place sur son sofa : son revêtement en plastique transparent crissa sous mon poids. Avant les événements de la semaine, j'aurais peut-être considéré le plastique comme une maniaquerie inutile ; eh bien j'avais changé d'avis, car cette précaution m'apparaissait dorénavant sous un jour raisonnable ! Et cette moquette cramoisie semblait parfaite pour dissimuler les taches. Passé ma première impression de l'appartement – celle d'un désordre déprimant –, je constatai en y regardant de plus près qu'il était bien entretenu. Les statues de bergère en porcelaine kitsch étaient toutes arrangées avec soin. Pas un grain de poussière sur la surface laquée de la table basse à côté du sofa. Près de la télécommande de la télévision – la succession des années avait à moitié effacé les chiffres sur ses boutons – se dressait la photographie encadrée en noir et blanc d'un homme portant un uniforme militaire anachronique, trois petites médailles accrochées sur la poitrine. Mari ? Père ? Frère ? Amour perdu ? Le portrait aurait pu être tiré n'importe quand entre 1930 et 1970, mais quelque chose me disait avec certitude que l'homme était mort. Perdu dans le temps, son regard fuyait l'appareil photo. Aurait-il désormais quelqu'un pour se souvenir de lui ? Une vague de désespoir me submergea, mais je la ravalai, me concentrant sur ma respiration, tout en m'intimant cet ordre : *Ne pense pas à ces choses-là !*

Une porte en forme d'arc, fermée par un autre rideau de perles, menait à une cuisine aux placards en contreplaqué de pin. Autre élément éliminé par Oskar pendant sa rénovation : il avait remplacé toute cette solidité structurelle par du verre, des ouvertures, de la lumière naturelle, avec vraisemblablement quelque part, de l'acier résistant pour supporter la charge. Le mur latéral du living – occupé chez Oskar par les bibliothèques – disparaissait ici entièrement sous la photographie en couleurs d'une cascade grandeur nature dans une forêt. La patine du temps avait estompé l'éclat des couleurs de cet élément décoratif baigné, à présent, dans une teinte bleuâtre. Un cerf scrutait avec noblesse un buffet chargé d'animaux en céramique.

Elle avait investi beaucoup de soin, de temps et de travail dans cet appartement – avec une dévotion identique à celle d'Oskar. Je me devais de la laisser dans une posture respectueuse, même après le manque de respect monstrueux que je lui avais manifesté jusqu'ici à plusieurs reprises. À nouveau, je dus lutter pour ne pas me laisser envahir par la mélancolie et ce que je supposais être de la culpabilité. Je baissai les yeux sur mes mains – encore gantées de leur stupide caoutchouc jaune et mues par une joyeuse humeur inappropriée et folle – avant de les laisser glisser jusqu'au cadavre. Aucune similitude avec quelqu'un qui venait de s'écrouler – trop raide, elle croisait gauchement les jambes au niveau des chevilles. Or j'ignorais l'air qu'elle aurait dû avoir si elle s'était effectivement effondrée au sol suite à une crise cardiaque – même son saut de l'ange au moment d'expirer dans la cuisine d'Oskar ne m'avait pas semblé naturel. Me restait donc à l'asseoir sur le sofa pour faire croire que, se sentant mal, elle s'y était assise... et y était morte.

Cela valait la peine d'essayer. Je me levai et essayai de la soulever, les mains sous ses aisselles. Mais mes bras n'en pouvaient plus après l'avoir extirpée de chez Oskar ; les muscles de mes avant-bras me faisaient mal. Même si je réussis à déplacer le corps au pied du sofa, il me fut impossible de le soulever jusqu'aux coussins.

En tout cas pas avec mes bras tendus. J'inspirai profondément et me plaçai à califourchon au-dessus d'elle. Puis j'accrochai mes bras sous les siens et engageai toute la force qui me restait pour la décoller du sol. Nous étions unis dans une sorte d'étreinte, son poids réfrigérant contre moi, son visage dangereusement proche du mien ; un faux mouvement, et sa tête pouvait tourner, sa joue froide frôler la mienne...

Son derrière glissa sur les coussins crissants et je la lâchai avant de me reculer et d'épousseter instinctivement mon torse et mes avant-bras. Elle se retrouvait sur le sofa dans une pose qui pouvait passer, tête contre les coussins, un bras relâché sur le côté, jambes écartées, mais sans obscénité. J'eus un haut-le-cœur que je ravalai aussitôt – tout allait bien, elle était sur le sofa, je pouvais désormais partir.

Je retournai à la porte d'entrée pour déplacer le seau de produits ménagers de l'endroit où je l'avais laissé et le mettre à la cuisine. Surtout ne pas oublier le balai à franges encore en haut...

Me retournant pour poser le seau dans la cuisine, quelque chose attira mon œil. Les nuages dans le ciel s'étaient brièvement disloqués pour laisser passer le soleil proche de son zénith. La lumière se déversait sur le sol. Y étaient creusés dans l'épaisseur de la moquette deux clairs sillons, lignes

263

parallèles qui menaient au living et dessinaient un arrondi au pied du sofa, là où la femme de ménage s'était affalée. C'étaient les traces laissées par ses pieds tirés au sol et il était impossible de ne pas les voir.

Le seau toujours à la main, j'effleurai le sillon du bout de ma chaussure. Possible de l'estomper, mais seulement en y mettant du désordre, ce qui paraîtrait à peine plus naturel. Avec un début de désespoir, je cherchai une zone de moquette indemne pour étudier son apparence. Même si elle ne donnait pas l'impression d'être complètement démêlée, l'emmêlement de ses fibres avait l'air naturel. Avec la semelle de ma chaussure, j'essayai de lisser les sillons tout le long du couloir. J'allai déposer le seau à la cuisine, puis revins juger du résultat.

Quelque chose clochait encore. Les sillons avaient disparu… au profit de traces laissées par mon pied. J'arpentai le couloir de haut en bas en aplanissant ici et là les zones ou les touffes à l'allure suspecte, avec le sentiment d'être un jardinier bichonnant une pelouse primée, mais sans plaisir ni fierté. Quand j'eus fini, les sillons et les traces de chaussures avaient disparu, mais je sentais encore un truc bizarre dans la texture de la moquette entre la porte d'entrée et le sofa, truc qui révélait une activité anormale. N'était-ce pas seulement un mauvais tour que me jouait mon esprit?

Je saisis les clés et me dirigeai vers la porte. Personne en vue dans la cage d'escalier. Je verrouillai la porte d'entrée et affectai la nonchalance en remontant les marches.

Les clés serrées dans ma main gantée me préoccupaient. Il faudrait les laisser dans l'appartement de la femme de ménage et dans l'idéal, pour parachever l'illusion que je voulais créer, verrouiller sa porte de l'intérieur. Mais alors, comment sortirais-je?

De retour dans l'appartement d'Oskar, tout en essuyant le manche du balai avec un torchon à vaisselle pour enlever les empreintes que mes doigts auraient pu y laisser, je réfléchissais au problème de la porte.

L'humidité avait épaissi l'air et il faisait plus chaud dans l'appartement ; je transpirais abondamment suite à la bagarre et aux efforts nécessaires pour déplacer le cadavre. J'enlevai les gants, allai à la salle de bains, me lavai les mains à l'eau froide et m'humectai le visage. Le miroir en face de moi me permit de détailler ce que j'y voyais. Les yeux qu'il réfléchissait avaient à présent vu un corps mort de très près. En avaient-ils été affectés ? Avaient-ils gagné ou perdu quelque chose ?

Le soleil qui éclairait le living avait en partie disparu derrière un amas de nuages pourpres et gris. Une bourrasque de vent isolée cognait contre les fenêtres en projetant sur les carreaux de grosses gouttes de pluie. Le tonnerre éclata, grondements identiques au déplacement de meubles dans un appartement des étages supérieurs. Il me fallait partir, rentrer chez moi et, en cas d'impossibilité aujourd'hui, alors demain ! Rien ne me retenait plus, surtout après ce qui était arrivé. Je téléphonai à la compagnie aérienne pour m'enquérir des vols : celui d'aujourd'hui était complet, par contre, il y avait de la place dans celui du lendemain après-midi. Je communiquai mes numéros de carte, en ayant à peine prêté attention au prix exorbitant que l'opératrice me donna. Puis je composai le numéro de téléphone de la chambre d'hôtel d'Oskar écrit sur le message posé sur la table. Il devait faire nuit à Los Angeles, mais peut-être pas tant que ça. Personne ne répondit : sept sonneries, huit, neuf... J'interrompis l'appel pour composer le second numéro, celui de la réception de l'hôtel. La voix américaine qui annonça avec calme le nom de la chaîne internationale me causa tant de plaisir que j'eus l'impression de parler à un ange.

Oskar était-il dans sa chambre? La réceptionniste l'appela... en vain. Je laissai un message dans lequel je demandais à mon ami de me rappeler, remerciai l'employée et raccrochai.

N'ayant aucun souvenir d'Oskar gros dormeur – à moins qu'il n'ait absorbé un somnifère ou ne soit ivre –, j'accréditai bien volontiers l'idée qu'il n'était pas dans sa chambre. La terreur m'envahit: peut-être avait-il quitté l'hôtel et pris place dans le long courrier de la Lufthansa en route pour Francfort. Non, pas si vite. La réceptionniste me l'aurait certainement annoncé si tel avait été le cas. Mais je n'en continuais pas moins à craindre le pire. Ces jours passés, j'avais associé Oskar à un lieu. Mon appel pour vérifier qu'il s'y trouvait bien avait buté contre son absence, ce qui me contrariait au plus haut point.

Une pluie lourde et régulière se mit à tomber. Comme je ne me rappelais pas si j'avais laissé ouverte la fenêtre de la chambre ou si je l'avais refermée, je m'y précipitai pour vérifier. Elle était fermée, verrouillée... sans chat sur le balcon.

Le balcon. Le chat. Voilà comment j'allais pouvoir verrouiller de l'intérieur la porte d'entrée de la femme de ménage. Je déverrouillai la fenêtre et sortis. La rue retentissait du tambourinement de la pluie et des éclaboussures d'une voiture occasionnelle filant à vive allure. À l'aplomb du balcon d'Oskar s'en trouvait un autre – dans le prolongement de la chambre de la femme de ménage – et encore en dessous, la rue trempée.

Maintenant ou jamais, pendant que la pluie empêchait les piétons de sortir! Après avoir remis les gants de vaisselle – action que j'associais horriblement à la criminalité –, je me saisis du balai à franges et des clés et sortis de l'appartement d'Oskar. Le couloir bien sûr dégagé – ce à quoi je m'attendais désormais – résonnait du vacarme de la pluie qui cognait contre les lucarnes et les fenêtres. Des canalisations dissimulées quelque part gargouillaient.

Je m'introduisis dans l'appartement de la femme de ménage avec précipitation. Dès que j'en franchis le seuil, j'aperçus le cadavre tel que je l'avais laissé sur le sofa, découpé par la lumière grise qui se déversait des fenêtres. Je sursautai : c'était comme tomber sur un mannequin de couturière au mauvais moment dans des circonstances désagréables. Le crépitement de la pluie emplissait la pièce, si bien que pendant quelques secondes terrifiantes et tendues, je fixai le corps dont la tête avait adopté une inclinaison bizarre, tout en essayant de savoir s'il avait été déplacé ou pas, depuis ma dernière visite.

Pas d'égarement : coller au plan coûte que coûte ! Je cherchai parmi les clés et après avoir mis la main sur la bonne dans le trousseau, je verrouillai la porte d'entrée à double tour. Désormais enfermé à l'intérieur, j'allai appuyer le balai à franges contre le mur de la cuisine. Quant aux clés, je les laissai sur le plan de travail au-dessus du seau de produits ménagers. En retraversant le living, je passai de nouveau près du cadavre et me sentis obligé d'y jeter un œil. Son attitude et sa position sur le sofa me donnèrent la nausée – dépouillé de tout naturel, il caricaturait dorénavant quelque chose d'autrefois vivant. Et le fait qu'il soit mort et que la vie l'animant jadis soit à jamais perdue pour lui semblait me narguer. Impossible de remonter le temps, fini son renouvellement intérieur : il était bien parti pour se décomposer !

La bouche sèche, je déglutis. À l'extérieur, il pleuvait encore et, même si le corps n'avait pas commencé à corrompre l'atmosphère de la pièce, de toute évidence elle n'était plus saine. Quand je pénétrai dans la chambre de la femme de ménage, une vague de culpabilité atroce m'assaillit – j'eus l'impression de commettre une profanation supplémentaire. Déplacer le cadavre était une chose – je connaissais le corps, je l'avais rencontré du temps de son vivant, j'avais été impliqué dans son décès –, mais n'ayant pas ma place dans cet espace intime, j'y étais un plus grand intrus encore. Je traversai la pièce à toute vitesse, prêtant le moins d'attention possible à son contenu, me contentant d'enregistrer des détails – les draps du lit bordés très serré comme dans les hôtels, une croix au mur, une table de chevet, des manteaux et des robes de chambre sur des cintres suspendus à la porte de l'armoire. La fenêtre donnant sur le balcon n'était pas verrouillée, ce que je pris pour un augure favorable. Une fois dessus, je la refermai rapidement derrière moi afin d'empêcher la pluie de pénétrer à l'intérieur.

Comme je l'avais espéré, le mauvais temps avait dissuadé les gens de sortir. Au moment où je mettais le pied sur le balcon, un piéton passa à vive allure en dessous, parapluie ouvert, inconscient de ce qui se tramait plus haut. Je ne m'en accroupis pas moins avec l'espoir de me fondre dans le décor. Une fois la rue dégagée, je me levai, lançai une jambe par-dessus l'arrondi de la balustrade, la reposai sur la fine corniche décorative qui courait le long du balcon ; puis je passai l'autre jambe. Sans filet pour me récupérer en cas de chute, la rue ne m'en paraissait que plus lointaine. Ma chemise se trempa rapidement. Les chats étaient retombés sur leurs pattes avec tant de facilité et de grâce…

Je fis glisser l'un de mes pieds et le laissai pendre dans le vide. J'abaissai mon centre de gravité aussi bas que possible avant de faire glisser l'autre, transférant tout mon poids sur mes bras. Tendus au maximum, ceux-ci brûlaient ; mes épaules tiraient et je m'attendis pendant un instant de folie à ce qu'elles se déboîtent. Des gouttes gonflées de pluie tombées des balcons des étages supérieurs s'écrasaient distraitement sur moi et coulaient le long de mon cou. Les pavés luisants paraissaient encore bien loin de mes pieds. Mais chaque fois que je repoussais ma chute d'une seconde, j'accroissais mes chances d'être découvert. Je lâchai prise.

L'atterrissage ébranla mes chevilles et me coupa le souffle. Mes mâchoires s'entrechoquèrent douloureusement. De l'eau éclaboussa mes pieds et pénétra dans mes chaussures. Tandis que je luttais pour reprendre ma respiration, un tram à l'intérieur allumé traversa le carrefour en provenance de la rue perpendiculaire. Des visages vides et pâles rangés les uns derrière les autres regardaient à travers les vitres zébrées de condensation. Ils me fixaient, mais m'avaient-ils aperçu au moment où ils coupaient la rue à vive allure, silhouette trempée revêtue d'habits inadéquats, mains protégées de gants de vaisselle, cheveux plaqués sur la tête, l'air hébété ? Il leur était impossible de m'associer au balcon au-dessus de ma tête ni de savoir ce qui se dissimulait derrière sa fenêtre, et surtout d'expliquer le sourire victorieux qui fendait mon visage.

Les vibrations de basse fréquence du lave-vaisselle qui liquidait les preuves sans se poser plus de questions résonnaient encore dans l'appartement d'Oskar. Le gargouillement rythmé de l'appareil me réconforta et je pensai à chez moi, mon chez moi. Mon esprit tourna nerveusement autour de la terre, observant sa moitié sombre et l'autre éclairée, évoquant des heures de vol. Si Oskar avait décollé dans le matin californien… Si je partais maintenant…

Plus le temps passait, plus je m'inquiétais et craignais à tout moment d'entendre la main gantée d'un policier frapper à la porte. Mes jambes et mes bras tremblaient et tressaillaient dans les vêtements secs que j'avais enfilés, réactions physiologiques que je n'avais pas ressenties sur le coup et avais différées après avoir transporté le corps pesant et sauté du balcon – et sans aucun doute, après le reflux d'adrénaline. Je me versai du vin dans un verre sale, le même que j'avais utilisé la nuit précédente, après avoir ramassé les morceaux de son collègue brisé.

La latte de la cuisine était toujours détachée du parquet : comme si après la découverte d'un bouton secret, on avait appuyé dessus et pan, elle s'était soulevée, révélant une planque secrète de pierres précieuses ou un labyrinthe de pièces oubliées. Une latte détachée comme celle-ci exerçait une attraction puissante et mystérieuse, charme du tunnel creusé ou du trou dans la clôture. Et s'il existait vraiment une façon simple de dissimuler les taches et de détricoter les événements antérieurs, il me fallait à tout prix la saisir avant de partir. Tromper Oskar, lui laisser pratiquement les dégâts sous les yeux, mais là où il ne les trouverait jamais… la tentation était trop forte pour que je puisse y résister.

Extraire les clous restants et les détacher des solives auxquelles ils étaient fixés pour libérer la latte fut chose facile. Mais quelle déception en dessous ! Une couche épaisse de matériau isolant et un fil électrique agrafé à la solive… qui n'était même pas sale.

Me concentrant sur la latte soulevée, quelle ne fut pas ma consternation quand je découvris des zébrures de vin rouge. À mon grand étonnement, elles n'étaient pas à l'endroit dont je me souvenais. Les stries apparaissaient du côté de la latte où les clous dépassaient : le dessous. Je la retournai pour vérifier le dessus : lui aussi était taché.

Je bus une gorgée de vin et m'attelai à la latte suivante, me contentant de passer dessous la spatule en guise de levier. À nouveau, les clous lâchèrent prise avec une facilité déconcertante et la latte se souleva. S'il était impossible de la retourner, alors autant déclarer forfait tout de suite. Je libérai l'autre extrémité avec mes mains nues et exposai le dessous.

Il n'y avait plus aucun espoir ! Le dessous – en pire état que le dessus – était défiguré par une grande tache et une balafre peut-être causée par l'impact d'un objet lourd et dur. Je soupirai, posai la latte et m'assis en tailleur sur le parquet. Ma nervosité passée, je posai la bouteille de vin ouverte ainsi que le verre sur les taches à côté de moi. J'installai la latte enlevée sur mes genoux et la détaillai.

Je ne comprenais pas. Comment était-il possible à une telle quantité de vin de transpercer les lattes ? Et pourquoi le liquide s'était-il répandu sur l'autre face, et non sur le matériau isolant ? J'avais entendu parler des tensions de surface et de la capillarité, et même si je ne comprenais pas ces phénomènes, j'avais idée de ce dont ils étaient capables. Mais ce que j'avais sous les yeux semblait exister complètement indépendamment de ces phénomènes.

Autre chose me troublait, dont l'énormité s'amplifiait au fur et à mesure que j'essayais d'en prendre clairement conscience. Le voile se déchira si brutalement que je m'étonnai de ne pas m'en être aperçu plus tôt : les taches présentaient les mêmes caractéristiques des deux côtés des lattes.

On avait essayé de nettoyer l'autre face du parquet.

De la même façon que j'avais essuyé, l'autre avait essuyé ; comme moi, il avait frotté. Pas de doute, des jurons lui avaient aussi échappé. Mon désespoir avait été le sien. Il m'avait précédé dans cette épreuve.

Et je connaissais son nom : il s'appelait Oskar.

Oskar avait abîmé son propre parquet.

Je soulevai une troisième latte et elle me raconta la même histoire : celle d'un désastre spectaculaire causé par du vin rouge. Les motifs familiers d'éclaboussures et de marées avec leurs variations : l'empreinte d'une chaussure d'homme. La quatrième latte offrait une portion rugueuse, suite à l'utilisation de papier de verre et à une tentative de refaire la finition. De la bouillie pour les chats ! Mes efforts, même s'ils n'avaient pas abouti, avaient mieux réussi ! Un sourire se dessina sur mon visage et des sentiments puissants me soulevèrent – non pas l'euphorie, mais une sorte de folie, lame de fond jubilatoire et vertigineuse. Quel travail de cochon ! La quatrième latte témoignait également d'un désastreux traitement à l'acide : il avait décoloré le bois et provoqué une réaction allergique dans les fibres qui avaient cloqué. Bien sûr, Oskar avait craint d'endommager le parquet, par trop conscient de la difficulté qu'il y avait à l'entretenir et du fait que quelques-unes des lattes avaient déjà été retournées une fois, épuisant leur unique joker. Je me tordis intérieurement de plaisir et voulus rire.

Une large tranchée crevassait dorénavant le parquet, ruinant l'homogénéité de son insolente beauté. Envolé sa mystique ! Je me penchai pour soulever une cinquième latte… et m'arrêtai.

Sous les lattes, reposant sur le matériau d'isolation cotonneux, j'aperçus une feuille de papier recouverte de l'écriture d'Oskar. Je la récupérai.

Mon cher ami,

Le livre Prendre soin de son Parquet *déclare que des lattes très endommagées peuvent tout bonnement être retournées. Très facile – une sorte de seconde chance. Sauf qu'il n'existe pas de troisième chance. Si tu endommages ces lattes-là, alors le parquet est fichu. Aussi si tu trouves cette lettre, les choses ont-elles le mérite d'être claires. Tu vois les dégâts…*

Peut-être leur perspective te réjouit-elle. Je me souviens des yeux que tu ouvrais quand je te demandais d'enlever tes chaussures ou d'utiliser un dessous-de-verre. Tu pensais que je ne me montrais pas raisonnable. Et pourtant pour moi, je l'étais complètement en voulant garder aux choses leur perfection.

Maintenant je vais te décevoir : ce n'est pas moi qui ai cassé la bouteille de vin ni endommagé le parquet. C'est Laura. Nous avons eu une terrible dispute. Un jour, lors de l'une de ses visites, elle a renversé une petite quantité de vin. Dans l'incapacité de la nettoyer, je pense que j'ai dû, peut-être, revenir trop souvent à la charge.

Facile à imaginer : Oskar en train de se lamenter à longueur de journée sur les dégâts causés au parquet, ramenant sans cesse le sujet dans la conversation tout en poussant des soupirs désapprobateurs.

À son retour, elle m'a ramené le livre Prendre soin de son Parquet… *qui a déclenché une terrible dispute. J'ai cru qu'elle se moquait de moi, alors qu'elle jurait ses grands dieux n'avoir eu aucune arrière-pensée. Nous étions tous deux très en colère et elle a cassé une bouteille de vin rouge sur le parquet à mes pieds.*

Elle est rentrée aux États-Unis le jour même.

À quoi cela ressemblait-il d'être en butte aux explosions de colère d'Oskar ? Depuis que je le connaissais, c'était une situation que j'avais toujours crainte, et pourtant, force m'était de reconnaître que je l'avais rarement vu vraiment fâché. Ses colères s'en étaient toujours prises à d'autres et, quoique terribles, elles étaient restées rentrées, comme les incendies qui ravagent les gisements houillers dans les profondeurs. Était-ce une catastrophe d'en être la cible ? Je n'avais jamais assisté à des bagarres au cours desquelles on se jetait des bouteilles de vin, voilà ce à quoi je réfléchissais, tout en savourant ma propre boisson. Le bruit, son impact contre le bois, les éclaboussures de vin et les mille éclats de verre.

Impossible, bien sûr, de réparer le parquet et il fallut retourner les lattes. Elle refusa de revenir dans l'appartement – pomme de discorde récurrente entre nous – et railla mon sens de l'ordre. Elle l'accusait de manquer d'hospitalité. Dans sa belle et grande maison à Los Angeles, elle a toutes sortes de domestiques à son service, alors qu'ici notre femme de ménage n'est pas très coopérative.

Mon euphorie se dissipa.

On dit que les chats sont difficiles et source de désordre. Ce qui ne fut jamais le cas avec moi. Ce sont les gens qui provoquent le chaos dans la vie.
J'ai insisté auprès de Laura en lui affirmant qu'il n'était pas difficile de garder à cet endroit sa perfection, encore fallait-il que les gens acceptent de prendre certaines précautions et agissent en consé-quence. J'ai défendu l'idée que cela ne serait difficile pour personne, à condition de se plier aux procédures et de faire très attention. Elle n'était pas d'accord et s'est moquée de moi. Elle m'a rétorqué qu'il était impossible de conserver leur perfection aux choses et qu'il était inévitable que le parquet soit endommagé.
Et toi, est-ce que tu as trouvé que c'était difficile ? Si tu es en train de lire ce message, c'est que tu es sous les lattes maintenant. Tu devrais m'appeler.
Tu es mon cher ami.
Oskar

Je jetai un œil aux lattes soulevées. Difficile de déter-miner de prime abord qui avait taché quoi et quand. Les taches de vin et de sang se ressemblaient toutes. Le trou dans le parquet me remémora la nouvelle *Le Cœur révélateur* avec son battement de cœur secret sous les lattes – bien sûr, il n'y a aucun bruit, que de la culpabilité. Et le film à trois sous où l'assassin astique obsessionnellement les mille éclats de la tasse en porcelaine brisée. Je connaissais cet assassin, sauf que dorénavant je voyais qu'il pourrait tout aussi bien s'agir d'Oskar, au moment où son système exploserait en mille morceaux et qu'il se lancerait à la poursuite de chaque fragment de vie dans le but de le contrôler, et qu'il constaterait que celle-ci continuerait de se scinder et de se subdiviser entre ses mains.

Tu devrais m'appeler.

J'eus du mal à me lever. Vin rouge à jeun. Quelle heure était-il là-bas ? Plus de deux heures du matin ? Trois heures ?

L'heure avancée n'avait pas entamé la voix pleine d'entrain de la réceptionniste. Il faisait nuit au bord du Pacifique. Je lui déclarai que je voulais laisser un message.

Il restait encore un peu de vin dans la bouteille. Cela ne m'empêcha pas d'en ouvrir une nouvelle.

HUITIÈME JOUR

Secousse. Double explosion dans ma tête, augmentation de la pression sanguine dans les oreilles, démarrage et arrêt du cœur simultanés. J'avais atterri sur le parquet.

Le parquet.

Sa vaste étendue plane s'étirait devant moi, les rainures des lattes convergeaient, leur surface constellée de taches comme des ombres de nuages survolant des champs moissonnés. Je le découvrais sous un angle différent. Le vin et la déshydratation produisaient des élancements dans ma tête et quand je voulus la soulever, je sentis ma joue collée au sol. Elle se décolla comme le CD gratuit attaché à la couverture d'un magazine. Me hissant, je pris conscience que la majeure partie de la sensation provenait du bras sur lequel j'avais dormi et s'était propagée au cou et à l'épaule après mon réveil brutal. L'horloge murale de la cuisine m'annonça qu'il était quelques minutes avant neuf heures.

Un bang bang incroyablement sonore me transperça les oreilles, la mâchoire, la poitrine. Un homme avait élevé la voix derrière l'épais bois verni de la porte d'entrée d'Oskar et prononçait des paroles que je ne comprenais pas.

Un nouveau coup de poing sur le bois et les vibrations de la porte se propagèrent à travers les murs, le parquet, moi. Trois, quatre fois. Tremblant comme la ficelle d'un cerf-volant, je bondis sur mes pieds, entouré des lattes soulevées dans la cuisine éclaboussées de vin rouge. La femme de

277

ménage ! C'était la femme de ménage ! Non – je me rappelai
son poids, je me souvenais l'avoir déplacée. Elle était morte.
Elle est morte. Le passé, le présent et le futur s'étaient aplanis
devant ce fait immuable. Le champ des possibles rétrécissait.

Une voix d'homme derrière la porte.

La police.

J'imaginai un poignet ganté, une casquette, des pantalons
à plis, pas un sourire, le crépitement d'une radio. Des voisins
sur le seuil de leur porte, bras croisés, sombres, fascinés.
Interrogatoire.

Aussi doucement que possible, je retraversai le living pour
me rendre à la fenêtre. J'avais dormi avec mes chaussures et
le parquet grinçait sous mes pas. Nouvelle volée de coups.

Aucun fourgon de police dehors. Mais cette rue longeait
le côté de l'immeuble d'Oskar – ils se seraient sûrement garés
sur le devant, près de la porte principale, sous la fenêtre de
la chambre.

À nouveau une voix d'homme, bourrue, sérieuse. Il était
clair qu'il voulait entrer.

À pas furtifs, je traversai le bureau, ouvris la fenêtre et
regardai dehors. Deux voitures et une camionnette y étaient
garées, mais pas de voiture de police. Des détectives ? Des
véhicules banalisés ? La fenêtre de la chambre de la femme
de ménage était fermée et rien ne bougeait au-delà.

Pourquoi ne pas descendre ? M'échapper. Sortir sur le
balcon d'Oskar, sauter sur celui de la femme de ménage en
dessous, puis me laisser choir dans la rue, comme la veille.
Sauf qu'ils seraient dans son appartement et il me faudrait
passer devant eux. Si ce n'était pas la police, qui était-ce
alors ? Sa famille ? Oskar ? Non, pas lui, ce n'était pas sa voix
et il avait la clé.

Bang. Bang. Tintement de la chaîne de sûreté. Nouveau
flot de paroles de l'autre côté de la porte. Je ne dirais pas

furieux, mais déterminé. J'échafaudais des hypothèses quant à la résistance de la chaîne – serait-elle suffisante pour me protéger ? Quelle était la masse musculaire associée à cette voix ?

– Attendez, criai-je en essayant de parler fort, mais ma voix ne porta pas, vu la nouveauté de l'exercice.

Puis avec une confiance accrue :

– Attendez ! J'arrive, attendez un instant !

De retour dans le living, je baissai les yeux sur le parquet où j'avais passé la nuit. Pour une raison quelconque, je m'étais attendu à y laisser mon empreinte, comme s'il pouvait se plisser et se froisser à la manière des draps de lit. Aucun signe de ma présence. Si ce n'étaient deux bouteilles, l'une vide, l'autre pratiquement. Un verre rempli de trois centimètres de vin près du message trouvé sous les lattes et quelques autres feuilles de papier couvertes de mon écriture. Les lattes de la cuisine encore soulevées étaient généreusement tachées des deux côtés. J'étais pessimiste quant à ma capacité à trouver une façon rapide de tout faire rentrer dans l'ordre. Je passai les doigts dans mes cheveux et inhalai prudemment une aisselle. Sueur ancienne.

La chaîne de sûreté solidement attachée, j'entrouvris la porte d'entrée.

Deux hommes en salopette marron se tenaient dans le couloir. La responsabilité de frapper avait échu au petit costaud. Il portait un bloc-notes. Son collègue – plus jeune, plus fin, plus grand, nez pointu et lunettes à monture d'acier – se tenait en retrait, une boîte à outils à la main.

« Bloc-notes » prononça des paroles qui s'apparentaient à une blague et, me regardant de ses yeux espiègles, attendit ma réponse. Puis il répéta sa tirade plus lentement bouche ouverte, dans l'espoir que j'y répondrais.

Le grand avança.

– Veut… savoir… si vous bien dormir. Bon sommeil.

Son collègue sourit, action qui noya ses yeux derrière un carambolage de rides.

– Merci… euh… En quoi puis-je vous être utile ?

Bloc-notes indiqua de la tête la chaîne de sûreté et posa, me sembla-t-il, une question. Levant son accessoire éponyme – autour duquel tout semblait tourner –, il le tapota de sa main libre. Pas de réponse de ma part ; je détaillai les hommes, autant que mon esprit engourdi par le sommeil me le permettait, et essayai de deviner la raison de leur venue. Quoique propres, leurs salopettes n'étaient pas de première jeunesse. Chacune arborait le logo vert d'une maison stylisée sur la poche de devant. Quelle plaie de devoir fournir tout cet effort mental dès le réveil ! Je voulais qu'ils partent et me laissent seul !

– Nous entrer ? demanda le grand à la boîte à outils doté des compétences linguistiques développées.

Bloc-notes regarda son collègue tout en m'adressant un sourire.

– Je ne sais pas.

Ce qui était la stricte vérité. L'extrémité de la chaîne de sûreté accaparait de plus en plus mon attention, fine tige de métal glissée dans sa rainure. Truc absurdement petit, allié minuscule. Il ne faisait aucun doute qu'un coup d'épaule puissant pourrait le briser. Peut-être pas asséné par mon épaule à moi, mais Bloc-notes me donnait l'impression d'avoir un long passé de défonceur de portes.

– Oskar est au courant ?

Le temps de se projeter de l'autre côté de la planète, et ma question fut accueillie par moult mouvements de tête et exclamations affirmatives.

– Oskar, Oskar.

Bloc-notes fouilla dans sa poche de devant en quête d'un stylo mâchouillé avec lequel il tapota les feuilles de son accessoire. Puis il me regarda, yeux écarquillés, toujours dans l'expectative, et mima le geste ample d'une signature.

Expulsait-on Oskar de son appartement? J'étais sûr qu'il en était propriétaire. Mais je n'étais pas vraiment familier des lois sur la propriété dans mon propre pays, alors ici... J'imaginais des contrats d'habitation d'une complexité byzantine qui restreignaient le droit naturel des locataires emphytéotiques à se débarrasser de chats morts et se battre au couteau avec la concierge... Facile à concevoir. Pour l'heure, les ouvriers n'étaient que bienveillance, et même compassion, mais j'étais sûr que leur patience avait des limites.

J'ôtai la chaîne de sûreté, ouvris la porte... et me retrouvai immédiatement avec le bloc-notes sous les yeux, des feuilles de mince papier carbone recouvertes de pâtés et d'encadrés. La plupart des zones avaient été cochées ou remplies, et un grand X indiquait la ligne en pointillé en bas de la page. Charabia incompréhensible. La seule chose identifiable était le logo, identique à celui des salopettes: une maison réduite à son plus simple appareil.

– Attendez. C'est quoi?

Mal à l'aise, les deux ouvriers se regardèrent en haussant les épaules.

– Je ne peux pas signer. Je ne sais même pas de quoi il s'agit! Il faut que je parle à Oskar. Le propriétaire de l'appartement.

Bloc-notes qui n'avait rien compris continuait de me tendre le stylo.

– Un moment, un moment, insistai-je un doigt levé. Je vais passer un coup de fil.

Je mimai l'action de téléphoner, un poing à l'oreille, pouce et petit doigt tendus.

Je me dirigeai vers le living et la vue du parquet taché avec ses lattes soulevées me frappa comme si je le voyais pour la première fois. Comme si quelqu'un d'autre en était à l'origine et que j'étais en train de découvrir le désastre. Sauf que le « découvreur » avait toute latitude pour transformer le choc et la consternation en colère, alors que moi, je me retrouvais avec mes remords et mon dégoût de moi-même.

Debout parmi les meubles de designer d'Oskar, je fermai les yeux. Peut-être cette sensation allait-elle s'estomper et allais-je me réveiller ailleurs. Mais elle se maintint comme les taches de lumière imprimées sur la rétine par un flash d'appareil photo. J'étais bel et bien conscient et éveillé. Quand je rouvris les yeux, les ouvriers m'avaient suivi dans le living. Ils avaient vu le parquet et ils échangeaient calmement des propos sérieux. Ensemble, ils me jetèrent un coup d'œil – sans colère ni jugement, seulement de la curiosité. Savaient-ils que j'étais dangereux ? Savaient-ils que j'avais tué quelqu'un ?

L'idée de les tuer me traversa l'esprit… afin de me retrouver seul à traiter la question du parquet.

Or je n'avais tué personne.

– C'était un accident, dis-je.

Le plus grand, celui qui portait des lunettes, hocha la tête avec sagesse.

– Accident, répéta-t-il avec prudence, comme pour s'essayer à la prononciation du mot.

Je me lançai dans l'arithmétique mentale qui me permettrait de déterminer l'heure qu'il était à Los Angeles, mais mon raisonnement se déchira comme un Kleenex humide. Le numéro de l'hôtel d'Oskar se transforma en chapelet d'absurdités quand je le regardai et je dus battre des paupières avant de le rendre lisible. Le temps me paraissait extensible et poisseux ; je me demandais si j'étais encore ivre. Hypothèse plausible.

Un accent californien annonça le nom de l'hôtel. À ce moment-là, cette voix lointaine me sembla être la seule chose réelle au monde. Elle transféra mon appel dans la chambre d'Oskar; j'entendis un bip discordant et une séquence de déclics et de crépitements électroniques, avant qu'un morceau de musique enregistrée ne prenne le relais : un solo pour piano. J'essayais de m'éclaircir les idées, de mettre de l'ordre dans les mots que je voulais utiliser, de me figurer le visage d'Oskar. Or je ne pouvais voir ou imaginer que son appartement, dont j'avais largement compromis la perfection. J'eus envie de pleurer pendant un instant, mais la musique s'interrompit.

– Oui ? demanda Oskar.

– Oskar, c'est moi.

– Je sais.

– Oskar, il y a des hommes ici, on dirait des ouvriers. Je ne sais pas ce qu'ils veulent, ils me demandent de signer un truc.

– Ils sont arrivés tôt ! Je ne pensais pas qu'ils seraient aussi rapides.

– Quoi ? Qui sont-ils ?

– J'ai appelé hier, mais tu n'as pas répondu. Ce sont des déménageurs.

Je déglutis. Impression d'avaler un roulement à billes rouillé. J'avais les lèvres sèches. La voix de mon interlocuteur paraissait calme.

– Tu déménages ?

– Oui.

– À cause de moi ?

– Oui.

De la friture brouilla la ligne, peut-être parce que Oskar changeait le combiné de main.

– J'ai bien eu ton message.

Des souvenirs brouillés par le vin se ruèrent dans ma conscience. Je me souvins d'avoir laissé un message la veille et d'avoir demandé à la réceptionniste de le rapporter avec précision. Mais les détails de son contenu m'échappaient.

– Au sujet du parquet? demandai-je en jouant au jeu des devinettes.

– Oui. Je le savais déjà. Michael l'avait mentionné. Ada aussi.

– Ada?

– La femme de ménage. J'ai parlé avec elle hier soir.

Hier soir? Comment était-ce possible? Peut-être n'était-elle pas morte après tout… Une vague d'espoir et de terreur m'envahit, identique à celle que l'on ressent à la fin d'un film d'horreur quand on découvre que l'assassin vit toujours. Puis je me remémorai les fuseaux horaires.

– Plutôt hier matin, non?

Figé sur place en terrain miné.

– Oui, répondit mon interlocuteur d'une voix teintée d'impatience. Je voulais l'avertir de la venue des ouvriers afin qu'elle puisse leur ouvrir.

– Très bien.

Mon esprit moulinait à toute vitesse. Le couteau, le sang.

– La vue du parquet l'avait… euh… bouleversée, ajoutai-je avec prudence.

– Oui, répondit-il d'une voix claire difficile à déchiffrer. Cela n'a plus aucune espèce d'importance à présent. Puisque je pars.

Je voulais qu'il développe, qu'il m'en dise plus sur ce qu'il savait au sujet du parquet, du chat, du couteau. Mais il se contenta de me demander si les ouvriers étaient toujours là.

Ils n'avaient pas bougé et m'observaient en silence, à l'autre extrémité de la pièce, tous les deux arborant la même expression d'affabilité circonspecte qu'avec un malade mental potentiellement dangereux. Quelle impression donnais-je ? Pas bonne, sûrement.

– Oui, ils sont là.

– Signe le formulaire. Qu'ils travaillent pendant que nous continuons de parler ! J'ai des trucs à te dire.

Je marchai jusqu'à eux, saisis le bloc-notes et signai. Conséquence de ma nuit – de ma semaine – à boire, ma main tremblait et je ratai mon coup. Difficile de reconnaître le gribouillis que j'apposai pour signer mon nom, mais il faudrait s'en contenter. Les hommes sourirent et se mirent à discuter. Des déménageurs – Oskar déménageait à cause de moi. Je pris place sur l'un des sièges en cuir souple dans le living et ramassai le combiné.

– Oskar, commençai-je, car je voulais avoir l'initiative de la conversation. Pourquoi déménages-tu ? Que veux-tu dire quand tu dis que c'est à cause de moi ?

– Oui, à cause de toi. Le parquet est très endommagé, pas vrai ?

– Mais je suis sûr qu'on peut le réparer, répondis-je avec précipitation. Je peux payer si tu veux faire appel à un professionnel…

– Non, non. Je vais le faire poncer, mais ça n'a plus d'importance. Tu n'es pas le premier à avoir causé des dégâts, comme tu as dû t'en apercevoir.

Je décidai d'abattre une carte de mon jeu.

– J'ai voulu retourner une latte. À la cuisine. J'ai remarqué que le dessous était également abîmé.

Au fur et à mesure de notre conversation, j'essayais d'analyser le ton qu'il employait pour s'adresser à moi. Pas facile – sa voix me semblait étouffée, comme s'il se contenait. Mais ce n'était pas la colère à laquelle je m'étais attendu, c'était quelque chose d'autre.

À l'autre bout de l'appartement, les ouvriers mesuraient le piano.

– Donc tu as trouvé le message... Quand Laura a jeté la bouteille...

Un son non identifiable brouilla la ligne. Oskar était-il en train de pleurer ?

Non. Il gloussait.

– Excuse-moi, dit-il en reprenant le contrôle de son fou rire. C'est drôle... Figure-toi que Laura et moi avons décidé de nous donner une nouvelle chance. Nous avons arrêté la procédure de divorce. Je déménage pour m'installer en Amérique. Nous y prendrons un nouveau départ. Je terminerai ma symphonie et vivrai avec Laura. Elle a beaucoup d'espace ici.

Le ton de sa voix ne laissait à présent aucun doute : il était heureux ! Cela faisait pas mal de temps que je ne l'avais senti dans un tel état d'excitation.

Il n'empêche que je n'en croyais pas mes oreilles.

– Waouh, Oskar, waouh, marmonnai-je stupidement. Mais l'appartement ? Ton boulot ? Les chats ?

Je pris garde d'avaler le « les » pour n'accentuer que « chats ».

– Je vends l'appartement. Les déménageurs vont me faire parvenir certains effets, le reste ira au garde-meubles. La Philharmonie devra embaucher quelqu'un d'autre. Ils s'en remettront, je ne suis pas irremplaçable.

Et modeste en plus... Il était vraiment d'humeur exceptionnelle.

– Les chats...

– Oskar, l'interrompis-je. L'un des chats est mort. Je suis désolé.

Silence... et puis :

– Lequel ?

– Je n'en sais rien. Je n'ai jamais vraiment su qui était qui. Celui avec du blanc au bout de la queue.

– Stravinsky, annonça Oskar solennellement. Comme c'est triste ! Je suis désolé que ce soit tombé sur toi.

– Je t'en prie…

La compassion n'était pas le sentiment auquel je m'attendais de sa part.

– Comment est-il mort ?

– Juste un accident. J'avais mis la béquille du piano et le couvercle lui est tombé dessus. Je pense. Je n'ai pas été témoin de la scène. Je l'ai trouvé mort.

Un nouvel ange passa. Quand donc apprendrais-je à me taire !

– Ce n'était pas de ma faute. Juste un accident.

– Bien sûr, bien sûr, rit Oskar. Est-ce que le piano en a souffert ?

– Non.

Pause contemplative.

– Que c'est triste ! Pauvre Stravvy. C'était un bon chat. Comment va Shossy ?

– Il allait très bien la dernière fois que je l'ai vu, répondis-je avec prudence, en espérant qu'il ne me pose pas d'autres questions. Je suis vraiment désolé pour Stravvy – c'était un accident, tu sais, je l'ai découvert mort, je n'ai rien pu faire…

Mais tais-toi, tais-toi donc, imbécile !

– Oui, je sais. Eh bien, on ne peut pas le ressusciter. Au fond, cette nouvelle situation me simplifie la vie – il était prévu que les chats aillent vivre chez Michael et s'il n'en reste plus qu'un…

– Et moi ? As-tu besoin que je prolonge mon séjour ?

– Non, non. L'immeuble est bien gardé. Ada peut s'occuper de l'appartement, jusqu'à ce qu'il soit vendu. Michael passera plus tard dans la journée pour Shossy. Tu peux partir quand tu veux. Ada a-t-elle accompagné les ouvriers ? Puis-je lui parler ?

Je me figeai. Peut-être était-ce le moment de tout dire. Chaque fois que j'avais menti ou dissimulé la vérité, j'avais joué de malchance. Mais la franchise avait fonctionné : je lui avais parlé du parquet, du chat et en étais sorti indemne.

– Oskar…

Une fusillade de sons m'interrompit brutalement, cacophonie en cascade qui nécessita une demi-seconde d'analyse pour en déterminer la source : on jouait fort et sans finesse un petit morceau de piano. L'un des ouvriers l'interprétait avec un brio impressionnant, mais sans aucun talent.

– Hein ? C'est quoi ce raffut ? coupa Oskar. On joue du piano ?

– Euh, ouais, l'un des hommes…

– Eh bien, demande-lui d'arrêter *immédiatement* !

L'Oskar que je connaissais bien revenait à la charge.

– Eh ! Vous ! Arrêtez ça ! m'écriai-je en direction du bureau.

Le récital impromptu stoppa et le visage de Bloc-notes s'encadra dans la porte, traversé d'une expression cabotine de regret.

Oskar émit une exclamation si sèche que pendant un moment je crus que c'était le déclic signalant la fin de l'appel téléphonique.

– Tu vois ? Chaque fois qu'un étranger entre ici, ça se passe mal. Peut-être le problème vient-il de l'appartement…

– Oskar…

Je fis une pause pour essayer de trouver la bonne formulation.

– Oskar, si tu n'as besoin de personne dans l'appartement, si Michael peut s'occuper des chats, du chat, en quoi ma venue était-elle nécessaire ?

J'entendis le soupir qu'il poussa de l'autre côté de l'Atlantique. Il devait se faire tard là-bas.

– Je n'aimais pas l'idée de laisser l'appartement inoccupé pendant une si longue période. Mais tu as raison, il y a autre chose. Après la dernière bagarre avec Laura, quand elle a jeté la bouteille de vin… Le motif principal de cette dispute était l'appartement, notre pomme de discorde. J'étais furieux contre elle parce qu'elle avait abîmé le parquet, et elle ne me trouvait pas raisonnable. Les accidents arrivent, répétait-elle… Selon elle, j'avais tort de vouloir à tout prix préserver la perfection de cet appartement. J'avais rétorqué que ça ne me paraissait pas trop demander. Pour Laura, j'avais mis tout en œuvre pour rendre l'appartement inhospitalier, je n'étais pas prêt à partager quoi que ce soit avec quiconque.

Sa voix se perdit. Le grand m'avait rejoint dans le living et mesurait le sofa avec un ruban métallique. Ce qui ajouta de petits sons secs aux bruits étouffés de la rue. La sonnerie d'un tram retentit en dessous de nous et sa trépidation s'amplifia au fur et à mesure qu'il se rapprochait.

– Nous avons donc envisagé un test avant le divorce… Pourquoi ne pas inviter quelqu'un dans l'appartement ? Un tiers. Et si ce tiers l'endommageait – en particulier le parquet –, alors Laura aurait raison, aucun être sensé ne pouvait y vivre en maintenant son degré de perfection. Bien sûr, je défendais la thèse inverse : selon moi, il était facile de vivre dans l'appartement sans l'endommager à condition de suivre mes directives. Laura me rétorqua que je pouvais en laisser autant que je voulais. Restait à nous mettre d'accord sur la personne adéquate. Elle t'avait rencontré… Tu étais parfait.

– Un test !

Je ne savais que répondre.

– S'il arrivait quelque chose au parquet ou à l'appartement, alors Laura avait raison : le parquet était trop fragile, les dégâts inévitables, ce n'était pas la faute du coupable, mais la mienne, celle de l'appartement. Si rien n'arrivait, alors c'était moi qui avais raison. J'avais à cœur de lui démontrer que même toi tu pouvais réussir, toi, mon ami, l'incarnation du chaos.

– Je ne comprends pas, mentis-je. Je ne suis pas… un rat de laboratoire. Je n'apprécie pas que l'on me teste pour voir si je suis à la hauteur.

La colère m'avait envahi sans que j'en ressente les effets : abstraite et détachée de moi, elle se laissait contempler. Je me persuadais qu'il me fallait être furieux… la colère se mettait à ma disposition, prête à se déployer si je faisais appel à elle.

– Ce n'était pas un test avec une bonne ou une mauvaise réponse. Deux résultats seulement étaient possibles : A ou B, et nous voulions savoir lequel ce serait.

Quel tandem parfait ils formaient tous les deux ! Combien sa pédanterie pointilleuse se combinait habilement au jargon psychanalytique de la Californienne.

– Allez vous faire foutre !

Après avoir senti la tension m'envelopper de toutes parts, la sensation était en train de s'estomper : la marée refluait sur un océan de stress.

– Avais-tu vraiment l'intention de divorcer ? Ou ce n'était qu'une ruse ?

– Non, j'en avais l'intention, répondit-il avec gentillesse.

Plus tôt, j'avais perçu une note de triomphe dans sa voix, située aux confins de la suffisance et de la moquerie : elle s'était volatilisée à présent.

– Nous pensions tous les deux que nous étions bien partis pour divorcer, les papiers étaient prêts, mais quand

Michael a mentionné la tache, nous nous sommes mis à tout reconsidérer et, après avoir parlé à Ada, j'ai compris que Laura avait raison. Peut-être ne réussirons-nous pas, mais au moins, allons-nous essayer.

– Tu ne te sentirais pas instrumentalisé dans ma situation ?

– Impossible que je m'y trouve, répondit-il avec une totale assurance. Mais je te suis reconnaissant tout de même.

– Bon. Eh bien, merci.

Je rêvais d'une colère mémorable, je voulais crier et l'insulter. Or je n'étais pas certain qu'il m'ait blessé plus qu'à son habitude. Et il m'avait déchargé de toute responsabilité, envers le parquet, le chat, tout – il semblait s'en moquer complètement. Son je-m'en-foutisme accroissait encore mon désir de piquer une colère : mais je ne voulais pas être tout seul, je voulais qu'il y participe, que l'on se crie dessus, que l'on fasse exploser notre amitié pour y mettre un point final. Les événements exigeaient un règlement de compte – sauf que je ne savais pas où j'en étais.

– Le moins qu'on puisse dire, c'est que ton appartement n'est pas reposant. C'est un environnement hostile. Il m'a mis mal à l'aise dès le départ. D'une certaine façon je le déteste.

– L'appartement ou moi ? Je sais que je ne suis pas toujours très facile. C'est un trait de caractère sur lequel je dois travailler.

– À L.A. ?

– À L.A. La ville n'est pas si mal. La culture y tient une place importante après tout. Il y a l'océan. J'apprécie sa proximité.

J'entendis qu'il étouffait un bâillement.

– Mais est-ce que tu vas rentrer ?

Cela ne lui ressemblait pas de laisser des étrangers vider son appartement sans être là pour les surveiller.

– Certainement. Dans une semaine ou deux pour m'occuper de tout. Mais il n'est pas nécessaire que tu m'attendes.

– Alors qu'est-ce que je fais, moi ?

– Toi ? Tu peux rentrer chez toi si tu veux.

Je me souvenais d'avoir appelé la compagnie aérienne, mais à cet instant seulement, je sentis que je pourrais vraiment aller à l'aéroport.

– Il y a un vol cet après-midi. Je suis pratiquement sûr d'y trouver une place.

– Je peux t'appeler un taxi si tu veux. J'ai le numéro. Est-ce que midi te conviendrait ?

Cela me laissait plus de deux heures pour rassembler mes effets.

– Parfait. Merci.

– Je l'appellerai dès que nous en aurons terminé, répondit-il en reprenant son ton professionnel habituel. Laisse les clés sur la table de la cuisine. Téléphone-moi quand tu arrives à Londres. Viens nous voir un de ces jours.

– Avec plaisir.

Sauf qu'il me semblait difficile d'imaginer un tel voyage.

– Je te remercie encore de t'être occupé de l'appartement.

– De rien.

– Alors, à bientôt.

– À bientôt, Oskar, répondis-je, tout en pensant à la faible probabilité de le revoir.

S'ensuivit un moment de silence entre les continents, dernier instant de vie de quelque chose, et puis un déclic.

Je rangeai mes habits et ma trousse de toilette au sommet de livres ni ouverts ni lus. Mon passeport, ainsi que le talon de ma carte d'embarquement à l'aller, n'avait pas bougé de la poche intérieure de ma veste. Faire ma valise me prit très peu de temps – j'avais voyagé léger et acquis peu de souvenirs. Talons des billets de concert et du club de strip-tease, des horaires de tram.

Après avoir pesé le pour et le contre, je rassemblai une poignée de messages d'Oskar – sur la table de la cuisine, dans le livre de Novack, sous le lit et sous le parquet – et les glissai dans mon sac.

Il restait de la nourriture dans le réfrigérateur – comme elle risquait de s'abîmer si je l'y laissais, je me préparai un petit déjeuner inhabituellement copieux et bazardai le reste à la poubelle. Je balançai aussi les notes inachevées que j'avais froissées après les avoir écrites à Oskar la nuit précédente. Elles n'étaient plus à l'ordre du jour. Je n'avais pas été capable de coucher sur le papier ce qui était arrivé avec la femme de ménage. Mes bafouilles se réduisaient à des explications inutiles sur l'état du parquet, vidées de leur sens quand on passait sous silence tous les autres événements. Par-dessus, je poussai la nourriture pour chat éventée, que je remplaçai par une nouvelle boîte. Puis je sortis le sac de la poubelle, y fis un nœud et le jetai dans le vide-ordures. Personne dans le couloir. Le silence y était patient, compréhensif.

Une fois leurs mesures achevées et après avoir réduit l'appartement d'Oskar à des dimensions et à des estimations de poids jetées dans des carnets, les ouvriers partirent en m'adressant mille courbettes et sourires pratiquement sans proférer un son. Plus vaste sans eux, l'endroit n'en paraissait pas moins au bout du rouleau : lui aussi avait atteint ses limites. Comme j'en avais le temps, je remis en place les lattes tachées. Toc toc avec le marteau… et les clous retrouvèrent leur ancien trou ! Boulot satisfaisant, constructif et simple qui n'avait pas empiré la situation initiale, celle antérieure au retrait des lattes.

Il était onze heures passées. Je pris une douche et avançai mon sac dans le vestibule. Puis je flânai dans l'appartement tranquille, allant de pièce en pièce en opérant de minuscules ajustements – je replaçai les CD sur leurs étagères, fis le lit, lavai la vaisselle sale, vidai le lave-vaisselle, pris le petit couteau d'office en acier avec une serviette et le rangeai dans son tiroir. Attentions qui brillaient toutes par leur futilité et dépassaient certainement ce que j'avais envie de faire pour Oskar, mais je ne pouvais m'en empêcher. À la lumière de ses aveux, remettre tout en place, comme au jour de mon arrivée, me répugnait. Car toute chose avait occupé la place qu'Oskar lui avait réservée dans sa machination censée prouver sa supériorité. Lui – et peut-être lui seulement – pouvait traverser cet espace sans l'abîmer, tandis que nous autres, moins doués, trébuchions et nous y débattions en y laissant notre signature honteuse. C'était comme un tamis à travers les mailles duquel seuls des êtres supérieurs tel Oskar pouvaient passer.

Mais à part le parquet, le sofa, les magazines pornos, le chat mort et l'autre porté disparu, l'ordre régnait à nouveau dans l'appartement. Je me saisis de l'un des volumes d'architecture et m'assis dans le living. À l'extérieur, la lumière jaillissait et disparaissait au rythme des nuages qui oblitéraient le soleil. Des trams passaient comme d'habitude et de temps à autre retentissait une sonnette.

Quand l'interphone résonna, je sursautai. À l'autre bout, une voix rauque cria : « Taxi ! »

Pour la dernière fois, je dressai l'inventaire mental de ce que j'aurais pu oublier. J'avais laissé la fenêtre de la chambre ouverte. Je partis la fermer.

Le chat était allongé sur le lit. Quand il m'entendit entrer, il leva les yeux et roula sur le dos, tout en se tortillant. Je souris et lui caressai le ventre. Il ronronna de bonheur.

– Bonjour, toi ! Merci d'être revenu.

Je fermai la fenêtre et m'adressai à nouveau à lui, complaisant et moyennement intéressé.

– Bon, je pars. Michael va passer tout à l'heure. Désolé pour ton copain. Il y a à manger dans la cuisine si tu veux.

Il plissa les yeux et bondit du lit au moment où je quittais la chambre. Il me suivit à la cuisine. Shossy, pensai-je tout en le regardant avaler sa pâtée.

– Au revoir, Shossy.

Je déposai les clés sur la table, jetai un dernier coup d'œil au living et sortis en prenant garde de bien refermer la porte d'entrée derrière moi.

Le tissu urbain élimé disparut rapidement et le taxi cahota sur une voie express au bitume rugueux, flanquée de pâtés d'immeubles d'un jaune décoloré. Auréolé de mille grincements et crissements, Jésus tressautait nerveusement suspendu au rétroviseur. D'énormes nuages occupaient le ciel en apesanteur.

J'observais les bâtiments défiler comme autant de pages d'un livre feuilleté. Au fur et à mesure de notre progression, chacun révélait au hasard de nouvelles tranches de vie : linge en train de sécher, antennes paraboliques, drapeaux aux fenêtres, jouets d'enfants sur des balcons. Le soleil se réfléchissait sur la façade de chaque ensemble d'immeubles, dardant ses rayons des innombrables fenêtres... puis l'ensemble disparaissait, peut-être à jamais. Je pensais à l'état dans lequel j'avais laissé l'appartement d'Oskar, vide et calme, propre mais détérioré, et me demandais combien de passants lui jetteraient un œil aujourd'hui depuis les trams et les voitures. Le nettoyage dont l'appartement avait bénéficié pendant ces derniers moments m'avait donné l'impression de remettre les compteurs à zéro. L'expérience d'Oskar censée déterminer si l'humanité bête et chaotique pouvait se hisser à la hauteur de ses attentes avait reçu une réponse irréfutable : non ! Une souricière compliquée prête à se refermer sur celui qui s'y aventurait...

Mais je n'étais pas le seul à avoir été piégé. Malgré ses taches de moisissure noires au-dessus de la baignoire et ses traces grises autour des interrupteurs, mon appartement ne me semblait pas si mal à présent. Au moins, il avait le mérite de ne pas m'obséder, d'exiger peu de moi. Ce qui m'avait tourmenté, assis entre ses murs à fixer les traînées sur les carreaux des fenêtres, ce n'était pas l'appartement réel : c'en était un autre, imaginaire, possible, idéal. C'était l'idée de perfection selon laquelle je ne pourrais que m'améliorer si je vivais dans un endroit plus adapté. Ce en quoi je ne différais pas d'Oskar. C'était avec cette idée qu'il avait construit son espace de vie. Comme Laura avait raison ! En se créant son chez-soi, Oskar en avait exclu toute autre personne. Le piège s'était refermé sur lui avec plus de férocité que sur n'importe qui. Ce qui l'avait obligé à chercher quelqu'un pour l'en libérer. Alors que moi, mon chaos m'apportait la paix. J'étais libre. Je l'avais toujours été, sauf que j'avais été attiré par les barreaux.

De l'autre côté de la vitre, la ville à nouveau métamorphosée avait pour ainsi dire disparu. Nous filions sur un tronçon de voie express plus récent et les roues du taxi en sifflaient de contentement. Nous avions pénétré le territoire des zones périurbaines : entrepôts de distribution géants et conteneurs alignés derrière des barbelés frémissants ; avant-postes de franchises de fast-food éclairés vingt-quatre heures sur vingt-quatre par des néons ; énormes lopins de terre morte sans rien dessus – excepté des ordures et une flore issue de Mars – plantés de panneaux d'affichage chantant l'arrivée de milliers et de milliers de mètres carrés de nouveaux espaces à l'ouverture prévue d'ici un an ou deux. Nouveaux espaces, monde relooké. Des montagnes brunes s'empilaient à l'horizon. Des avions pointaient le nez en direction du soleil. Le monde était sans limite.

REMERCIEMENTS

Je n'aurais jamais réussi à achever ce livre sans les conseils et les encouragements d'Antony Topping mon agent. Clare Smith, mon éditrice chez HarperPress, a défendu ce livre avec passion. L'oreille bienveillante de Fatima Fernandes m'a permis de poursuivre. Je remercie Peter Smith pour ses remarques perspicaces sur mon premier jet. Hazel Tsoi-Wiles m'a aidé d'innombrables façons.

Cet ouvrage a été achevé d'imprimer en décembre 2014
sur les presses de Normandie Roto Impression s.a.s.
61250 lonrai
N° d'imprimeur : 1404931
Dépôt légal : janvier 2015

Imprimé en France